Manque de temps ?
Envie de réussir ?
Besoin d'aide ?

La solution

Le *Compagnon Web* :

www.erpi.com/chevalier.cw

Il contient des outils en ligne qui vous permettront de tester ou d'approfondir vos connaissances.

- ✓ **Mini-vidéos**
- ✓ **MP3 (méthodes de relaxation de Jacobson et de Schultz)**
- ✓ **Nombreux calculateurs (fréquence cardiaque, dépense énergétique, 1 RM, vitesse de jogging)**
- ✓ **Questions pour vérifier vos connaissances**
- ✓ **Réponses aux questions du manuel**
- ✓ **Textes complémentaires**
- ✓ **Liste de sites Internet à visiter**

Comment accéder
au Compagnon Web de votre manuel ?

Étape 1 : Allez à l'adresse www.erpi.com/chevalier.cw

Étape 2 : Lorsqu'ils seront demandés, entrez le nom d'usager et le mot de passe ci-dessous :

Nom d'usager ch63672 **Mot de**

D1401909

Étape 3 : Suivez les instructions à l'écran

Support technique : tech@erpi.com

7729

À vos marques, prêts, santé !

4e édition

À vos marques, prêts, santé !

4e édition

Richard Chevalier

ERPI

ÉDITIONS DU RENOUVEAU PÉDAGOGIQUE INC.

5757, RUE CYPIHOT, SAINT-LAURENT (QUÉBEC) H4S 1R3
TÉLÉPHONE: (514) 334-2690   TÉLÉCOPIEUR: (514) 334-4720
erpidlm@erpi.com   w w w . e r p i . c o m

Directrice, développement de produits :
Isabelle de la Barrière

Supervision éditoriale :
Sylvie Chapleau

Révision linguistique :
Emmanuel Dalmenesche

Recherche iconographique :
Marie-Chantal Masson

Direction artistique :
Hélène Cousineau

Supervision de la production :
Muriel Normand

Conception graphique, infographie et couverture :
Eykel Design

Dans cet ouvrage, le générique masculin est utilisé sans aucune discrimination et uniquement pour alléger le texte.

Dépôt légal : 2006
Bibliothèque et Archives nationales du Québec
Bibliothèque nationale du Canada
Imprimé au Canada

ISBN 978-2-7613-1922-5

234567890 II 0987
20381 ABCD LHM9

Les gros cailloux de la vie !

Un jour, un vieux professeur de l'École nationale d'administration publique (ENAP) fut engagé pour donner une formation sur la planification efficace de son temps à un groupe d'une quinzaine de dirigeants de grandes entreprises nord-américaines. Ce cours constituait l'un des cinq ateliers de leur journée de formation. Le vieux prof n'avait donc qu'une heure pour « passer sa matière ».

Debout devant ce groupe d'élite (qui était prêt à noter tout ce que l'expert allait enseigner), le vieux prof les regarda un par un, lentement, puis leur dit : « Nous allons réaliser une expérience. »

De sous la table qui le séparait de ses élèves, le vieux prof sortit un gros pot Mason de quatre litres qu'il posa délicatement devant lui. Ensuite, il prit une douzaine de cailloux a peu près gros comme des balles de tennis et les plaça lentement, un par un, dans le pot. Lorsque le pot fut rempli jusqu'au bord et qu'il fut impossible d'y ajouter un caillou de plus, il leva lentement les yeux vers ses élèves et leur demanda : « Est-ce que ce pot est plein ? »

Tous répondirent : « Oui. »

Il attendit quelques secondes et ajouta : « Vraiment ? »

Alors, il se pencha de nouveau et sortit de sous la table un récipient rempli de gravier. Avec minutie, il versa ce gravier sur les gros cailloux puis secoua légèrement le pot. Le gravier s'infiltra entre les cailloux... jusqu'au fond du pot.

Le vieux prof leva à nouveau les yeux vers son auditoire et redemanda :

« Est-ce que ce pot est plein ? » Cette fois, ses brillants élèves commençaient à comprendre son manège.

L'un d'eux répondit : « Probablement pas ! »

« Bien ! », lança le vieux prof.

Il se pencha de nouveau et, cette fois, sortit de sous la table un seau rempli de sable. Avec précaution, il versa le sable dans le pot. Le sable alla remplir les espaces entre les gros cailloux et le gravier. Encore une fois, il demanda : « Est-ce que ce pot est plein ? »

Cette fois, sans hésiter et en chœur, les brillants élèves répondirent : « Non ! »

« Bien ! », lança de nouveau le vieux prof.

Et, comme s'y attendaient ses prestigieux élèves, il prit le pichet d'eau qui était sur la table et remplit le pot jusqu'a ras bord. Le vieux prof leva alors les yeux vers son groupe et demanda : « Quelle grande vérité nous démontre cette expérience ? »

Le plus audacieux des élèves, songeant au sujet du cours, répondit : « Cela démontre que même lorsque nous croyons que notre agenda est complètement rempli, on peut si on le veut vraiment y ajouter plus de rendez-vous, plus de choses à faire. »

« Non, répondit le vieux prof. Ce n'est pas cela. La grande vérité que nous démontre cette expérience est la suivante : si on ne met pas les gros cailloux en premier dans le pot, on ne pourra jamais les faire entrer tous ensuite. » Il y eut un profond silence, chacun prenant conscience de l'évidence de ces propos.

Le vieux prof leur dit alors : « Quels sont les gros cailloux dans votre vie ? Votre santé ? Votre famille ? Vos ami(e)s ? Réaliser vos rêves ? Faire ce que vous aimez ? Apprendre ? Défendre une cause ? Relaxer ? Prendre le temps…? Ou… toute autre chose ?

Ce qu'il faut retenir, c'est l'importance de mettre ses GROS CAILLOUX en premier dans sa vie, sinon on risque de ne pas réussir... sa vie. Si on donne priorité aux peccadilles (le gravier, le sable), on remplira sa vie de peccadilles et on n'aura plus suffisamment de temps précieux à consacrer aux éléments importants de sa vie.

Alors, n'oubliez pas de vous poser à vous-même la question :

"Quels sont les GROS CAILLOUX dans ma vie ?"

Ensuite, mettez-les en premier dans votre pot (vie)." »

D'un geste amical de la main, le vieux professeur salua son auditoire et quitta lentement la salle.

Auteur inconnu

Avant-propos

Le mode de vie constitue la principale cause de l'explosion des maladies non transmissibles (maladies cardiovasculaires, cancer, emphysème, diabète de type 2, etc.) qu'on observe un peu partout sur la planète. Or, nous sommes en grande partie responsables de nos habitudes de vie : nous en prenons nous-mêmes de bonnes ou de mauvaises et nous les entretenons. Dès que nous parvenons à améliorer un tant soit peu une seule habitude, il est indéniable que notre santé et notre qualité de vie en bénéficient.

Ce manuel propose une démarche aux personnes qui désirent faire le « ménage » dans leurs habitudes de vie : nous leur conseillons d'amorcer ce changement par la pratique régulière de l'activité physique. En effet, en plus d'améliorer directement la santé physique et mentale, cette pratique provoque une réaction en chaîne sur les autres habitudes de vie. Ce manuel donne à l'activité physique la place qui lui revient quand il est question de qualité de vie et de santé, c'est-à-dire la première.

Nous avons enrichi cette quatrième édition de plusieurs façons :

* une méthode de changement de ses habitudes de vie ;
* des normes de tests incluant les 50 ans et plus ;
* le regroupement de tout ce qui touche l'alimentation dans un seul chapitre ;
* des bilans de fin de chapitre encore plus complets ;
* des contrats d'engagements améliorés ;
* une mise à jour des données scientifiques les plus récentes ;
* un contenu qui couvre désormais les trois ensembles grâce à des ajouts dans le guide pédagogique ;
* plus de réflexions personnelles ;
* de nouvelles figures, de nouveaux tableaux, de nouveaux bilans, de nouvelles rubriques *Zoom* ;
* le tout nouveau guide alimentaire canadien sous la forme d'une pyramide ;
* des programmes personnels types pour améliorer sa condition physique, établis à partir de cas concrets d'étudiants de cégep ;
* *L'Équipier*, avec des fiches détachables et une pochette à même la couverture, accompagne toujours le manuel ;
* un **Compagnon Web** enrichi de plusieurs nouveautés : de nouveaux calculateurs inédits ; de nouveaux textes complémentaires ; des mini-vidéos sur les bonnes et les mauvaises postures ainsi que sur les exercices des divers tests d'évaluation de la condition physique, etc.

mot-clé

Cette icône signale qu'il y a un supplément d'information en ligne, dans le Compagnon Web. Elle est accompagnée d'un ou deux mots-clés qui renvoient au sujet traité dans le Compagnon Web. Une fois dans le site **www.erpi.com/chevalier.cw**, écrivez le mot-clé à l'endroit indiqué. Voilà ! Le tour est joué.

Remerciements

J'avais écrit, dans la première édition de *À vos marques, prêts, santé!*, qu'un manuel de cette nature ne peut constituer l'œuvre d'une seule personne, et c'est toujours vrai pour cette quatrième édition! Je tiens donc à exprimer mes remerciements à toutes les personnes qui, de près ou de loin, m'ont aidé à réaliser ce projet, notamment tous les éducateurs et éducatrices physiques qui ont participé au sondage mené par ERPI ainsi que Vital Grenier et Richard Paquet pour leurs précieux conseils. Je remercie également les personnes suivantes de la maison d'édition pour leur inestimable apport à la réalisation de ce manuel : Sylvie Chapleau, éditrice ; Muriel Normand, coordonnatrice et conseillère typographique et son équipe (Eykel Design) chargée de la conception et de la réalisation graphique ; Emmanuel Dalmenesche, réviseur linguistique ; Isabelle de la Barrière, directrice, développement de produits, ainsi que l'équipe de représentants et représentantes d'ERPI. Je voudrais remercier particulièrement Jean-Pierre Albert, vice-président de l'édition, pour l'enthousiasme et la confiance qu'il a su manifester envers mon travail.

Richard Chevalier

Table des matières

3 Partie 3
Le temps de passer à l'action 245

Chapitre 13
Choisir ses activités physiques

Chapitre 14
Se préparer à l'action

Bilans

Mode de vie et santé:

une relation qu'on ne peut ignorer

La première partie de cet ouvrage vise à vous faire prendre conscience de la relation qui existe entre vos habitudes de vie et votre santé. Elle vise aussi à vous aider à prendre en charge votre santé : vos forces et vos faiblesses dépendent en effet en grande partie de vos comportements, et vous pouvez agir sur ces derniers.

Santé:
tout se joue sur les doigts de la main

Objectifs

- Nommer les habitudes de vie les plus nuisibles à la santé.

- Décrire, sommairement, les conséquences des mauvaises habitudes de vie.

- Définir ce qu'est la santé.

- Apprendre comment on peut modifier une habitude de vie.

- Faire le bilan sommaire de votre mode de vie et l'interpréter.

Pendant des siècles, virus, bactéries et compagnie nous ont fait la vie dure en nous rendant malades, quand ils ne nous tuaient pas bien avant l'heure. Les grandes épidémies des temps passés en témoignent. Aujourd'hui, grâce aux vaccins, aux antibiotiques et à l'amélioration de l'hygiène en général, la situation a radicalement changé. Nous formons les premières générations d'humains à ne pas mourir massivement des suites d'une maladie infectieuse (grippe, tuberculose, pneumonie, etc.) et à vivre aussi longtemps, soit en moyenne 80 ans en Occident, sans égard au sexe. On peut l'affirmer : pour l'heure, c'est une grande victoire sur les microbes.

> **D'ici 2020, la maladie coronarienne, l'accident vasculaire cérébral, le diabète de type 2 et certains cancers seront responsables de plus de 70 % de la charge mondiale de morbidité.**
>
> Organisation mondiale de la santé
>
> *Mais tout peut changer… si on change soi-même.*

Priorité santé nº 1 : freiner la montée des maladies dues au mode de vie

On pourrait croire que tout va bien, mais nos mauvaises habitudes de vie ont pris la relève des épidémies et jouent maintenant les trouble-fête. Elles sont responsables de plus de 75 % des décès prématurés dans les pays industrialisés (figure 1.1), sans compter qu'elles affectent sérieusement notre espérance de vie en bonne santé. On doit en effet distinguer l'espérance de vie totale et l'espérance de vie en bonne santé. L'**espérance de vie totale** correspond au nombre d'années qu'une personne peut espérer vivre à compter de sa naissance. Au Québec, en 2005, elle est de 82 ans pour les femmes

figure **1.1** Les causes de décès prématurés : hier les microbes, aujourd'hui le mode de vie

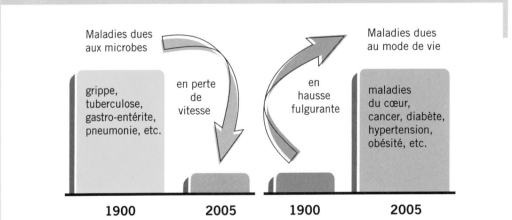

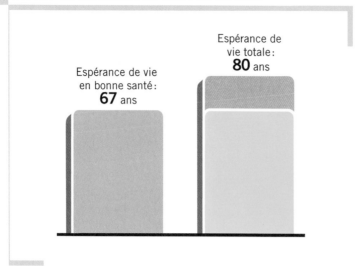

Espérance de vie totale : **80** ans

Espérance de vie en bonne santé : **67** ans

et de 77 ans pour les hommes. L'**espérance de vie en bonne santé** correspond au nombre d'années en bonne santé et sans limitation d'activité qu'une personne peut espérer vivre à compter de sa naissance. Alors que l'espérance de vie totale, tous sexes confondus, est de 80 ans dans les pays industrialisés, l'espérance de vie en bonne santé est seulement de 67 ans (figure 1.2). Cela signifie qu'à partir de 67 ans, la qualité de vie d'un grand nombre de personnes diminue en raison de la maladie.

Les mauvaises habitudes de vie sont devenues les facteurs de maladie les plus importants et ont remplacé à cet égard les microbes. Nous disposons toutefois de deux avantages. Premier avantage, on peut agir sur chacune de ces habitudes de vie. Si on fume, on peut décider d'arrêter de fumer. Si on est de plus en plus stressé, on peut diminuer son niveau de stress. À titre de comparaison, lutter contre les microbes est plus délicat : ils annoncent rarement leur visite, et on peut seulement se protéger pour les empêcher de nous envahir, ce qui ne fonctionne pas toujours ! Second avantage, les habitudes de vie qui nuisent le plus à la santé se comptent sur les doigts de la main, contrairement aux microorganismes qui, eux, pullulent dans l'environnement.

Pour la plupart d'entre nous, les ennemis à surveiller ne sont pas légion. Il y a cinq ennemis principaux : l'**inactivité physique**, la **malbouffe**, le **tabagisme**, l'**excès de stress** et l'**abus d'alcool** (figure 1.3). D'autres habitudes nous exposent aussi à des risques certains en matière de santé, comme la dépendance aux drogues, le manque de sommeil, les relations sexuelles non protégées ou encore l'abus de bronzage en cabine ou sous le soleil (zoom 1.1). Toutefois, selon l'Organisation mondiale de la santé (OMS), les cinq premières habitudes ont le plus d'influence sur la santé parce qu'elles sont les plus répandues au sein de la population. Les dépenses occasionnées par ces seules cinq habitudes grèvent d'ailleurs de plus en plus le budget des soins de santé dans les principaux pays industrialisés (tableau 1.1).

ZOOM

1.1 D'autres habitudes
à risque

Bien qu'elles soient moins répandues que les cinq grandes habitudes identifiées par l'OMS, les habitudes qui suivent exposent, elles aussi, à des risques certains en matière de santé. Font-elles partie de votre mode de vie ?

Le manque de sommeil

Vous manquez de sommeil quand vous vous levez le matin avec l'impression d'être fatigué, de ne pas avoir suffisamment récupéré sur le plan physique et psychologique. De plus, le manque de sommeil diminue la concentration et la vigilance en classe, au travail ou, pire, en auto et affecte votre caractère (vous devenez irritable et d'humeur changeante). Pourquoi manquez-vous de sommeil : dormez-vous assez ou avez-vous du mal à bien dormir ? Il est important de répondre à cette question car, à la longue, un manque chronique de sommeil peut conduire à la dépression et à un affaiblissement marqué du système immunitaire. Pour améliorer la qualité de votre sommeil, consultez la section *Pour en savoir plus* à la fin de ce chapitre et le zoom 4.2 (page 100).

L'abus du bronzage

En cabine ou sous le soleil, le bronzage accélère le vieillissement de la peau et augmente les risques de cancer de la peau. Pour obtenir des conseils pratiques concernant le bronzage naturel ou en cabine, consultez la section *Pour en savoir plus* à la fin de ce chapitre, ainsi que la page 375 du chapitre 14.

La dépendance aux drogues

Le mot « drogue » désigne ici toute substance, autre que des aliments, qu'on absorbe pour modifier la façon dont le corps ou l'esprit fonctionne. Parmi ces substances, dites aussi psychotropes, certaines sont légales, comme l'alcool, le tabac, la caféine, ainsi que certains médicaments sous ordonnance. D'autres sont illégales, comme le cannabis, le LSD, le « crack », l'héroïne, la méthamphétamine (« cristal meth » ou « peach ») ou la cocaïne. Le problème survient lorsque la personne consomme une drogue et en subit des effets négatifs : troubles de santé, problèmes au sein de la famille, au cégep ou au travail, ou encore problèmes d'ordre juridique. Le problème s'aggrave lorsque se crée une forte dépendance psychologique et physique. À terme, cette dépendance peut conduire à l'autodestruction. Pour savoir quelles sont les drogues les plus dangereuses, quels sont leurs effets sur l'organisme et comment se libérer d'une dépendance à ces substances, consultez le Compagnon Web, ainsi que la section *Pour en savoir plus* à la fin de ce chapitre.

drogue

Les relations sexuelles non protégées

Tout a été dit sur le sujet, mais il faut rappeler que certaines infections transmissibles sexuellement (ITS), tels le VIH, le papillome humain (les petites verrues génitales ou condylomes en sont une manifestation), l'herpès génital, la gonorrhée, la syphilis et la chlamydia, peuvent entraîner de graves problèmes de santé (sida, stérilité, cancers génitaux). Or, il suffit d'utiliser un condom lors d'une relation sexuelle pour prévenir toutes ces infections. Pour plus de détails sur les mesures à prendre afin d'éviter les ITS, consultez la section *Pour en savoir plus* à la fin de ce chapitre.

figure 1.3 Les cinq habitudes de vie les plus nuisibles

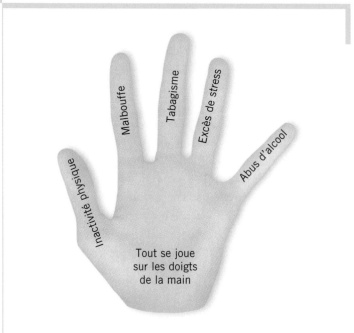

Malbouffe

Tabagisme

Excès de stress

Abus d'alcool

Inactivité physique

Tout se joue
sur les doigts
de la main

tableau 1.1 Des habitudes de vie qui nous coûtent cher :
plus de 53 milliards par année !

Rang	Maladies	Facture annuelle*	Habitudes de vie en cause
1	Maladies du cœur	20,4 milliards	Malbouffe, excès de stress, inactivité physique, tabagisme, abus d'alcool
2	Cancer	16,7 milliards	Malbouffe, inactivité physique, tabagisme, abus d'alcool
3	Maladies pulmonaires obstructives chroniques (par exemple emphysème, bronchite)	6,5 milliards	Tabagisme
4	Diabète (type 2)	9,6 milliards	Malbouffe, inactivité physique

TOTAL : Plus de 53 milliards de dollars par année, soit 8 % du PIB du Canada.

* Données pour le Canada (2003).

La santé,
c'est plus que ne pas être malade!

L'époque est révolue où les gens négligeaient la prévention et se fiaient à la médecine pour réparer les pots cassés. Notre système de santé a ses limites, tant budgétaires que médicales. Révolue aussi l'époque où on définissait la santé comme l'absence de maladie. On allait alors passer un examen médical et, si le médecin ne détectait rien d'anormal, il nous déclarait en bonne santé. Aujourd'hui, le couple médecin-médicaments ne suffit plus. Les organismes nationaux et internationaux consacrés à la promotion de la santé définissent la **santé** comme un *état dynamique de bien-être physique, mental, émotif, spirituel, social et environnemental* (zoom 1.2). Être en bonne santé signifie donc être bien dans notre corps, dans notre esprit, mais aussi dans le milieu qui nous entoure et dans nos relations avec les autres. On atteint cet état de bien-être en prenant sa santé en main, ce qui exige en premier lieu de faire le ménage dans son mode de vie. En effet, on a amplement démontré que si l'ensemble des individus modifiaient un tant soit peu leur mode de vie, les dépenses de santé et le nombre de décès prématurés chuteraient, tandis que l'espérance de vie en bonne santé se rapprocherait beaucoup de l'espérance de vie totale (figure 1.4).

ZOOM
1.2 Les six dimensions
de la santé

La santé physique
C'est le bon fonctionnement du corps assuré par l'adoption d'un mode de vie énergisant.

La santé mentale
C'est la capacité à apprendre, à s'émerveiller et à s'accomplir sur le plan intellectuel.

La santé émotive
C'est la capacité à vivre ses émotions de façon à se sentir en accord avec soi-même la plupart du temps.

La santé spirituelle
C'est la capacité à adopter un ensemble de valeurs et de principes qui donnent un sens et un but à sa vie.

La santé sociale
C'est la capacité à avoir des relations interpersonnelles satisfaisantes.

La santé environnementale
C'est la participation à l'effort collectif de dépollution de son environnement immédiat et de la planète.

figure 1.4 Ce qui pourrait arriver si nous changions nos habitudes de vie...

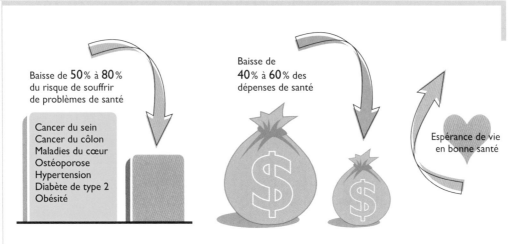

Baisse de **50**% à **80**% du risque de souffrir de problèmes de santé

Cancer du sein
Cancer du côlon
Maladies du cœur
Ostéoporose
Hypertension
Diabète de type 2
Obésité

Baisse de **40**% à **60**% des dépenses de santé

Espérance de vie en bonne santé

Mais si la prévention est à ce point efficace, pourquoi la plupart des gens ne modifient-ils pas leurs habitudes de vie? La raison est très simple : un microbe peut nous clouer au lit en quelques jours, alors que les conséquences d'une mauvaise habitude de vie mettent du temps à se manifester. Par exemple, une personne qui fume un paquet de cigarettes par jour ne souffre parfois d'un cancer du poumon ou de problèmes cardiaques qu'après de nombreuses années (figure 1.5). On peut donc se demander où est l'urgence d'agir, puisque le tabagisme ne provoque ni fièvre, ni douleurs, ni fatigue qui pourraient entraver à moyen terme nos activités quotidiennes. Bref, on ne se sent pas malade. Hélas! ce n'est que beaucoup plus tard que les symptômes apparaissent, et les dommages aux organes sont déjà très importants. Les traitements sont non seulement coûteux sur le plan socio-économique, mais ils risquent aussi de laisser des séquelles.

figure 1.5 Le microbe frappe tôt, la mauvaise habitude frappe tard !

Lundi   Vendredi

Le microbe agit rapidement.

20 ans   50 ans

La mauvaise habitude agit lentement.

Un plan simple
pour changer une habitude de vie

Si l'approche préventive ne progresse qu'à petits pas dans nos sociétés, c'est aussi pour une autre raison : changer une habitude de vie ne se fait pas en un claquement de doigts. Il est vrai que le point de départ pour amorcer un changement est de savoir qu'une habitude de vie nuit à notre santé. Ainsi, avant qu'on sache que la cigarette endommage les poumons, peu de gens parlaient d'arrêter de fumer : ils ne savaient tout bonnement pas que cette habitude est nuisible. Depuis qu'on le sait, tous les fumeurs n'ont

> Nous avons tendance à résister au changement. Comme le dit, avec humour, Richard Earle, directeur de l'Institut canadien du stress et de la Fondation Hans Selye : « En fin de compte, le seul être humain en faveur du changement, c'est le bébé dont la couche est souillée ! »

cependant pas arrêté de fumer. Et ceux qui ont essayé ou essaient à l'heure actuelle savent qu'on n'y arrive pas facilement. Une habitude est en effet une manière d'agir qui se répète jour après jour, et ce, depuis des années. La routine correspondant à l'habitude en question est bien ancrée dans le cerveau. Il n'est donc pas facile de la remplacer par une autre habitude, même si on sait que ce changement améliorerait notre qualité de vie et notre santé.

Deux conditions sont nécessaires pour y arriver : il faut, d'une part, être bien informé sur la question et, d'autre part, adopter un plan d'action concret conduisant de façon sûre vers le changement. De tels plans sont souvent inspirés de différentes approches élaborées par des spécialistes de la psychologie du comportement. Le plan que nous avons retenu pour l'ensemble de ce livre repose sur une approche simple : l'approche par objectifs. En vous fixant un ou plusieurs objectifs, vous prenez en main votre quête vers un meilleur mode de vie, car c'est vous qui déterminez la marche à suivre. Celle-ci comporte seulement trois étapes :

Étape 1 : Faites le bilan de votre mode de vie

Pour vous fixer un objectif de changement de comportement, vous devez d'abord savoir sur quoi agir. Par exemple, vous manquez peut-être de sommeil, ce qui explique votre grande fatigue pendant la journée. Peut-être êtes-vous trop sédentaire ? Ou trop stressé ? Le bilan 1.1, à la fin du présent chapitre, vous aidera à faire le point sur votre mode de vie. Quel que soit le comportement qui nuit ou risque de nuire à votre santé, faire ce bilan vous aidera à mettre le doigt sur le problème. À ce stade, il est important que votre motivation à changer ce comportement vienne de l'intérieur et non d'une pression extérieure. Autrement dit, vous changez pour vous faire du bien... à vous, et non pour plaire aux autres ! Prêt à changer ? Si c'est le cas, il est temps de passer à l'action.

Étape 2 : Fixez-vous un objectif précis et réaliste

Après avoir fait le bilan 1.1, si vous constatez que vous ne faites pas assez d'exercice, ne dites pas : « Je vais en faire plus. » Cet objectif est trop vague, et vous risquez de ne pas l'atteindre. Soyez plus précis, tout en étant réaliste. Dites plutôt : « Je vais faire 25 minutes de marche sportive tous les jours de la semaine à partir de lundi. » Si vous constatez que vous êtes trop stressé, ne dites pas : « Il faut que je me détende. » Dites plutôt : « Afin de diminuer mes tensions musculaires, je vais suivre la méthode de relaxation active de Jacobson (p. 105), à la maison, trois soirs par semaine, pendant deux semaines. » Les recherches ont montré que plus un objectif est précis et orienté vers une action concrète, plus on a de chances de l'atteindre. Sachez aussi que **les habitudes aiment la compagnie**. Par exemple, beaucoup de fumeurs allument une cigarette en prenant un café. Ces deux habitudes en viennent à être quasiment indissociables. Une stratégie gagnante consiste donc à briser les liens entre ces deux habitudes. Souvenez-vous-en quand vous formulerez votre objectif. Une suggestion : écrivez cet objectif et mettez-le bien en vue sur le bureau où vous travaillez. Les contrats d'engagements sur le mode de vie que vous trouverez à la fin des chapitres 2 à 5 peuvent vous aider à vous fixer de tels objectifs. Dans la troisième partie de ce livre (**Passez à l'action**), vous apprendrez dans le détail comment vous fixer des objectifs en matière d'activité physique.

Étape 3 : Prenez les moyens pour atteindre votre objectif

Il s'agit de créer un environnement qui vous aide à atteindre votre objectif. Si, pour reprendre l'exemple précédent, votre objectif est de suivre la méthode de Jacobson trois soirs par semaine, assurez-vous d'abord d'avoir accès à un enregistrement audio de cette méthode. Puis, choisissez un endroit calme où vous ne serez pas dérangé par un téléphone qui sonne, par le bruit ambiant ou la clameur de la rue. Veillez aussi à tamiser la lumière, à vous installer confortablement sur le sol, à porter des vêtements amples et à enlever vos chaussures. Vous créerez ainsi un environnement propice à la relaxation visée par la méthode de Jacobson. Bref, vous aurez pris les moyens pour atteindre votre objectif.

Tout au long de ce livre, vous découvrirez une multitude de moyens à prendre pour changer, s'il y a lieu, certains aspects de votre mode de vie. En somme, contrairement à nos ancêtres, nous savons maintenant quelles sont les conséquences de l'adoption de telle ou telle habitude de vie. Nous faisons même partie des premières générations à avoir la capacité et les connaissances nécessaires pour jouir le plus longtemps possible d'une bonne santé. À nous d'en profiter et de passer de l'attentisme à l'action. Nous allons voir comment nous pouvons y arriver en examinant un à un, dans les prochains chapitres, les cinq comportements qui nuisent le plus à notre santé.

à vos méninges

Remarque : Il peut y avoir plus d'une bonne réponse par question.

1. **Quelle est l'espérance de vie en bonne santé dans les pays industrialisés ?**

- ○ **a)** 82 ans.
- ○ **b)** 78 ans.
- ○ **c)** 80 ans.
- ○ **d)** 67 ans.
- ○ **e)** Aucune des réponses précédentes.

2. **Quel est l'écart, en années, entre l'espérance de vie totale et l'espérance de vie en bonne santé ?**

- ○ **a)** 0
- ○ **b)** 6
- ○ **c)** 9
- ○ **d)** 11
- ○ **e)** 13

3. **À part les 5 habitudes de vie identifiées par l'OMS, indiquez trois autres habitudes qui ont une influence certaine sur notre santé.**

1. _____

2. _____

3. _____

4. **Quelles sont les habitudes de vie les plus nuisibles à la santé ?**

- ○ **a)** L'abus de médicaments.
- ○ **b)** Le manque de sommeil.
- ○ **c)** Le manque d'exercice.
- ○ **d)** La consommation de drogues.
- ○ **e)** L'excès de vitesse en voiture.
- ○ **f)** Une alimentation déséquilibrée.
- ○ **g)** L'excès de stress.
- ○ **h)** Le tabagisme.
- ○ **i)** L'exposition aux rayons ultraviolets.
- ○ **j)** Les relations sexuelles non protégées.
- ○ **k)** L'abus d'alcool.

5. À quoi sont dues les maladies qui grèvent le plus le budget de la santé ?

- ○ **a)** À l'hérédité.
- ○ **b)** Aux dérèglements hormonaux.
- ○ **c)** Au vieillissement de la population.
- ○ **d)** À certaines habitudes de vie.
- ○ **e)** Aux bactéries et aux virus.

6. Dans la liste suivante, indiquez les maladies qui sont parmi les plus fréquentes aujourd'hui.

- ○ **a)** La tuberculose.
- ○ **b)** Les maladies du cœur.
- ○ **c)** La grippe.
- ○ **d)** Le diabète de type 2.
- ○ **e)** La pneumonie.

7. Associez chacune des six dimensions de la santé (liste de gauche) à sa définition (liste de droite).

Dimensions	Définitions
1. Santé physique	**a)** Participation à l'effort collectif de dépollution de son environnement immédiat et de la planète.
2. Santé mentale	**b)** Capacité à adopter un ensemble de valeurs et de principes qui donnent un sens et un but à sa vie.
3. Santé émotive	**c)** Capacité à avoir des relations interpersonnelles satisfaisantes.
4. Santé spirituelle	**d)** Capacité à vivre ses émotions de façon à se sentir en accord avec soi-même la plupart du temps.
5. Santé sociale	**e)** Bon fonctionnement du corps assuré par l'adoption d'un mode de vie énergisant.
6. Santé environnementale	**f)** Capacité à apprendre, à s'émerveiller et à s'accomplir sur le plan intellectuel.

8. Pourquoi l'approche préventive progresse-t-elle à petits pas dans notre société ? Donnez deux raisons.

1. _____

2. _____

9. Nous proposons dans ce chapitre un plan d'action pour changer une habitude de vie. Donnez les trois étapes de ce plan.

Étape 1 _____

Étape 2 _____

Étape 3 _____

10. **Expliquez brièvement ce qu'on entend par l'expression « les habitudes aiment la compagnie »?**

_____

_____

_____

_____

_____

pour en savoir plus +

Lectures suggérées

- Dervaux, J.-L., *Le sommeil en 200 questions*,
  De Vecchi, Paris, 2005.

- Gouvernement du Québec, *Le bronzage peut avoir votre peau*,
  Ministère de la Santé et des services sociaux, 2002,
  http://206.167.52.1/fr/document/publication.nsf/fb143c
  75e0c27b69852566aa0064b01c/157a767305e71ca
  885256ebb00646d89?OpenDocument.

- Illich, Y., *Némésis médicale*, Paris, Le Seuil, 1975.

- Santé Canada, *Les drogues : faits et méfaits*, 2000,
  http://www.hc-sc.gc.ca/hecs-sesc/sca/jeunes/index.htm.

- Villedieu, Y., *Un jour la santé*, Montréal, Boréal, 2002.

sites Internet à visiter

Association canadienne pour la santé, l'éducation
physique, le loisir et la danse
http://www.cahperd.ca/f/index.htm

Commission d'étude sur les services de santé et
les services sociaux
http://www.cessss.gouv.qc.ca/page1_f.htm

Institut canadien d'information sur la santé
http://secure.cihi.ca/cihiweb/disppage.jsp?cw_
page=home_f

Ministère de la Santé et des Services Sociaux
_ITS (MTS) / VIH-sida / hépatite C
http://www.msss.gouv.qc.ca/sujets/prob_
sante/mts_vih_sida.html

Organisation mondiale de la santé
http://www.who.int/fr/

Réseau canadien de la santé
http://www.reseau-canadien-
sante.ca/customtools/homef.htm

Réseau canadien de la santé_Pourquoi est-il si
difficile de modifier ses habitudes?
http://www.canadian-health-
network.ca/servlet/ContentServer
?cid=1119222330411&pagename=CHN-RCS/CHNResource/
CHNResourcePageTemplate&c=CHNResource

Université de Lyon_Le sommeil, les rêves et l'éveil
http://sommeil.univ-lyon1.fr/articles/challamel/
prosom/train1.html

BILAN 1.1

Vos habitudes de vie

Avant de faire ce bilan qui porte sur les cinq habitudes de vie les plus nuisibles à la santé (voir le zoom 1.1 pour les autres comportements à risque), apprenez d'abord à distinguer les niveaux d'intensité de l'activité physique. Le tableau ci-dessous vous aidera à comprendre ce qu'on entend par une activité physique d'intensité faible, moyenne ou élevée.

Intensité de l'activité physique

Activité physique d'intensité…	Signes physiques observables	Quelques exemples
faible	Pouls à peine plus élevé qu'au repos ; respiration presque régulière ; aucune sudation.	Marche lente, volley-ball récréatif, billard, tâches ménagères légères, golf miniature, tir à l'arc, quilles.
moyenne	Pouls nettement plus élevé qu'au repos (au moins 30 battements de plus) ; respiration plus rapide ; légère sudation.	Marche rapide, tennis de table ou tennis récréatif, natation récréative, baseball, trot à cheval, danse aérobique sans sauts, golf sans voiturette, vélo à 15 km/h, ski de fond sur le plat.
élevée à très élevée	Pouls beaucoup plus élevé qu'au repos (au moins 60 battements de plus) ; respiration haletante ; sudation parfois abondante.	Jogging, match de badminton ou de tennis enlevé, squash, racquetball, basket-ball compétitif, arts martiaux, aéroboxe, saut à la corde, vélo de montagne, soccer (match), hockey.

Votre mode de vie

Rester inactif, mal s'alimenter, fumer, abuser de l'alcool et vivre dans un état de stress constant, voilà les cinq habitudes de vie qui affaiblissent le plus la résistance du corps à la maladie et qui, dans certains cas, augmentent les risques d'accident mortel, que ce soit sur la route ou au travail. Ces habitudes comptent-elles parmi les vôtres ? Ce premier bilan vous permettra non seulement de répondre à cette question, mais aussi de comprendre la signification de votre réponse pour votre santé immédiate et future.

Les 15 situations décrites ci-après vous aideront à faire le point sur cette question. Pour chacune des cinq habitudes de vie, vous devez choisir, parmi trois comportements, celui qui vous décrit le mieux actuellement. Ce bilan éclair devrait vous sensibiliser à la relation qui existe entre vos habitudes de vie et votre santé. Dans les prochains chapitres, vous aurez l'occasion de faire un bilan plus détaillé de vos habitudes de vie.

Pour chacune des habitudes de vie suivantes, cochez la réponse correspondant à votre situation.

Activité physique : sédentaire ou actif ?

○ **1.** Chaque jour ou presque, je fais au moins 30 minutes d'activité physique d'intensité légère à modérée OU je pratique au moins trois fois par semaine, pendant 30 à 60 minutes, une activité physique d'intensité modérée ou parfois élevée.

○ **2.** Je fais moins de 10 minutes d'activité physique modérée chaque jour.

○ **3.** Je me situe plutôt entre 1 et 2.

Alimentation : malbouffe ou bonne bouffe ?

○ **4.** Chaque jour ou presque, je prends trois repas équilibrés. Je mange régulièrement des fruits et des légumes frais, ainsi que des aliments riches en fibres (céréales, pain, riz, pâtes, légumineuses). J'essaie le plus possible d'éviter les aliments riches en gras saturés et en huiles hydrogénées.

○ **5.** Je mange rarement des fruits et des légumes frais et je ne raffole pas des aliments riches en fibres (céréales à grains entiers et légumineuses notamment). De plus, je mange régulièrement (plus de trois fois par semaine) des repas préparés ou des repas-minute (fast-food) sans me soucier de leur valeur. Il m'arrive aussi de sauter des repas et de manger à des heures irrégulières.

○ **6.** Je me situe plutôt entre 4 et 5.

Cigarettes : fumeur ou non-fumeur ?

○ **7.** Je ne fume pas et j'évite autant que possible la fumée secondaire.

○ **8.** Je fume plus de 20 cigarettes par jour.

○ **9.** Je fume moins de 10 cigarettes par jour.

Stress : tendu ou détendu ?

○ **10.** Je suis plutôt calme, je dors bien la plupart du temps et je ne panique pas facilement en cas de problème. Quand c'est nécessaire, je fais ce qu'il faut pour contrôler mon niveau de stress.

○ **11.** Je me sens souvent tendu et il m'arrive fréquemment de ressentir des raideurs dans la nuque et entre les omoplates. Je ne dors pas bien et il me semble que je m'en fais pour un rien.

○ **12.** Je me situe plutôt entre 10 et 11.

Alcool : gros buveur ou buveur modéré ou sobre ?

○ **13.** Je ne bois pas d'alcool ou j'en prends à l'occasion seulement.

○ **14.** Je prends régulièrement plus de quatre consommations d'alcool par jour et parfois plus.

○ **15.** Je me situe plutôt entre 13 et 14.

Ce que vos choix signifient...

Vous avez coché 1, 4, 7, 10, 13. Bravo! Vous avez déjà une ou plusieurs bonnes habitudes de vie inscrites à votre programme santé. Le défi que vous aurez à relever consistera à préserver ces acquis pour les années à venir.

Vous avez coché 3, 6, 9, 12, 15. Vous manquez de constance dans l'habitude ou les habitudes de vie indiquées par ces choix. Par exemple, il y a des périodes où vous êtes physiquement actif et d'autres où vous êtes sédentaire; ou encore des périodes où vous mangez bien et d'autres où vous mangez mal... Pour vivre plus sainement, il suffirait que vous apportiez de légers changements à l'habitude ou aux habitudes de vie en cause. La lecture des chapitres 2 à 5 vous aidera à faire ces changements.

Vous avez coché 2, 5, 8, 11, 14. Alerte rouge! Vous avez déjà adopté une ou plusieurs mauvaises habitudes de vie parmi les plus nuisibles à la santé. Le hic, c'est qu'il n'existe pas de baguette magique pour transformer instantanément un mauvais pli en une habitude plus saine. Toutefois, le plan d'action proposée dans ce chapitre (p. 10), ainsi que les solutions proposées tout au long de ce manuel peuvent vous aider à modifier le ou les comportements nuisibles.

Tirez les conclusions de ce premier bilan...

A. Quels sont vos points forts et vos points faibles au regard de ces cinq habitudes de vie?

Points forts :

_____

_____

_____

Points faibles :

_____

_____

_____

B. Quels sont les autres comportements potentiellement nuisibles à votre santé que vous voudriez changer?

_____

_____

_____

_____

_____

BILAN 1.2

Réflexion personnelle sur votre capacité à changer

Êtes-vous vraiment décidé à améliorer vos habitudes de vie ?

L'exercice qui suit vous aidera à répondre à cette question cruciale. Il vous permettra de vous situer quelque part sur l'**échelle du changement**, entre la personne qui est déjà passée à l'action et celle qui a adopté une attitude d'indifférence totale, en passant par celle qui joue à l'autruche en niant le problème identifié.

Lisez attentivement les affirmations suivantes et cochez uniquement celle qui vous concerne.

- **a)** Au moment où je lis ce texte, **je suis déjà passé à l'action**.

- **b)** **Dès la présente session de cours, je vais passer à l'action** pour respecter le ou les engagement(s) que je vais prendre dans l'un ou l'autre des bilans suivants : 2.2 (activité physique), 3.2 (alimentation), 4.2 (stress), 5.2 (cigarette) et 5.4 (alcool).

- **c)** **Je vais un jour ou l'autre passer à l'action** pour respecter le ou les engagement(s) que je vais prendre dans l'un ou l'autre des bilans suivants : 2.2 (activité physique), 3.2 (alimentation), 4.2 (stress), 5.2 (cigarette) et 5.4 (alcool).

- **d)** **Je réfléchis** à la question car j'ignore ce que je vais faire.

- **e)** J'ai bel et bien identifié des comportements que je pourrais changer, mais **cela me laisse indifférent car je ne crois pas que ma santé va en souffrir**.

- **f)** J'ai bel et bien identifié des comportements que je pourrais changer, mais **cela me laisse indifférent que ma santé en souffre ou pas**.

Rappelez-vous votre position sur l'échelle du changement. Vous aurez de nouveau à vous situer sur cette échelle à la fin de la session (p. 385 et *L'Équipier*).

Sédentaire ou actif?

chapitre 2

Objectifs

○ Connaître les conséquences de l'inactivité physique sur la santé.

○ Connaître les bienfaits d'une activité physique régulière sur la santé.

○ Déterminer votre niveau actuel d'activité physique.

○ Préciser les engagements que vous êtes prêt à prendre en matière d'activité physique régulière.

Si nous avons choisi de parler d'abord de l'inactivité physique, c'est pour une bonne raison : c'est la plus courante des cinq habitudes de vie les plus nuisibles à la santé. C'est aussi celle qui s'est le plus rapidement répandue sur la planète depuis un demi-siècle (figure 2.1).

L'inactivité physique est devenue l'une des 10 principales causes de décès et d'incapacité dans le monde. Plus de deux millions de décès sont attribués chaque année au manque d'activité physique.

Organisation mondiale de la santé

Mais les situations ne sont jamais immuables... une pantoufle peut se transformer en une chaussure de sport si elle s'y met !

figure 2.1 La progression du taux de sédentarité depuis 1950

1950   2002

Selon les données les plus récentes de l'Organisation mondiale de la santé, dans le monde, 70 à 85 % des adultes n'ont pas un niveau d'activité physique suffisant pour protéger leur santé. Selon l'OMS, il s'agit d'une épidémie d'inactivité physique qui frappe non seulement les pays riches et industrialisés, mais aussi les pays en voie de développement.

Données de l'Organisation mondiale de la santé publiées à l'occasion de la Journée mondiale de la santé en avril 2002, sur le site Internet de l'Organisation mondiale de la santé : http://216.239.51.100/cobrand_univ?q=cache:57bPBLbL3ZAC: www.who.int/world-healthday/aide_memoire7.fr.pdf+inactivit%C3%A9+physique&hl=fr&ie=UTF-8

Les autorités médicales constatent que cette vague mondiale d'inactivité physique a, sur notre santé, une incidence bien plus grande qu'on ne le croyait jadis. Ainsi, l'inactivité physique est le plus répandu de tous les facteurs de risque primaires (les plus nuisibles) et modifiables de la maladie coronarienne (inactivité physique, hypertension artérielle, taux élevé de mauvais cholestérol et de triglycérides et tabagisme). De fait, le nombre d'individus sédentaires excède largement le nombre des individus regroupés sous les trois autres facteurs de risque primaires (figure 2.2). C'est pourquoi les auteurs d'un rapport remis à la Direction de la condition physique de Santé Canada (*Data Analysis of Fitness and Performance Capacity*) affirment qu'une hausse du niveau d'activité physique dans la population aurait une influence beaucoup plus grande sur la prévention des maladies cardiovasculaires que la diminution du nombre d'hypertendus, de fumeurs ou d'individus ayant un taux de cholestérol élevé. De leur côté, des chercheurs américains ont démontré qu'à elle seule l'inactivité physique augmente le risque de mourir des suites d'une maladie cardiaque de 35 %, du cancer du côlon de 32 % et du diabète de type 2 de 35 %.

Figure 2.2 L'inactivité physique : le plus répandu des facteurs de risque primaires de la maladie coronarienne

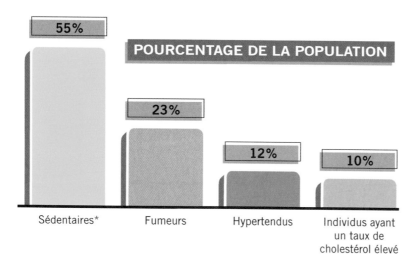

POURCENTAGE DE LA POPULATION

55% Sédentaires*

23% Fumeurs

12% Hypertendus

10% Individus ayant un taux de cholestérol élevé

* Notez qu'un individu sédentaire peut également être un fumeur, un hypertendu ou encore avoir un taux de cholestérol élevé. Mais le point important est que les sédentaires constituent, de loin, le sous-groupe le plus important.
D'après des données provenant de Santé Canada, Direction de la condition physique, *Data Analysis of Fitness and Performance Capacity*, Ottawa, 1994, p. 6.

L'omniprésence
du bras électronique

À l'aube du XXIᵉ siècle, nous avons, sans vraiment nous en rendre compte, réussi l'exploit de pratiquement supprimer la nécessité de fournir un effort physique dans les tâches de tous les jours. Grâce à la création de mondes virtuels, à la généralisation de la télécommande et au développement accéléré du transport motorisé (qui rend caduque la marche), nos moindres gestes et activités sont maintenant effectués par des « muscles électroniques ». Ne peut-on pas déjà, d'un simple clic, déverrouiller les portières de sa voiture, la faire démarrer, ou encore mettre en marche une foule d'appareils électroniques (téléviseur, chaîne stéréo, thermostats, etc.) ? Ne peut-on pas, sans quitter son siège et d'un clic de souris, obtenir son relevé de notes et son horaire de cours, rejoindre son professeur, mettre à jour son livret de banque, acheter en ligne une multitude de produits, visiter virtuellement une bibliothèque ou un pays, ou encore envoyer un message à l'autre bout du monde ? En moins d'un siècle, ces muscles électroniques ont réduit notre dépense énergétique quotidienne de presque 500 calories et ont largement contribué à l'avènement de l'épidémie mondiale de sédentarité et d'obésité (figure 2.3).

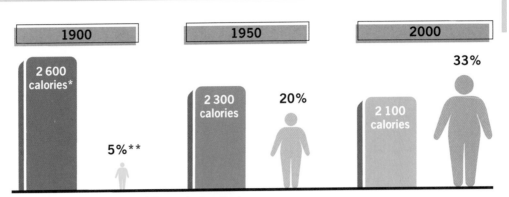

figure 2.3 La diminution de la dépense énergétique et la hausse du taux d'embonpoint et d'obésité en Amérique du Nord

*Dépense énergétique quotidienne (estimation)

**Pourcentage d'obèses dans la population

D'après des données provenant de C. Bouchard, R.J. Shepard et T. Stephen, Physical Activity, *Fitness, and Health : Consensus Statement*, Champaign, Illinois, Human Kinetics Publishers, 1990, p. 34 ; et W. Van Mechelen, « A physical active lifestyle : public health's best buy ? », *British Journal of Sport Medicine*, 1997, 31, p. 264-265.

Les effets secondaires
d'une vie sédentaire

Bien sûr, l'automatisation et la robotisation des tâches facilitent l'existence des êtres humains, entre autres en soulageant le labeur de millions de salariés qui devaient, jusqu'à récemment, trimer dur pour gagner leur vie. En revanche, elles imposent un repos contre nature au corps qui, lui, n'a presque pas changé depuis des siècles. Doté d'un squelette toujours garni de quelque 600 muscles dont la fonction première est de bouger, le corps se retrouve réduit au chômage musculaire. Cette mise au repos imposée à plus de 35 % de la masse corporelle, soit le poids des muscles, n'est pas sans conséquences pour notre organisme (figure 2.4). Elle favorise en effet l'apparition de ce que les chercheurs appellent les **maladies hypokinétiques** (ou les malaises hypokinétiques), c'est-à-dire les problèmes de santé associés à un mode de vie sédentaire. Voici quelques-uns de ces problèmes.

1. Des muscles qui fondent comme neige au soleil

La fonte des muscles est la conséquence la plus visible de l'inactivité physique. Par exemple, le fait de porter un plâtre pendant un mois ou de passer deux semaines au lit provoque une fonte des muscles, très perceptible d'ailleurs, de 20 à 30 % ! Certes, il s'agit là de situations extrêmes dont les effets sont impressionnants. Cependant, si vous êtes sédentaire, vos muscles connaîtront le même sort à plus long terme. Un individu sédentaire peut perdre jusqu'à 225 g (1/2 lb) de muscle par année, ce qui prouve bien que la masse musculaire dépend grandement de l'effort physique. Contrairement aux protéines du tissu nerveux, par exemple, celles des muscles se dégradent lorsqu'elles sont sous-utilisées. À terme, l'inactivité physique entraîne une diminution marquée de la force et de

figure 2.4 Les effets sur les muscles, les os et le cœur de la vie sédentaire comparés à ceux de la vie active

Le point de départ	Après 20 ans de vie sédentaire*	Après 20 ans de vie active*

Vue en coupe d'un membre

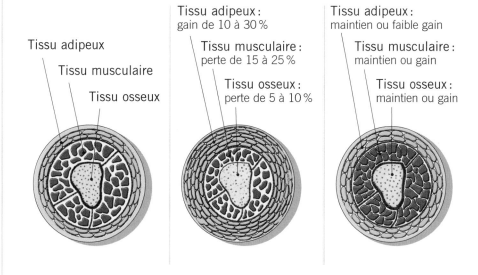

Tissu adipeux
Tissu musculaire
Tissu osseux

Tissu adipeux : gain de 10 à 30 %
Tissu musculaire : perte de 15 à 25 %
Tissu osseux : perte de 5 à 10 %

Tissu adipeux : maintien ou faible gain
Tissu musculaire : maintien ou gain
Tissu osseux : maintien ou gain

Vue en coupe du cœur

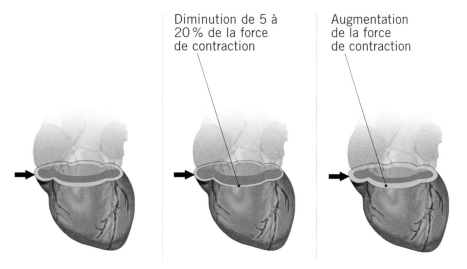

Diminution de 5 à 20 % de la force de contraction

Augmentation de la force de contraction

D'après des données provenant de C. Bouchard, R.J. Shepard et T. Stephen, *Physical Activity, Fitness, and Health : Consensus Statement*, Champaign, Illinois, Human Kinetics Publishers, 1990 ; et B.J. Sharkey, *Fitness and Health*, Champaign, Illinois, Human Kinetics Publishers, 1997.

l'endurance des muscles. Résultat : le risque de fatigue musculaire précoce et de blessures en cas de chute ou de faux mouvement augmente considérablement chez les personnes sédentaires.

Mais, surtout, des muscles affaiblis représentent une surcharge de travail pour le cœur. Citons à ce sujet, les propos du Dr Jean Jobin, chercheur à l'Hôpital Laval de Québec, recueillis par la journaliste Marie Caouette du *Soleil* (9 mai 2005) : « Le corps est une machine faite pour fonctionner. Quand elle s'arrête, elle s'autodétruit. Ainsi, les muscles sont les pistons du moteur de la "machine" corporelle qu'on peut comparer à une voiture ; le cœur et les poumons en sont les pompes à huile et à air. Le cœur et les poumons servent à faire fonctionner le corps, poursuit le Dr Jobin. Ils ne vont nulle part tout seuls ! »

Heureusement, il suffit de quelques semaines d'activité physique pour revigorer les muscles, et cela même à 80 ans, comme l'ont démontré des études récentes menées auprès de personnes âgées soumises à un programme de musculation. Bref, il n'est jamais trop tard pour redonner de la vigueur à ses muscles !

2. Des os affaiblis

L'atrophie des muscles n'est que la pointe de l'iceberg : les os subissent le même sort, sans qu'on le remarque. Après sept jours d'inactivité physique totale, comme en cas de repos au lit, la perte de calcium dans les urines et les selles est multipliée par deux. En cinq mois d'alitement, on peut perdre plus de 5 % de son capital osseux. Les examens radiologiques révèlent que les os qui supportent le poids du corps (tibias, péronés, fémurs et vertèbres lombaires) sont, de loin, les plus affaiblis par ce genre de repos forcé. Pour rester solides, ces os ont besoin de la gravité et de la traction des muscles qui y sont attachés. Les contraintes mécaniques favorisent la rétention du calcium. À force de faire du canapé, on ne prépare donc rien de bon pour les os des membres inférieurs.

Le tissu osseux pouvant, comme le tissu musculaire, se régénérer, il suffit en général de devenir actif pour interrompre sa dégradation. Par exemple, dès qu'on permet au patient alité de marcher ou de se tenir debout deux à trois heures par jour, la perte de calcium ralentit considérablement. En somme, quand vous faites une activité physique vous renforcez non seulement vos muscles mais aussi vos os !

3. La vie assise : un raccourci vers l'obésité

Selon les données les plus récentes de Statistique Canada (2004), nous sommes de plus en plus gras (figure 2.5). En fait, notre tour de taille n'a cessé d'augmenter depuis le début du XX siècle. Résultat de l'hérédité ? Non ! Conséquence d'une consommation excessive de glucides ou de lipides, comme le laissent entendre certains gourous des diètes amaigrissantes ? Non plus ! Nous sommes devenus trop gras parce que nous dépensons moins de calories que nous n'en absorbons. Nous emmagasinons donc les calories avec une facilité déconcertante, et ce surplus de calories est transformé en graisse.

À ce premier déséquilibre énergétique s'en ajoute un deuxième, causé par le ralentissement du **métabolisme de base**, soit la vitesse à laquelle nous brûlons des calories au repos. Entre 25 et 55 ans, le métabolisme de base ralentit en moyenne de 1 % chez l'individu physiquement actif, alors qu'il chute de 15 % chez l'individu sédentaire. Cet écart s'explique par le fait que le tissu musculaire a un rôle très actif dans le métabolisme. Comme l'adepte de la chaussure de sport conserve ou augmente sa masse musculaire au fil des ans, sa « fournaise métabolique » chauffe davantage, et ce, 24 heures sur 24. À l'inverse, l'accro de la pantoufle subit une baisse graduelle de masse musculaire : sa fournaise métabolique chauffe donc de moins en moins. Des chercheurs ont observé un ralentissement moyen de 5 % du métabolisme de base chez des individus physiquement actifs qui deviennent sédentaires. Ce ralentissement suffit pour emmagasiner quelque 75 calories supplémentaires par jour, sans pourtant manger davantage. Cela représente un surplus d'environ 500 calories en une semaine, et de presque 7 700 calories en 15 semaines ! À ce rythme, on gagne du poids à coup sûr si on ne réduit pas son apport énergétique ou si on n'augmente pas sa dépense : 7 700 calories équivalent en effet à 1 kilogramme de graisse.

L'effet combiné de ces deux déséquilibres énergétiques (métabolisme plus lent et faible dépense énergétique) explique bien des rondeurs. L'excédent de gras au niveau du ventre est particulièrement dangereux, parce que le **gras abdominal** est celui qui pénètre le plus facilement dans le sang, à travers la veine porte. Après avoir examiné 10 054 hommes et femmes âgés de 18 à 74 ans, des chercheurs de l'université de Saskatchewan ont constaté que les participants dont le tour de taille était compris entre 90 et 100 cm présentaient un risque élevé de maladie cardiaque. Quant à ceux dont le tour de taille dépassait 100 cm, ils souffraient deux fois plus souvent d'hypertension et de diabète de type 2 que ceux dont le **tour de taille** était inférieur à 90 cm. En fait, la relation étroite qu'on observe depuis quelques années entre la montée de l'obésité et celle du diabète de type 2, en particulier chez les jeunes, a donné naissance à un nouveau mal : la « diabésité » (zoom 2.1).

figure 2.5 L'obésité est en forte hausse au Canada

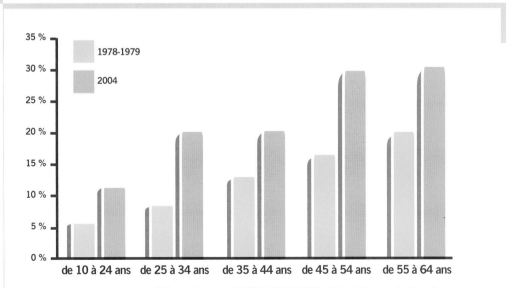

Adapté de http://www.statcan.ca :80/francais/research/82-620-MIF/2005001/articles/adults/aobesity_f.htm#1.
Enquête de 2004 sur la santé dans les collectivités canadiennes : Nutrition ; Enquête santé Canada de 1978-1979.
Valeur significativement plus élevée que l'estimation pour 1978-19790 (p. 0,05).
Coéficient de variation compris entre 16,5 % et 33,5 % (interpréter avec prudence).

ZOOM

2.1 Un nouveau fléau guette les jeunes : la « diabésité » !

« Il y a à peine 10 ans, un enfant atteint du diabète de type 2 (p. 32) était un cas si rare qu'il aurait fait la manchette d'une revue médicale. Aujourd'hui, de tels enfants remplissent ma clinique ! » martèle la pédiatre et endocrinologue américaine Francine R. Kaufman dans son livre-choc *Diabesity*.

Qu'est-ce donc que la « diabésité » ? C'est la contraction de deux mots (on aurait pu écrire aussi maux) : diabète et obésité. Selon la D^{re} Kaufman, de plus en plus de jeunes âgés de moins de 20 ans souffrent de diabète de type 2 parce que de plus en plus de jeunes font de l'embonpoint ou sont même obèses. « S'il n'y avait pas d'obésité, écrit-elle, les cas de diabète de type 2, la forme la plus répandue de cette maladie, seraient beaucoup plus rares. Malheureusement ce n'est pas la situation qu'on observe. » Les statistiques donnent en partie raison à la D^{re} Kaufman. Au Québec, par exemple, la prévalence de l'obésité et de l'embonpoint chez les jeunes atteint aujourd'hui des proportions inquiétantes. Alors que l'embonpoint a doublé au cours des 20 dernières années, l'obésité infantile a plus que triplé pour toucher plus de 10 % des jeunes âgés de 6 à 17 ans.

Que propose la pédiatre américaine pour freiner la montée de la « diabésité » ? Ni plus ni moins que de redéfinir la notion de progrès. « Nous voyons le progrès en termes de quantité plutôt qu'en termes de qualité de notre alimentation. On définit aussi le progrès comme étant l'élimination de tout effort physique dans notre travail et nos déplacements. Le résultat de ce type de progrès, c'est que beaucoup de jeunes mangent mal et bougent peu. » Il est difficile de contredire la D^{re} Kaufman, car nous faisons de ce côté-ci de la frontière le même constat depuis quelques années. Beaucoup de jeunes, en effet, ne dépensent même pas 150 calories par jour, soit l'équivalent de 15 minutes d'exercices vigoureux ou 30 minutes d'un exercice modéré comme la marche. En revanche, ils passent plusieurs heures par jour devant un écran de télé ou d'ordinateur. Avec des coûts de plus de 2 milliards de dollars par année, le diabète de type 2 est la maladie dont la prévalence augmente le plus rapidement au Québec. C'est pourtant une maladie qu'on peut prévenir à presque 100 % dans la plupart des cas en conservant un poids santé et en faisant de l'exercice régulièrement.

4. Des douleurs dans le bas du dos

Les statistiques le prouvent : environ 80 % des douleurs chroniques dans le bas du dos sont causées par le manque d'activité physique. Voici pourquoi. Le bassin est maintenu dans sa position normale grâce à la tension équilibrée entre deux groupes musculaires : les muscles de l'abdomen et ceux du bas du dos (chapitre 9, p. 224). Or, le manque d'exercice diminue la vigueur des abdominaux ainsi que la flexibilité des muscles arrière des cuisses et du bas du dos, ce qui entraîne à la longue un déplacement du bassin vers l'avant, mais aussi un plus grand effort de la colonne vertébrale lors des flexions avant en particulier. L'accumulation de tissu adipeux au niveau de l'abdomen ne fait qu'accentuer le processus. Le bas du dos se creuse alors de plus en plus, et la douleur chronique s'installe petit à petit. Il est révélateur que les gens physiquement actifs souffrent de douleurs dans le bas du dos 10 fois moins souvent que les gens sédentaires.

5. Anxiété, dépression et pensées suicidaires à la hausse

Comme vous le verrez en détail dans le chapitre 4, dès qu'on subit un stress, une alerte physiologique commande au corps une réaction physique immédiate destinée à combattre ou à fuir l'agent stresseur. Cependant, en cas de stress émotionnel, l'énergie mobilisée reste souvent emprisonnée, sauf si on la libère en pratiquant une activité physique. L'activité physique remplace ici la réaction de fuite ou d'attaque qui libère les décharges hormonales. La personne inactive se prive de cet exutoire ; sa tension nerveuse ne fait alors que s'accroître au fil de la journée. À cinq heures de l'après-midi, elle est épuisée, même si elle n'a fait aucun exercice ! Avec le temps, elle finira par souffrir de problèmes de santé associés à l'accumulation de stress.

Le manque d'activité physique favoriserait également les états dépressifs et les pensées suicidaires. Les données colligées à ce jour par l'Organisation mondiale de la santé sont sans équivoque : le taux de dépression et le taux de suicide sont nettement plus élevés chez les personnes sédentaires que chez les personnes physiquement actives.

6. Un cœur fatigué à ne rien faire

Il est prouvé que le cœur des individus sédentaires est plus petit, moins épais (on parle ici de l'épaisseur des parois du muscle cardiaque) et moins efficace que celui des individus physiquement actifs. Mais, surtout, la personne sédentaire court un risque de souffrir d'une maladie grave du cœur de deux à trois fois plus grand qu'une personne physiquement active. Certaines personnes sont à ce point sédentaires que des efforts habituellement sans danger, comme pelleter de la neige, faire du jogging ou encore jouer au tennis, deviennent dangereux pour leur cœur sous-entraîné. L'inactivité physique est désormais reconnue comme un facteur de risque de maladie cardiaque aussi important que le tabagisme, l'hypertension ou un taux élevé de mauvais cholestérol.

7. Une perte d'autonomie

Plus les années passent, plus on apprécie la chance qu'on a de pouvoir continuer à pratiquer les activités physiques qu'on aime, de marcher sans l'aide d'une canne, de se pencher pour ramasser quelque chose ou d'étirer les bras pour saisir un objet perché sur une tablette. Une vie sédentaire risque de vous priver de cette autonomie d'action de façon prématurée. Des muscles raides, des articulations au rayon d'action limité, des réflexes diminués et une mauvaise coordination entre la main et l'œil, voilà ce qui attend les pantouflards !

figure **2.6** Les personnes physiquement actives coûtent 30 % moins cher en soins médicaux que les personnes sédentaires

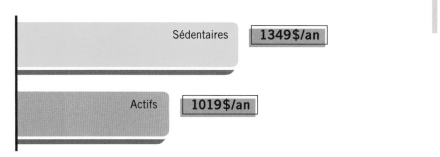

D'après des données provenant de M. Pratt, C.A. Macera et G. Wang, « Higher Direct Medical Costs Associated With Physical Inactivity », *The Physician and Sports Medicine*, vol. 28, nº 10, octobre 2000, p. 63-70.

8. Un risque plus élevé de décès prématuré

Les recherches ont démontré sans équivoque que les personnes sédentaires sont plus souvent malades, coûtent plus cher à la société en frais médicaux (figure 2.6) et vivent moins longtemps que les personnes physiquement actives. Leur risque de décès prématuré, toutes causes confondues, est plus élevé d'environ 40 % (figure 2.7). C'est ce qui a amené un chercheur américain à parler d'un nouveau syndrome : le syndrome de la mort sédentaire (zoom 2.2).

figure **2.7** Plus on est en forme, moins on risque de mourir tôt

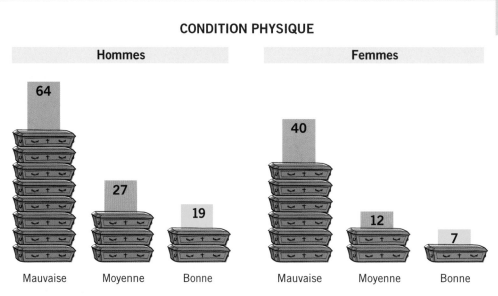

D'après des données provenant de S.N. Blair *et al.*, « Physical Fitness and All-cause Mortality : A Prospective Study of Healthy Men and Women », *JAMA*, 1989, p. 262.

ZOOM
2.2 Le syndrome de la
mort sédentaire !

Le Dr Frank W. Booth, un chercheur de l'Université du Missouri, a inventé l'expression « syndrome de la mort sédentaire », en s'inspirant sans doute du syndrome de la mort subite du nourrisson. Ce faisant, il voulait attirer l'attention sur le problème grandissant de la sédentarité, un problème à ses yeux négligé par le gouvernement, alors qu'il serait responsable de la mort de 250 000 Américains chaque année. Les chercheurs s'entendent en effet pour dire que l'activité physique pourrait prévenir annuellement 250 000 décès aux États-Unis, soit le tiers des 750 000 décès résultant chaque année des suites d'une maladie cardio-vasculaire, du diabète de type 2 et du cancer du côlon.

Quand l'exercice
devient un médicament

Si le manque d'exercice nuit à la santé, l'exercice régulier l'améliore. Indépendamment d'autres facteurs comme la cigarette, l'âge ou l'alimentation, l'exercice réduit substantiellement le risque de crise cardiaque, d'hypertension, de diabète de type 2, d'ostéoporose et de cancer (figure 2.8). L'exercice fait désormais partie du traitement médical chez les individus déjà malades, comme ceux qui souffrent d'une maladie du cœur, de diabète ou d'un cancer. En fait, si on pouvait mettre les effets de l'exercice en pilules, il deviendrait sûrement le médicament le plus vendu au monde et le seul à ne pas avoir d'effets secondaires, à part une courbature, un point de côté ou de la fatigue musculaire de temps à autre.

Voyons maintenant précisément comment la pratique régulière d'une activité physique permet de contrer certaines maladies.

1. La maladie coronarienne

La maladie coronarienne est la première cause de décès en importance dans les pays développés. Elle débute insidieusement par des dépôts de gras dans les artères coronaires (athérosclérose), lesquelles acheminent l'oxygène vers les cellules musculaires du cœur. Puis, un jour, un caillot de sang vagabond bouche l'artère. C'est le coup de grâce. Le sang ne circule plus, ce qui prive d'oxygène la partie du cœur ainsi atteinte (ischémie) : c'est la crise cardiaque (infarctus). En combattant directement

figure **2.8** L'exercice-médicament en un coup d'œil

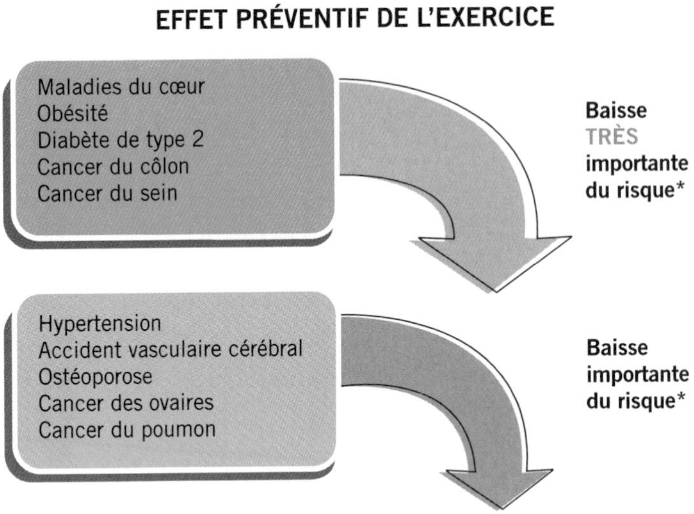

EFFET PRÉVENTIF DE L'EXERCICE

Maladies du cœur
Obésité
Diabète de type 2
Cancer du côlon
Cancer du sein

Baisse
TRÈS
**importante
du risque***

Hypertension
Accident vasculaire cérébral
Ostéoporose
Cancer des ovaires
Cancer du poumon

**Baisse
importante
du risque***

* Il s'agit de la baisse probable du risque de contracter prématurément une maladie dégénérative
chez les individus physiquement actifs.

Données provenant de plusieurs études différentes publiées depuis 1968.

l'athérosclérose, en augmentant la force de contraction du cœur et en rendant le sang plus liquide (ce qui réduit le risque de formation d'un caillot), la pratique régulière d'une activité physique diminue le risque de crise cardiaque autant que l'abandon de la cigarette. De fait, l'exercice s'attaque aux principaux facteurs de risque de maladie coronarienne et, par ricochet, aux risques de crise cardiaque. L'effet de l'exercice sur ces facteurs de risque est résumé dans le tableau 2.1.

L'exercice permet aussi au patient qui a subi un infarctus de se remettre sur pied plus rapidement et même d'acquérir une meilleure forme physique qu'avant. Des études ont démontré que le traitement par l'exercice diminue de 20 % le risque de mortalité durant les trois années suivant un infarctus. Il est aussi reconnu que l'exercice retarde le moment où le cœur pourrait manquer d'oxygène (un atout pour les personnes angineuses), qu'il stabilise la pression artérielle et la masse corporelle, de même qu'il retarde ou élimine la nécessité de recourir à une deuxième angioplastie (désobstruction d'une artère à l'aide d'une sonde à ballonnet). Jumelé à une alimentation faible en gras, l'exercice peut même réduire les plaques d'athérome dans les artères coronaires (figure 2.9).

Par ailleurs, l'exercice permet au corps du patient de renouer avec une de ses principales fonctions, le travail musculaire, ce qui contribue généralement à améliorer l'estime de soi. Cet effet psychologique est important, car les patients souffrent souvent de dépression après un infarctus.

tableau **2.1** Les effets de l'exercice sur les principaux facteurs
de risque de maladie coronarienne

Facteurs de risque	Effets de l'exercice
Taux de cholestérol sanguin élevé	**Effet direct**. L'exercice élève le taux de bon cholestérol dans le sang, ce qui modifie le ratio entre le mauvais et le bon cholestérol en faveur de ce dernier. La pratique régulière d'exercices aérobiques modérés normalise le profil des lipides sanguins.
Tabagisme	**Effet indirect**. L'exercice est un excellent moyen de cesser de fumer (page 126) : plus de 80 % des fumeurs qui se mettent à faire de l'exercice abandonnent la cigarette.
Hypertension	**Effet direct**. Après six mois d'exercice de type aérobique, on constate une baisse de 10 à 15 % de la pression artérielle au repos. La pression artérielle est également moins élevée pendant l'effort, une fois qu'on a amélioré son endurance cardiovasculaire. Cet effet antihypertenseur de l'exercice est encore plus marqué chez les personnes souffrant déjà d'hypertension artérielle. Selon l'avis scientifique de l'American College of Sports Medicine sur le sujet (*Exercise and Hypertension*), l'exercice est à ce point efficace qu'il peut éviter le recours à la médication chez les sujets légèrement hypertendus.
Diabète de type 2	**Effet direct**. L'exercice prévient l'apparition du diabète type 2 en contrôlant le poids corporel et en améliorant la glycémie et l'efficacité de l'insuline. Pour tout dire, cette maladie est pratiquement inexistante chez les personnes physiquement actives. Chez les diabétiques, l'exercice aide à réduire les symptômes de la maladie en normalisant la glycémie, en améliorant le profil lipidique du sang, en diminuant le poids corporel et en favorisant une meilleure alimentation, comme on le verra plus loin.
Excès de gras	**Effet direct**. L'effet amaigrissant de l'exercice (de type aérobique) se fait d'abord ressentir au niveau de l'abdomen chez les hommes (au niveau des bras, puis du ventre chez les femmes). Or, ce sont justement les hommes qui sont le plus fréquemment atteint d'obésité abdominale. En outre, les recherches montrent qu'après 12 mois d'exercices aérobiques à raison de trois séances de 45 minutes par semaine, on observe une fonte de plus de 16 % du gras intra-abdominal, c'est-à-dire du gras logé autour des organes et des viscères de l'abdomen, le plus néfaste pour la santé des artères. *C'est mieux qu'une liposuccion, qui ne fait que siphonner le gras sous la peau.*
Stress	**Effet direct et même immédiat**. Dès la fin d'une séance d'exercice où on a eu un peu chaud, le symptôme le plus apparent du stress, la tension musculaire, a disparu. À plus long terme (quatre à six mois), l'exercice améliore le sommeil et réduit l'anxiété. Au-delà de six mois, il réduit même les symptômes de la dépression. En fait, l'exercice est un remonte-humeur naturel qui vaut bien des psychotropes (pages 35 et suivantes).
Sédentarité	**Effet plus que direct**. En devenant physiquement plus actif, vous éliminez de facto cet important facteur de risque.

2. Le diabète

L'insuline est une hormone qui régularise le taux de sucre dans le sang (**glycémie**). Si elle vient à manquer ou si son efficacité diminue, le glucose reste dans le sang, privant ainsi de sucre les cellules qui en ont besoin. C'est là tout le drame du diabétique : il ne manque pas de sucre, mais son

figure **2.9** Une artère du cœur bouchée par une plaque d'athérome

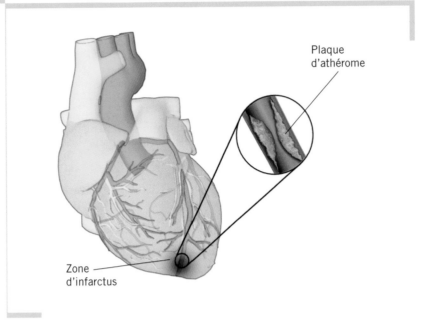

Plaque
d'athérome

Zone
d'infarctus

organisme est incapable de l'utiliser. En cas de déficit important — si le pancréas ne produit pas ou presque pas d'insuline —, on est en présence d'un diabète grave : il s'agit du **diabète de type 1**, appelé autrefois « diabète juvénile » parce qu'il touche surtout les personnes âgées de moins de 20 ans. Le diabète de type 1 représente moins de 10 % des cas de diabète, et sa cause peut être génétique ou **auto-immune** (maladie du système de défense de l'organisme, qui, au lieu de protéger, détruit l'organe cible, ici le pancréas). Dans le cas où le pancréas produit de l'insuline en quantité insuffisante, ou si l'insuline sécrétée devient à la longue moins efficace, ou encore si les deux facteurs sont présents, on parle d'un **diabète de type 2**. On le nommait jadis « diabète de l'adulte » parce qu'on le dépistait en général chez des personnes âgées de 40 ans et plus. Mais cela est de moins en moins vrai puisqu'un nombre grandissant de jeunes en sont atteints (zoom 2.1).

Le diabète de type 2 prend des proportions épidémiques en Amérique du Nord. Ses complications à long terme en font la quatrième cause de décès en importance et la principale cause de cécité. Dans 85 % des cas, il est attribuable à un mode de vie malsain, et 80 % des personnes qui en souffrent sont obèses. Il faut savoir que plus on est gras, plus l'efficacité de l'insuline diminue.

L'exercice constitue un moyen efficace de se protéger contre cette maladie, parce qu'il permet justement de réduire la masse grasse ou du moins l'empêche d'augmenter. Autre effet de l'exercice, il facilite la pénétration du glucose dans les muscles, ce qui améliore l'efficacité de l'insuline disponible. Enfin, l'organisme parvient à contrôler son taux de sucre avec moins d'insuline. Les athlètes qui participent à des épreuves de fond en font une démonstration éloquente : ils produisent jusqu'à deux fois moins d'insuline que les non-athlètes, tout en conservant un taux de sucre normal. Toutefois, il n'est pas indispensable de s'entraîner cinq heures par jour pour expérimenter cet effet « insulinergique » de l'exercice. La pratique régulière de l'activité physique, même d'intensité légère comme la marche rapide ou le vélo de promenade, prévient l'**hyperglycémie** (taux de sucre élevé dans le sang), et ce, même à un âge avancé. Des chercheurs hollandais[1] sont arrivés à cette conclusion en comparant le niveau d'activité physique chez 424 habitants âgés de plus de 70 ans d'un petit village hollandais. Selon un test de tolérance au glucose (test de la capacité de l'organisme à rétablir un taux de glucose normal dans le sang après ingestion d'une surdose de glucose), ceux et celles qui étaient physiquement actifs avaient un taux de sucre normal dans le sang, alors que les plus sédentaires faisaient de l'hyperglycémie.

Lorsque la maladie est déjà installée, l'effet positif de l'exercice sur la glycémie, jumelé à une alimentation appropriée, évite souvent aux diabétiques d'avoir à recourir aux injections d'insuline. À long terme, l'effet bénéfique de l'exercice sur la santé cardiovasculaire est particulièrement important pour le malade, puisque le diabète finit souvent par provoquer de l'athérosclérose. Si l'activité physique ne prévient pas l'apparition du diabète de type 1, elle fait néanmoins partie du traitement visant à contrôler la glycémie, comme pour le diabète de type 2.

3. Le cancer

À première vue, on comprend mal comment la danse aérobique ou le jogging pourraient prévenir le cancer. Pourtant, une cinquantaine d'études ont montré que les personnes physiquement actives étaient moins souvent atteintes de cancer que les personnes sédentaires (tableau 2.2). Et les cancers qui battent en retraite devant l'activité physique comptent parmi les plus dévastateurs : cancer du sein, des ovaires, de l'endomètre, de la prostate et du côlon. Plusieurs hypothèses ont été proposées pour expliquer l'effet préventif de l'exercice sur le cancer.

tableau 2.2 L'exercice combat efficacement le cancer

Type de cancer	Baisse du niveau de risque chez les personnes actives par rapport aux personnes sédentaires*
Tous types confondus	30 à 40 %
Sein, ovaires, endomètre	30 à 60 %
Côlon	40 à 70 %
Prostate	20 à 30 %
Poumons	30 à 40 %

* Les données de ce tableau proviennent d'une revue exhaustive de 170 études portant sur la relation entre le cancer et l'activité physique. Source : Christine M. Friedenreich et Marla R. Orenstein, *Physical Activity and Cancer Prevention : Etiologic Evidence and Biological Mechanisms*, J. Nutr, 2003, 132 : 3456-3464.

1. « Physical activity and glucose tolerance in elderly men : the Zutphen Elderly study », dans *Medicine & Science in Sports & Exercise 2002*, n° 34, p. 1132-1136.

L'hypothèse du pourcentage de gras. On sait que l'obésité augmente le risque de souffrir d'un cancer. En diminuant le pourcentage de graisse ou en le maintenant à un niveau acceptable, l'exercice réduit donc de facto le risque de cancer.

L'hypothèse mécanique. En provoquant un brassage des intestins, l'exercice stimule le péristaltisme intestinal, ce qui facilite l'évacuation des selles. En somme, l'exercice agirait comme un laxatif et diminuerait ainsi le temps de contact entre la muqueuse des intestins et les substances cancérigènes contenues dans les matières fécales. *Résultat :* moins de cancers du côlon chez les gens physiquement actifs.

L'hypothèse hormonale. Selon cette hypothèse, l'exercice réduit le taux de certaines hormones dans le sang (notamment œstrogènes, testostérone, insuline et prostaglandines), lesquelles, si elles ne déclenchent pas le cancer, semblent du moins en accélérer le processus. *Résultat :* beaucoup moins de cancers du sein, des ovaires et de l'endomètre chez les femmes physiquement actives, et moins de cancers de la prostate chez les hommes physiquement actifs.

L'hypothèse immunitaire. L'exercice préviendrait également le cancer en stimulant le système immunitaire, en particulier la production d'interleukine, d'interférons et de certains types de lymphocytes (T et NK) qui s'attaquent directement aux cellules cancéreuses. *Résultat :* moins de cancers en général chez les gens physiquement actifs.

L'hypothèse psychologique. En combattant la dépression et l'anxiété, l'exercice contribue du même coup au maintien d'un système immunitaire efficace contre les cellules cancéreuses ou précancéreuses.

Les personnes soignées pour un cancer profitent aussi des effets de l'activité physique. Des études menées auprès de patients cancéreux ayant suivi un programme de conditionnement physique ont révélé qu'ils se sentaient beaucoup mieux physiquement et psychologiquement. Certains patients avaient même moins de nausées après la chimiothérapie. Mais, surtout, la plupart de ces patients ont retrouvé leur appétit et repris du poids. Il s'agit d'un effet important, car 20 à 40 % des personnes cancéreuses meurent des suites de complications reliées à la sous-alimentation et à l'inactivité physique.

4. L'asthme

Il est important de dire que l'exercice peut déclencher une crise d'asthme. On peut néanmoins prévenir les crises causées par l'exercice en faisant un échauffement de 10 à 15 minutes (chapitre 14), ainsi qu'en évitant les activités trop intenses et les températures très froides (ou alors en portant un masque couvrant la bouche et le nez). Lorsqu'un asthmatique prévoit de faire un exercice plus vigoureux que d'habitude, il peut prendre une dose ou deux de son médicament habituel 20 à 30 minutes avant le début de l'activité. À la longue, l'exercice amène l'asthmatique à respirer moins rapidement pendant un effort modéré. Par conséquent, l'assèchement des voies respiratoires (un facteur déclencheur de crises) est beaucoup moins prononcé, ce qui se traduit par une diminution de la fréquence et de la gravité des crises d'asthme et, par ricochet, de la dose de médicament administrée.

5. L'ostéoporose

En renforçant les os, l'exercice combat directement l'ostéoporose — une dégénérescence des os qui les rend aussi cassants qu'une branche morte. Comme le démontrent des études sur le bras dominant des joueurs de tennis et de balle molle (le bras droit pour un droitier), le radius, le cubitus et l'humérus du bras sollicité sont plus gros et plus denses que ceux du bras moins utilisé.

L'exercice physique devrait faire partie du traitement d'une personne atteinte d'ostéoporose. En effet, on a démontré que l'exercice, associé à une alimentation riche en calcium, peut freiner le processus de décalcification des os. En outre, l'effort physique améliore le tonus musculaire, la coordination, l'équilibre et les réflexes, ce qui réduit les risques de chute, cause première des fractures de la hanche chez les femmes âgées de plus de 50 ans, lesquelles sont les plus sujettes à l'ostéoporose. Enfin, l'exercice diminue la douleur dans le bas du dos, fréquente chez les personnes ostéoporotiques.

ostéoporose

La pratique régulière d'une activité physique aide également à soulager les symptômes associés à la fibrose kystique, à la polyarthrite rhumatoïde, à la sclérose en plaques, à la dystrophie musculaire, à la maladie de Parkinson, à la fibromyalgie et à l'emphysème. Somme toute, il existe peu de médicaments dont les effets thérapeutiques sont aussi nombreux.

Les bienfaits psychologiques
de l'activité physique

Nous avons parlé des effets de l'exercice sur les muscles, les os et les organes. Mais, selon vous, que constate Julie, une étudiante de 18 ans, après sa séance d'exercices ? Qu'elle a moins de gras dans le sang ? Que ses muscles utilisent mieux l'oxygène ? Que sa pression sanguine s'améliore ? Bien sûr que non ! Elle constate qu'elle est totalement détendue, alors qu'une heure plus tôt elle avait les épaules en pignon, les mâchoires serrées et la nuque raide. Le premier effet qu'elle perçoit est donc de nature psychologique. Les recherches ont d'ailleurs confirmé que l'exercice améliore nos états d'âme, et ce, de bien des façons.

1. Un relaxant aux effets immédiats

Un exercice léger de quelques minutes, par exemple un peu de marche, entraîne une réduction marquée et quasi instantanée de l'activité électrique dans les muscles, ce qui fait immédiatement baisser la tension nerveuse. Les personnes crispées, dont les muscles sont pour ainsi dire sous haute tension électrique, sont celles qui profitent le plus de cette baisse de tension. Une séance de 30 minutes d'exercice modéré permet, quant à elle, de réduire l'anxiété pendant 2 à 4 heures. C'est ce qu'on appelle un bon rendement! Des chercheurs ont constaté que les personnes physiquement actives sont généralement plus détendues et résistent mieux à une situation stressante que les personnes sédentaires.

2. Une distraction utile

L'exercice peut vous distraire de vos tracas. Cet effet est particulièrement important pour les personnes qui sont submergées par des pensées négatives, ce qui arrive fréquemment dans les cas de dépression. L'exercice améliore également la confiance en soi en redonnant à la personne le contrôle de son corps. En libérant le corps, l'activité physique libère en quelque sorte l'esprit.

3. Un narcotique tout à fait légal

L'activité physique agit comme un narcotique. Des études récentes ont démontré que l'exercice augmente le taux de sérotonine dans le sang; la sérotonine est un neurotransmetteur qui favorise la détente et la bonne humeur. Or, les personnes déprimées ont des taux de sérotonine anormalement bas. En outre, les exercices de longue durée (plus de 45 minutes) augmentent la sécrétion d'endorphines, des hormones euphorisantes de la même famille que la morphine. Ces effets sont d'autant plus intéressants qu'on peut en profiter en toute légalité, sans débourser un sou et sans effets secondaires néfastes.

En cas de dépression légère ou modérée, l'exercice est aussi efficace que les antidépresseurs et la psychothérapie. Le Dr Bob Hales, un psychiatre américain de l'Université de Georgetown, utilise d'ailleurs depuis des années l'«effet narcotique» de l'activité physique pour traiter ses patients déprimés. Il leur suggère de faire un jogging modéré pendant environ 1 heure, ce qu'il estime suffisant pour déclencher la libération des endorphines et entraîner ainsi un peu d'euphorie. Enfin, dans les cas de dépression grave, l'activité physique pratiquée dès le début du traitement peut empêcher le patient de sombrer dans une dépression encore plus profonde (zoom 2.3).

4. Un coup de pouce pour l'image de soi

L'activité physique entraîne des changements physiques qui peuvent améliorer une image de soi assombrie par la déprime. Par exemple, on peut se sentir mieux dans sa peau lorsqu'on a des muscles plus fermes et moins enrobés de tissu adipeux, et qu'on a une plus grande facilité à se mouvoir. De surcroît, plus on est en forme, plus on a de l'énergie pour accomplir des choses. De quoi tenir à distance l'inertie quand le moral est à zéro.

ZOOM
2.3 L'exercice est aussi efficace que les antidépresseurs

Une surcharge de stress peut conduire au décrochage mental, c'est-à-dire à la dépression. L'exercice est-il efficace dans ce cas? La réponse est oui. Selon plusieurs études, l'exercice pratiqué régulièrement atténue certains symptômes de la dépression, tels que la perte d'appétit, la dévalorisation de soi et la fatigue. Peut-on aller jusqu'à remplacer les antidépresseurs par l'exercice pour traiter la dépression? Deux études récentes apportent un début de réponse à cette question.

Dans la première étude[1], 156 sujets dépressifs étaient divisés en trois groupes. Le groupe A était soumis à un programme de conditionnement physique, le groupe B était traité à l'aide d'antidépresseurs, et le groupe C suivait simultanément les deux approches (exercice et médicaments). Après 16 semaines, les chercheurs ont constaté que tous leurs patients étaient beaucoup moins dépressifs, quelle que soit l'approche utilisée. « Prendre une pilule est une approche passive. On la prend et on attend l'effet. Avec l'exercice, c'est différent. Le patient a le sentiment de contrôler davantage son traitement, car il agit de façon concrète pour améliorer son état. De plus, l'exercice améliore l'estime de soi, qui est faible chez les gens dépressifs », écrit le Dr James A. Blumenthal, un des auteurs de l'étude, dans *Archives of Internal Medicine*.

La seconde étude[2], canadoaméricaine celle-là, confirme sans équivoque l'effet antidépresseur de l'exercice. Menée auprès de 80 personnes (des deux sexes) âgées de 20 à 45 ans qui souffraient de dépression modérée, cette étude révèle que 12 semaines d'exercices, à raison d'au moins trois séances par semaine, ont notablement réduit les symptômes de la dépression chez 46 % des participants et ont permis à 42 % d'entre eux de se sortir complètement de leur état dépressif. Selon les auteurs de l'étude, ces résultats sont aussi bons que ceux obtenus avec la médication ! Mais quelle est la dose idéale d'exercice pour « traiter » la dépression modérée? Cette étude donne aussi une réponse à cette question : une dépense calorique supplémentaire d'au moins 1 000 calories par semaine, soit 30 minutes d'activité physique modérée tous les jours, si possible.

5. Un moyen efficace de prévenir la dépression et le suicide chez les jeunes adultes

Pendant huit ans, des chercheurs du National Institute of Mental Health, aux États-Unis, ont suivi 1 900 femmes en bonne santé mentale. Au terme de l'étude, les femmes physiquement actives

1. J.A. Blumenthal *et al.*, « Effects of exercise training on older patients with major depression », *Archives of Internal Medicine*, 25 octobre 1999, 159, p. 2349.
2. A.L. Dunn, M.H. Trivedi, J.B. Kampert *et al.*, « Exercise treatment for depression : efficacy and dose response », *Am J Prev Med*, 2005, 28, p. 1-8.

présentaient, d'après certains tests mesurant l'état de santé mentale, 50 % moins de risques que les autres d'être atteintes de dépression au cours de la décennie suivante. Selon une autre étude, publiée dans la revue *Medicine & Science in Sports & Exercise*[1], et menée auprès de 4 700 étudiants et étudiantes de niveau collégial, on notait de deux à trois fois moins de comportements suicidaires chez les personnes membres d'une équipe sportive que chez les personnes ne pratiquant aucun sport. En somme, l'activité physique est un merveilleux stimulant pour le moral, sans compter qu'elle ne coûte pratiquement rien et qu'on peut la prescrire à toute personne en panne sur le plan émotionnel.

À chaque état émotionnel
son exercice

Le choix de l'exercice, de sa durée, du moment où on le fait et de son intensité dépend de la nature et de la gravité du problème émotionnel.

1. Pour réduire le niveau d'anxiété

Faites 15 à 25 minutes d'exercice modéré en fin de journée ou en début de soirée. C'est en effet le soir que l'anxiété atteint son maximum. Les exercices de musculation (qui donnent une impression de vigueur retrouvée) et les activités physiques faisant appel à la fois au physique et au mental (taï chi, Pilates, yoga, voile, escalade, etc.) sont particulièrement efficaces pour combattre l'anxiété. Ils occupent l'esprit, tout en libérant des tensions musculaires. En cas d'anxiété chronique, il faut prévoir au moins 10 à 12 semaines d'exercices réguliers pour atténuer notablement les symptômes.

2. Pour contrer une petite déprime

Il est préférable de faire de l'exercice le matin, puisque la déprime se manifeste souvent au réveil. Un conseil : déprime rime avec inertie, et il ne sert à rien de se forcer à faire des exercices exténuants. Des exercices légers au sortir du lit suffiront au début, quitte à les intensifier ensuite.

3. Pour lutter contre la dépression

Vous avez deux options. Option 1 : faire 30 minutes d'exercices modérés, si possible tous les jours. Option 2 : si votre condition physique le permet, faire de 30 à 40 minutes d'exercices aérobiques plutôt vigoureux trois ou quatre fois par semaine. Dans les deux cas, prévoyez une douzaine de semaines pour obtenir des résultats notables. Si vous êtes sous médication et si vous êtes suivi par un médecin, discutez de ces options avec ce dernier.

---

1. « Physical activity, sports participation, and suicidal behavior among college students », *Medicine & Science in Sports & Exercise*, 2002, vol. 34, n⁰ 7, p. 1087–1096.

4. Pour mieux dormir

Trente minutes d'exercice modéré vers la fin de l'après-midi devraient détendre les muscles (la tension musculaire nuit au sommeil) et le système sympathique (il met le corps en état d'alerte lors d'un stress). Ajoutons que l'exercice augmente la fréquence des ondes alpha, associées au sommeil profond (chapitre 4, page 107).

5. Pour ressentir l'effet euphorisant de l'exercice

Pratiquez des activités physiques modérées (marche sportive, jogging, ski de fond, vélo, exerciseurs cardiovasculaires, etc.) pendant au moins 45 minutes. Cela semble suffisant pour accroître la concentration d'endorphines dans le sang et déclencher un effet narcotique tout à fait légal.

6. Pour prévenir un stress appréhendé

Faites 10 à 15 minutes d'exercice modéré avant l'événement susceptible de créer un stress important. Prenez ensuite une bonne douche. Vous constaterez alors que vous êtes assez calme pour prendre le taureau par les cornes!

L'exercice :
la locomotive de la santé

Plus vous ressentirez les bienfaits de l'activité physique, plus vous voudrez améliorer votre mode de vie. Les personnes physiquement actives ont ainsi tendance à surveiller leur alimentation, à contrôler leur niveau de stress et leur consommation d'alcool et de tabac. Par exemple, selon des études effectuées auprès d'adeptes du jogging et de la musculation, 75 à 80 % de ceux qui fumaient au départ ont par la suite abandonné cette habitude. En outre, c'est chez les individus, hommes et femmes, qui pratiquent des sports dans un cadre organisé (ligue de tennis, de badminton, de volleyball, de ringuette, de hockey, etc.) qu'on observe le plus faible taux de fumeurs. Quant aux athlètes qui fument et prennent quelques bières après la rencontre sportive, c'est l'exception qui confirme la règle.

Comme nous l'avons vu, l'activité physique a un effet euphorisant. Elle a aussi un effet beaucoup moins connu : elle dissuade de la consommation de drogues. Cet effet s'explique de deux façons. D'une part, l'activité physique occupe les temps libres : pendant qu'on joue au badminton, qu'on soulève des haltères ou qu'on transpire sur un simulateur d'escalier, on ne pense pas aux paradis artificiels. Selon les données recueillies par l'Institut canadien de la recherche sur la condition physique et le mode de vie, il semblerait même que les régimes d'entraînement vigoureux freinent l'usage de drogues mieux que tout autre type de programme antidrogue. Qui voudrait tirer une ligne de coke après un entraînement intensif de deux heures qui l'aura mis, de toute façon, dans un état second! D'autre part, l'activité physique décourage la consommation de drogues en améliorant l'estime de soi. Les toxicomanes ont généralement une image négative d'eux-mêmes et de leur environnement. En retrouvant une certaine fierté et en rehaussant son image corporelle, on est plus susceptible de modifier ses comportements.

Le revers de la médaille :
le surentraînement

Toute médaille a son revers. Dans le cas de l'activité physique, il faut éviter de sombrer dans l'excès. S'entraîner vigoureusement 4 à 5 heures par jour, 7 jours sur 7, et tous les jours de l'année, revient à abuser d'une bonne chose. Même si peu d'individus se livrent à ce genre d'abus, ceux qui le font s'exposent à des ennuis de santé. Lorsqu'il est surutilisé, le corps n'a pas le temps de récupérer, de réparer les fibres musculaires brisées, ni de refaire le plein d'énergie. Il se blesse alors de plus en plus souvent. Il finit aussi par souffrir d'anémie (l'abus de l'exercice diminue le taux de fer dans le sang), de fatigue générale et d'infections à répétition, en particulier des voies respiratoires (trop d'exercice affaiblit le système immunitaire). Le mieux est l'ennemi du bien : par conséquent, allez-y mollo! Lorsque vous pratiquez des activités vigoureuses, accordez-vous des temps de repos. Par exemple, une ou deux journées par semaine sans exercice intense permettront à votre corps de refaire ses forces. Pour le reste, on peut sans danger être un accro de l'exercice, puisque ses bienfaits l'emportent haut la main sur ses inconvénients.

à vos méninges

Remarque : Il peut y avoir plus d'une bonne réponse par question.

1. **À quoi la hausse marquée du taux d'obésité dans le monde est-elle principalement due ?**

- ○ **a)** À une surconsommation d'aliments.
- ○ **b)** À une diminution substantielle de la dépense énergétique quotidienne.
- ○ **c)** Aux raisons a) et b).
- ○ **d)** À l'hérédité.
- ○ **e)** À une surconsommation de glucides.
- ○ **f)** À aucune des raisons précédentes.

2. **Laquelle des affirmations suivantes est fausse ?**

- ○ **a)** Contrairement aux protéines du tissu nerveux, par exemple, celles des muscles se dégradent lorsqu'elles sont sous-utilisées.
- ○ **b)** Les malaises ou les maladies « hypokinétiques » résultent d'un mode de vie sédentaire.
- ○ **c)** L'exercice modifie le tissu musculaire mais pas le tissu osseux.
- ○ **d)** Le gras abdominal serait le gras le plus nuisible à la santé.
- ○ **e)** Toutes les affirmations précédentes sont exactes.

3. **Une activité physique régulière réduit notablement le risque de souffrir de certaines maladies. Lesquelles ?**

- ○ **a)** Asthme.
- ○ **b)** Diabète de type 1.
- ○ **c)** Maladie coronarienne.
- ○ **d)** Cancer du côlon.
- ○ **e)** Cancer du sein.
- ○ **f)** Hypertension artérielle.
- ○ **g)** Diabète de type 2.
- ○ **h)** Maladie d'Alzheimer.
- ○ **i)** Cancer de la peau.
- ○ **j)** Sida.

4. **Laquelle des affirmations suivantes est fausse ?**

- ○ **a)** L'exercice aide à combattre trois facteurs de risque importants de la maladie coronarienne : il réduit l'hypertension artérielle ; il favorise le maintien d'un poids-santé ; il encourage le fumeur à abandonner la cigarette.
- ○ **b)** L'exercice est si bénéfique pour la personne diabétique qu'il lui permet de se passer d'insuline.
- ○ **c)** L'exercice peut déclencher une crise d'asthme, mais il réduit à long terme le nombre des crises et leur gravité.
- ○ **d)** La pratique d'un exercice, même léger, entraîne une réduction marquée et quasi instantanée de l'activité électrique dans les muscles.
- ○ **e)** L'exercice est un des moyens les plus efficaces pour prévenir le cancer du côlon.

5. Pour ressentir l'effet narcotique (libération d'endorphines), quel type d'exercice faut-il faire, et pendant combien de temps ?

○ **a)** De la musculation pendant au moins 30 minutes.

○ **b)** Des étirements pendant au moins 15 minutes.

○ **c)** Des efforts anaérobiques de 30 secondes, trois fois par jour.

○ **d)** Des efforts aérobiques pendant au moins 20 minutes.

○ **e)** Des exercices d'endurance musculaire pendant au moins 40 minutes.

○ **f)** Des efforts aérobiques pendant au moins 45 minutes.

6. Associez à chaque situation nuisant à la santé (liste de gauche) une solution possible (liste de droite).

Situations	Solutions
_____ **1.** Je suis très anxieux.	**a)** Faire une heure de jogging.
_____ **2.** Je me sens déprimé aujourd'hui.	**b)** Faire des pompes le matin.
	c) Faire 15 à 25 minutes d'exercice modéré en fin d'après-midi ou en début de soirée.
_____ **3.** Je dors mal.	**d)** Faire une séance d'exercice modéré le matin.
_____ **4.** Je voudrais prévenir un stress appréhendé.	**e)** Faire 10 à 15 minutes d'exercice modéré avant l'événement susceptible de créer une situation stressante.
	f) Faire de la musculation après le souper.
	g) Faire 30 minutes d'exercice modéré en fin d'après-midi.

7. On dit que l'exercice est la locomotive de la santé. Lequel ou lesquels des énoncés suivants le démontre(nt) ?

○ **a)** Selon des études effectuées auprès d'adeptes du jogging et de la musculation, 75 à 80 % de ceux qui fumaient au départ ont abandonné cette habitude en cours de route.

○ **b)** Selon les données recueillies par l'Institut canadien de la recherche sur la condition physique et le mode de vie, les régimes d'entraînement vigoureux freinent l'usage de drogues mieux que tout autre type de programme antidrogue.

○ **c)** L'activité physique est un merveilleux stimulant pour le moral. Elle ne coûte presque rien et on peut la prescrire à toute personne en panne sur le plan émotionnel.

○ **d)** Plus vous ressentirez les bienfaits de l'activité physique, plus vous voudrez améliorer votre mode de vie. Les gens physiquement actifs ont ainsi tendance à surveiller leur alimentation, leur niveau de stress et leur consommation d'alcool et de tabac.

○ **e)** Tous les énoncés précédents le démontrent.

8. Complétez les phrases suivantes.

a) Parmi les facteurs de risque _____ (les plus nuisibles) et modifiables de la maladie coronarienne (inactivité physique, hypertension artérielle, taux élevé de mauvais cholestérol et de triglycérides et tabagisme), l'inactivité physique est de loin le facteur le plus _____ dans la population.

b) Les maladies hypokinétiques sont des problèmes de santé associés à un _____.

c) Un individu _____ peut perdre jusqu'à _____ g de muscle par année.

d) Le tissu osseux pouvant, comme le tissu musculaire, se _____, il suffit en général de _____ pour interrompre sa dégradation.

e) Le gras _____ est le gras qui pénètre le plus facilement dans le sang.

f) Les recherches ont clairement démontré que les personnes _____ sont plus souvent _____, coûtent plus cher à la société en frais médicaux et vivent moins longtemps que les personnes _____.

9. Indiquez cinq conséquences graves d'une vie sédentaire sur la santé.

- _____
- _____
- _____
- _____
- _____

10. Indiquez cinq effets bénéfiques de l'exercice sur la santé.

- _____
- _____
- _____
- _____
- _____

11. Indiquez trois cancers que l'exercice peut aider à prévenir.

- _____
- _____
- _____

pour en savoir plus

Lectures suggérées

- Bernstein, L., B.E. Henderson, R. Hanisch et coll., « Physical exercise and reduced risk of breast cancer in young women », *J. Natl. Cancer Inst.* (1994), 86(18):1403-1408.

- Blair, S.N., H.W. Kohl III, C.E. Barlow, R.S. Paffenbarger Jr, L.W. Gibbons et C.A. Macera, « Changes in physical fitness and all-cause mortality : a prospective study of healthy and unhealthy men », *JAMA* (1995), 273:1093-1098.

- Blair, S.N., H.W. Kohl III, R.S. Paffenbarger Jr, D.G. Clark, K.H. Cooper et L.W. Gibbons, « Physical fitness and all-cause mortality : a prospective study of healthy men and women », *JAMA* (1989), 262: 2395-2401.

- Bouchard, C., R.J. Shepard et T. Stephens, *Physical Activity, Fitness, and Health : Consensus Statement*, Human Kinetics Publishers, 1993.

- D'Amour, Y., *Activité physique, santé et maladie*, Montréal, Québec/Amérique, 1988.

- Kramer, M.M., et C.L. Wells, « Does physical activity reduce risk of estrogen-dependent cancer in women? », *Medicine and Science in Sports and Medicine* (1996), 28(3): 322-334.

- Larouche, R., Mémoire présenté à la Commission des états généraux sur l'éducation au Québec, Éditions L'Impulsion, 1995.

- Lobstein, D.D., B.J. Mosbacher et A.H. Ismail, « Depression as a powerful discriminator between physically active and sedentary middle-aged men », *J. Psychosom. Res.* (1983), 27: 69-76.

- McArdle, W.D., F.I. Katch et V.L. Katch, *Essentials of Exercise Physiology*, Lea & Fibeger, 2000.

- McTiernan, A., « Exercise and Breast Cancer : Time to Get Moving? », *The New England Journal of Medicine* (1997), 336 (18):1311-1314.

- Ornish, D., « Reversing heart disease through diet, exercise, and stress management : an interview with Dean Ornish », *J. Am. Diet. Assoc.* (1991), 91(2):162-165.

- Pate, R.R., et coll., « Physical activity and public health : a recommendation from the Centers for Disease Control and Prevention and the American College of Sports Medicine », *JAMA* (1995), 273:402-407.

- Willmore, J.H., et D.L. Costill, *Physiologie du sport et de l'exercice*, 2e éd., Paris, De Boeck Université, 2002.

sites Internet à visiter

Bande sportive.com
http://www.bandesportive.com/

Institut canadien de la recherche sur la condition physique et le mode de vie
http://www.cflri.ca/icrcp/plan/

Kino-Québec
http://www.kino-quebec.qc.ca/

Medicine and Science in Sports and Exercise
http://www.ms-se.com/

Ministère de la Santé et des Services sociaux (Québec)
http://www.msss.gouv.qc.ca/

The Physician and Sport Medicine
http://www.physsportsmed.com/

Santé Canada_Vie saine-Activité physique
http://www.hc-sc.gc.ca/francais/vie_saine/physique.html

BILAN 2.1

Votre niveau actuel d'activité physique

Maintenant que vous connaissez les dangers qu'une vie sédentaire présente pour la santé, vous vous posez sûrement la question suivante : suis-je une personne sédentaire ou physiquement active ? Et si vous êtes déjà une personne active, vous vous demandez certainement si votre niveau d'activité physique est suffisant pour que vous en retiriez des bénéfices pour votre santé. Le bilan qui suit vous aidera à répondre à ces questions.

Quantité d'exercice	Niveau d'activité physique	Bénéfices pour la santé	Amélioration des déterminants de la condition physique (chap. 10)
○ 1. Je fais moins de 30 minutes d'activité physique d'intensité faible* par jour.	Très faible, mais au moins vous en faites un peu.	Plutôt faibles.	Aucune.
○ 2. Je fais au moins 30 minutes d'activité physique d'intensité faible par jour.	Faible.	Faibles à moyens.	Très faible.
○ 3. Tous les jours ou presque, je fais au moins 30 minutes d'activité physique modérée.	Moyen.	Moyens.	Moyenne.
○ 4. Deux ou trois fois par semaine, à raison de 30 à 60 minutes par séance, je pratique une activité physique d'intensité modérée à élevée.	Moyen à élevé.	Moyens à élevés.	Moyenne à élevée.
○ 5. Trois à cinq fois par semaine, à raison de 45 à 75 minutes par séance, je pratique une activité physique d'intensité modérée à élevée.	Élevé.	Élevés.	Élevée.
○ 6. Plus de cinq fois par semaine, à raison de 45 à 90 minutes par séance, je pratique une activité physique d'intensité modérée à élevée.	Élevé à très élevé.	Élevés, mais gare au surentraînement (p. 40).	Élevée à très élevée.

* Pour une définition des différents niveaux d'intensité de l'activité physique, voir le bilan 1.1 (page 15).

Commentez votre niveau d'activité physique actuel.

_____

_____

_____

BILAN 2.2
Votre engagement en matière d'activité physique

Maintenant que vous avez fait le point sur votre niveau d'activité physique, vous pouvez vous poser la question suivante : que suis-je prêt à faire pour être physiquement plus actif ou, si je suis déjà actif, pour maintenir mon niveau d'activité ?

Cochez dans le tableau suivant les engagements que vous souhaitez prendre ; dans un mois, vous cocherez ceux que vous aurez respectés.

Je m'engage à...	Je vais le faire dès maintenant.	Après un mois, je tiens toujours le coup...		Après trois mois, je persiste et signe.	
marcher le plus souvent possible.	Date :	○	Oui	○	Oui
		○	Non	○	Non
faire au moins 30 minutes d'activités physiques modérées par jour.	Date :	○	Oui	○	Oui
		○	Non	○	Non
utiliser l'escalier au lieu de l'ascenseur.	Date :	○	Oui	○	Oui
		○	Non	○	Non
choisir la marche, la bicyclette ou le patin à roulettes pour les courtes distances	Date :	○	Oui	○	Oui
		○	Non	○	Non
éviter de rester inactif pendant de longues périodes comme lorsqu'on regarde la télévision.	Date :	○	Oui	○	Oui
		○	Non	○	Non
multiplier les occasions de bouger au lieu de les éviter.	Date :	○	Oui	○	Oui
		○	Non	○	Non
suivre un programme de mise en forme ou m'en faire un sur mesure et l'appliquer.	Date :	○	Oui	○	Oui
		○	Non	○	Non
pratiquer un sport qui me plaît.	Date :	○	Oui	○	Oui
		○	Non	○	Non

Je m'engage à...	Je vais le faire dès maintenant.	Après un mois, je tiens toujours le coup...	Après trois mois, je persiste et signe.
améliorer mes habiletés motrices pour me donner le goût de pratiquer une activité physique.	Date :	○ Oui ○ Non	○ Oui ○ Non
effectuer l'activité suivante : _____	Date :	○ Oui ○ Non	○ Oui ○ Non

1. Au total, vous avez pris _____ engagement(s) et vous en avez respecté _____ .

2. Indiquez, le cas échéant, pour quelle raison vous n'avez pas respecté certains de vos engagements.

   ○ J'ai manqué de temps.

   ○ J'ai manqué de motivation.

   ○ Je n'étais pas aussi prêt à passer à l'action que je le pensais.

   ○ Il aurait fallu que je ne sois pas seul dans ma démarche.

   ○ Autre(s) raison(s) : _____

3. Finalement, croyez-vous être capable de faire de l'activité physique régulière une habitude de vie ?
   Expliquez brièvement votre réponse.

   _____

   _____

   _____

Sédentaire ou actif ? chapitre 2

Malbouffe ou bonne bouffe?

chapitre 3

Objectifs

- Déterminer les écarts alimentaires les plus fréquents.

- Décrire les conséquences de ces écarts alimentaires sur la santé.

- Expliquer la notion d'alimentation saine à partir du concept des pyramides alimentaires.

- Déterminer cinq façons concrètes d'améliorer vos habitudes alimentaires.

- Expliquer en quoi les régimes amaigrissants sont néfastes pour la santé.

- Faire le bilan de votre alimentation et y apporter des correctifs à court terme s'il y a lieu.

- Expliquer comment il faut s'alimenter lorsqu'on est physiquement actif.

Aujourd'hui, peu de gens ignorent que la santé va de pair avec une alimentation saine. La recherche scientifique a en effet prouvé, ces dernières années, le rapport de causalité entre alimentation et santé, et ce savoir a été largement diffusé. Pourtant, selon les enquêtes nutritionnelles les plus récentes, le régime alimentaire des Québécois, comme de l'ensemble des Nord-Américains, comprend généralement encore trop de gras, trop de sel, trop de sucre, et reste trop pauvre en fruits, en légumes et en céréales à grains entiers. Ce type de régime alimentaire inadéquat, que nous appellerons malbouffe, mène tout droit à l'athérosclérose, au diabète de type 2, à certains types de cancer, à l'hypertension artérielle et à l'obésité (tableau 3.1). Il faut aussi souligner que, à cause de ses effets catastrophiques sur la santé, la malbouffe est une des causes principales de l'explosion des coûts de santé sur le continent nord-américain.

> Mange en mars du poireau et en mai de l'ail sauvage. Et toute l'année d'après, le médecin se tournera les pouces.
>
> Vieux dicton gallois

tableau 3.1 Alimentation et santé : un lien étroit

Si votre régime alimentaire est...	... vous courez le risque de souffrir un jour des problèmes de santé suivants :
trop riche en calories par rapport à votre dépense énergétique	athérosclérose, hypertension, obésité, ostéoarthrite (membres inférieurs), diabète de type 2 et certains cancers (sein, côlon, endomètre, vessie et rein)
trop riche en mauvais gras (gras saturés et gras trans)	athérosclérose et, selon certaines recherches, cancer du sein, du côlon et de la prostate
trop riche en sel	hypertension
trop riche en sucres raffinés*	diabète de type 2 et athérosclérose
trop pauvre en fruits et en légumes	certaines maladies cardiovasculaires et certains cancers
trop pauvre en produits céréaliers à grains entiers	constipation chronique, diverticulose et maladies cardiovasculaires

* On fait référence ici aux sucres simples à assimilation rapide (sucre blanc granulé, cassonade, sucre liquide) qu'on trouve, souvent en grandes quantités, dans les aliments préparés, les sucreries et les boissons gazeuses.

S'il décourage à première vue, ce constat nous permet cependant de reconnaître clairement nos écarts alimentaires. Pour manger mieux, il suffit de corriger ces écarts. Cela ne veut pas dire qu'il faut manger le moins possible, compter ses calories à chaque repas, peser ses portions, mettre une croix sur le burger double ou encore suivre un régime amaigrissant (p. 67). Au contraire, ces solutions peuvent même conduire à l'obsession, voire à des troubles alimentaires graves comme l'anorexie et la boulimie (zoom 3.1).

ZOOM

3.1 Les cas d'anorexie
et de boulimie en hausse

L'insistance, pour ne pas dire l'obsession, des médias et des publicitaires à nous présenter des ventres ultra-plats, des tailles de guêpe et des mannequins extrêmement maigres pourrait expliquer en grande partie la montée dans notre société de deux troubles alimentaires graves : l'anorexie et la boulimie. Au Canada, les statistiques montrent que plus de 200 000 personnes de 13 à 40 ans souffrent de ces troubles alimentaires. Il s'agit d'une hausse de 600 % en 30 ans, selon l'Association québécoise d'aide aux personnes souffrant d'anorexie nerveuse et de boulimie. Il y a pis encore : le taux de mortalité chez les personnes anorexiques au Québec n'a pas baissé depuis 20 ans et il se situe toujours autour de 15 %.

L'anorexie se caractérise par une recherche obsessionnelle de la minceur et l'adoption d'un régime alimentaire hypocalorique. Les personnes anorexiques – pour la plupart des adolescentes – subissent une importante perte de poids à la suite de privations et d'un excès d'exercice physique. Elles sont généralement insatisfaites de leur image corporelle, glorifient la minceur et s'alimentent très peu, de peur de perdre la maîtrise sur leur poids. Les signes annonciateurs de l'anorexie sont :

- une perte de poids sensible (au moins 15 % du poids normal, sans raisons médicales connues) ;
- des préoccupations et des obsessions par rapport aux aliments à faible teneur en gras ou en calories ;
- l'apparition de rituels et d'habitudes alimentaires particulières ;

- l'exercice pratiqué de manière excessive ;
- un retrait social et émotif ;
- la peur de devenir gros ou grosse ;
- une perception erronée de son image corporelle (la personne se voit grosse alors qu'elle est déjà très amaigrie).

Pour sa part, la boulimie se caractérise par des épisodes de rage alimentaire au cours desquels de grandes quantités de nourriture sont avalées en peu de temps. La personne boulimique utilise ensuite des moyens pour débarrasser son corps de l'excès de nourriture en se faisant vomir, en utilisant des laxatifs ou des diurétiques, en prenant des coupe-faim, ou encore en faisant beaucoup d'exercice. Cette maladie touche la plupart du temps les femmes, mais on la retrouve aussi chez les hommes. Les signes de la boulimie sont :

- des épisodes de rage alimentaire ;
- des comportements associés à la purge tels que des vomissements provoqués, l'usage de laxatifs ou de diurétiques, des marathons d'exercice ;
- des sautes d'humeur fréquentes ;
- un gonflement inhabituel près de la mâchoire (hypertrophie des glandes salivaires) ;
- le retrait des activités normales ou l'isolement.

La gravité de ces troubles alimentaires exige une intervention rapide pour aider les personnes boulimiques ou anorexiques à se défaire de ces comportements autodestructeurs. On trouvera à la fin de ce chapitre, sous la rubrique *Pour en savoir plus*, des suggestions de lecture et des sites Internet sur le sujet.

Quelles sont alors les actions concrètes qui permettraient de corriger ces écarts sans tomber dans d'autres excès ? Avant de répondre à cette question, il faut ouvrir une parenthèse et se demander à quoi nous servent les aliments.

Le rôle crucial
des aliments

Les aliments que nous absorbons jour après jour sont transformés en substances qui fournissent de l'énergie aux cellules et assurent la croissance, le bon fonctionnement et la réparation des tissus. On appelle ces substances des **nutriments**. De fait, une grande partie des aliments deviennent une source d'énergie, c'est-à-dire qu'ils sont transformés en ATP, la forme d'énergie chimique qui alimente les activités de la cellule. Il sera davantage question de cette source d'énergie universelle au chapitre 7.

Les experts en nutrition ont regroupé ces nutriments essentiels à une bonne santé en **six grandes familles** : les glucides, les lipides, les protéines, les vitamines, les minéraux et l'eau. Nous verrons plus loin comment ces nutriments influent sur notre santé et, cela va de pair, sur notre performance lors de l'effort physique. Entre-temps, consultez le tableau 3.2 pour en savoir plus. La figure 3.1 montre, de manière succincte, les principales fonctions des vitamines et des minéraux. Vous trouverez aussi dans le **Compagnon Web** une description détaillée des propriétés des vitamines et des minéraux.

vitamines/
minéraux

Les oméga-3 et les oméga-6 : des gras essentiels

Les lipides polyinsaturés oméga-3 et oméga-6 sont appelés **acides gras essentiels** parce que notre organisme ne peut pas les fabriquer lui-même. Il doit donc les puiser dans les aliments ou, au besoin, dans les suppléments. Ce qui n'est pas le cas des **oméga-9**, des lipides monoinsaturés que le corps peut fabriquer à partir des gras saturés s'il en a besoin. Précisons que l'huile d'olive, l'huile de canola, les noix et les avocats sont d'importantes sources d'oméga-9. Mais revenons aux oméga-3 et aux oméga-6, puisque ce sont eux qui suscitent l'intérêt des chercheurs et des médias depuis quelques années. Ces bons gras jouent, en effet, un **rôle important** dans tous les processus de reproduction et de croissance (formation des cellules, intégrité de la peau, réactions inflammatoires, allergiques, immunitaires, etc.). Ils protègent également contre les maladies du cœur en réduisant la quantité de mauvais cholestérol dans le sang, en prévenant la coagulation du sang et en abaissant le taux sanguin de triglycérides (un type de gras qui contribue au développement des maladies du cœur). Bien que cela reste à prouver hors de tout doute, certains chercheurs soutiennent même que les oméga-3, en particulier, influeraient favorablement sur notre humeur et pourraient, comme le fait l'exercice, aider à combattre les symptômes de la dépression (zoom 3.2).

Devant autant de bienfaits, la tentation est grande de prendre des suppléments d'oméga-3. Est-ce nécessaire ? Non, si vous consommez régulièrement du poisson (au moins une fois par semaine), des noix et des graines (de lin, en particulier), qui sont d'importantes sources naturelles d'oméga-3. Mais si votre consommation d'aliments riches en oméga-3 est faible et que vous souhaitez combler ce

tableau 3.2 Les six grandes familles de nutriments

Nutriments	À quoi servent-ils ?	Où les trouve-t-on ?
Glucides	Alimentent en énergie les cellules nerveuses, les globules rouges et les muscles pendant l'effort physique.	**Glucides complexes :** fruits, légumes, lait, grains, racines (pommes de terre). **Glucides simples :** fruits, certains légumes, sucreries.
Lipides	Entrent dans la constitution des membranes cellulaires et des fibres nerveuses. Fournissent jusqu'à 70 % de l'énergie du corps au repos. Facilitent l'absorption des vitamines liposolubles. Servent d'isolant contre le froid et de coussin protecteur pour les organes.	**Lipides monoinsaturés et polyinsaturés, y compris les oméga-3 et les oméga-6 :** huiles végétales (maïs, tournesol, olive, etc.), graines, noix, poisson. **Lipides saturés et gras trans :** produits animaux (viande et produits laitiers), huiles de palme et de coco, huiles hydrogénées.
Protéines	Constituent le matériau de base des cellules. Participent à la formation de l'hémoglobine, des anticorps, des enzymes et des hormones. Servent à la croissance, à la réparation et à la reconstitution des différents tissus.	Produits animaux (viande rouge, poisson, volaille, fruits de mer, œufs et produits laitiers), légumineuses et noix.
Vitamines	Rendent possible l'utilisation des glucides, des lipides et des protéines par les cellules. Accélèrent les réactions chimiques.	Fruits, légumes, grains, poisson et produits animaux.
Minéraux	Renforcent certaines structures (dents, squelette). Contribuent au bon fonctionnement de l'organisme.	En quantité variable, dans presque tous les aliments que nous consommons.
Eau	Constitue de 50 à 60 % du poids d'un adulte. Est le deuxième élément vital, après l'oxygène.	Eau du robinet, jus, fruits, légumes, boissons de toutes sortes.

manque par des suppléments, assurez-vous que le rapport oméga-6–oméga-3 ne dépasse pas 4 pour 1. En effet, nous consommons déjà suffisamment d'oméga-6, puisque beaucoup de produits transformés en contiennent de grandes quantités.

Des solutions toutes simples
pour mieux manger

Fermons maintenant la parenthèse et revenons à la question posée précédemment : quelles sont les actions concrètes qui permettraient de corriger ces écarts alimentaires sans tomber dans d'autres excès ? La première action concrète est en fait une démarche. Il s'agit de comparer votre alimentation avec un des modèles d'alimentation saine reconnus par les nutritionnistes, car il y en a plusieurs.

figure 3.1 Le rôle des vitamines et des minéraux en un coup d'œil

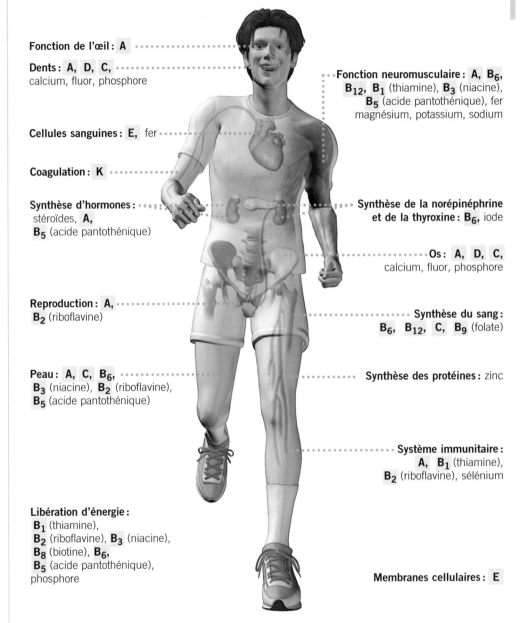

Fonction de l'œil : A

Dents : A, D, C,
calcium, fluor, phosphore

Cellules sanguines : E, fer

Coagulation : K

Synthèse d'hormones :
stéroïdes, **A,**
B$_5$ (acide pantothénique)

Reproduction : A,
B$_2$ (riboflavine)

Peau : A, C, B$_6$,
B$_3$ (niacine), **B$_2$** (riboflavine),
B$_5$ (acide pantothénique)

Libération d'énergie :
B$_1$ (thiamine),
B$_2$ (riboflavine), **B$_3$** (niacine),
B$_8$ (biotine), **B$_6$,**
B$_5$ (acide pantothénique),
phosphore

Fonction neuromusculaire : A, B$_6$,
B$_{12}$, B$_1$ (thiamine), **B$_3$** (niacine),
B$_5$ (acide pantothénique), fer
magnésium, potassium, sodium

Synthèse de la norépinéphrine
et de la thyroxine : B$_6$, iode

Os : A, D, C,
calcium, fluor, phosphore

Synthèse du sang :
B$_6$, B$_{12}$, C, B$_9$ (folate)

Synthèse des protéines : zinc

Système immunitaire :
A, B$_1$ (thiamine),
B$_2$ (riboflavine), sélénium

Membranes cellulaires : E

Adapté de W. McArdle, F. Katch et V. Katch, *Physiologie de l'activité physique*, traduit de l'américain par M. Nadeau, 2001,
Maloine / Edisem, p. 2.

ZOOM

3.2   La dépression, les oméga-3
et l'exercice

Des chercheurs étudient actuellement le rôle possible des oméga-3 dans le traitement de la dépression, cet état psychique qui rend triste et sans entrain. Les recherches sont basées sur le fait que, outre le facteur héréditaire et les facteurs liés à l'environnement (perte d'un être cher, conflits familiaux, solitude, etc.), un facteur biochimique favorise la dépression. Mais quel est le rapport avec l'exercice ? On sait maintenant que celui-ci, à l'instar des oméga-3, peut combattre la dépression. Toutefois, dans le cas de l'exercice, on n'en est plus au stade de l'hypothèse : l'effet antidé-presseur est bel et bien confirmé, comme nous l'avons vu au chapitre 2. En somme, en attendant que l'effet antidépresseur des oméga-3 soit éventuellement confirmé, vous pouvez vous fier à l'exercice pour améliorer, souvent dès la fin de la séance, votre humeur ou encore la maintenir… à la hausse ! Quant à la diminution des symptômes de la dépression, on l'a vu, il faut prévoir quelques semaines d'exercices, de préférence de type aérobique, avant de constater des changements notables et cela, bien souvent, sans l'usage d'anti-dépresseurs !

Les figures 3.2 à 3.4 (p. 56 à 58) présentent trois modèles, sous la forme de pyramides alimentaires : la **pyramide canadienne**, la **pyramide méditerranéenne** et la **pyramide asiatique**. Vous trouverez dans le **Compagnon Web** une quatrième pyramide approuvée par les nutritionnistes : la **pyramide végétarienne**. Le végétarisme est une pratique

pyramide végétarienne

alimentaire qui exclut la consommation de viandes et d'autres aliments d'origine animale. Les nutrionnistes reconnaissent cette pratique comme étant saine pour autant qu'elle inclue une grande variété de protéines d'origine végétale. En fait, toutes ces pyramides ont un point en commun : d'après la recherche, les modèles d'alimentation qu'elles préconisent améliorent le bien-être et l'espérance de vie en bonne santé dans la mesure où ils garantissent un apport varié et complet d'aliments appartenant aux six grandes familles de nutriments.

Les trois pyramides se distinguent toutefois sur certains points. Ainsi, la pyramide canadienne est d'une grande précision en ce qui a trait aux nombres minimal et maximal de portions par jour, et fournit même les quantités. Les deux autres pyramides ont une approche moins directive : elles donnent seulement le nombre de fois par jour, par semaine ou par mois concernant la consommation des aliments. On se fie au bon jugement de la personne en ce qui a trait aux quantités. Autre différence, la pyramide canadienne rassemble dans la même catégorie les viandes et leurs substituts (légumineuses et grains entiers). Les deux autres pyramides placent plutôt les viandes et leurs substituts dans des catégories distinctes ; les viandes sont même subdivisées en trois catégories (viande rouge, volaille, poisson et fruits de mer). De plus, la consommation de viande rouge est limitée à une fois par mois.

figure **3.2** La nouvelle pyramide canadienne

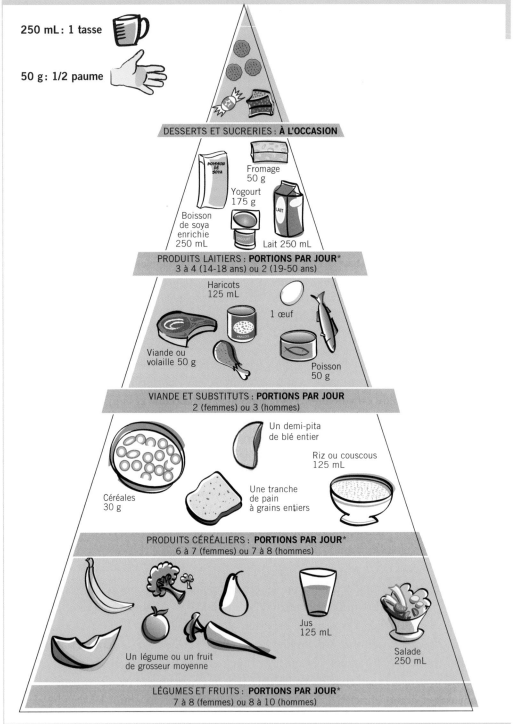

250 mL : 1 tasse

50 g : 1/2 paume

DESSERTS ET SUCRERIES : **À L'OCCASION**

Fromage 50 g

Yogourt 175 g

Boisson de soya enrichie 250 mL

Lait 250 mL

PRODUITS LAITIERS : **PORTIONS PAR JOUR***
3 à 4 (14-18 ans) ou 2 (19-50 ans)

Haricots 125 mL

1 œuf

Viande ou volaille 50 g

Poisson 50 g

VIANDE ET SUBSTITUTS : **PORTIONS PAR JOUR**
2 (femmes) ou 3 (hommes)

Un demi-pita de blé entier

Riz ou couscous 125 mL

Céréales 30 g

Une tranche de pain à grains entiers

PRODUITS CÉRÉALIERS : **PORTIONS PAR JOUR***
6 à 7 (femmes) ou 7 à 8 (hommes)

Jus 125 mL

Salade 250 mL

Un légume ou un fruit de grosseur moyenne

LÉGUMES ET FRUITS : **PORTIONS PAR JOUR***
7 à 8 (femmes) ou 8 à 10 (hommes)

ACTIVITÉ PHYSIQUE QUOTIDIENNE

* Si vous êtes physiquement actif ou enceinte, le nombre de portions devrait se rapprocher du maximum.

figure 3.3 La pyramide méditerranéenne

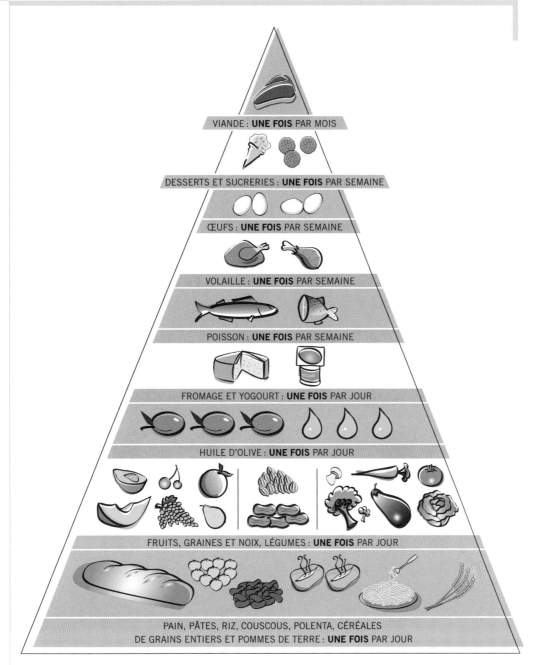

VIANDE : **UNE FOIS** PAR MOIS

DESSERTS ET SUCRERIES : **UNE FOIS** PAR SEMAINE

ŒUFS : **UNE FOIS** PAR SEMAINE

VOLAILLE : **UNE FOIS** PAR SEMAINE

POISSON : **UNE FOIS** PAR SEMAINE

FROMAGE ET YOGOURT : **UNE FOIS** PAR JOUR

HUILE D'OLIVE : **UNE FOIS** PAR JOUR

FRUITS, GRAINES ET NOIX, LÉGUMES : **UNE FOIS** PAR JOUR

PAIN, PÂTES, RIZ, COUSCOUS, POLENTA, CÉRÉALES
DE GRAINS ENTIERS ET POMMES DE TERRE : **UNE FOIS** PAR JOUR

ACTIVITÉ PHYSIQUE QUOTIDIENNE

figure **3.4** La pyramide asiatique

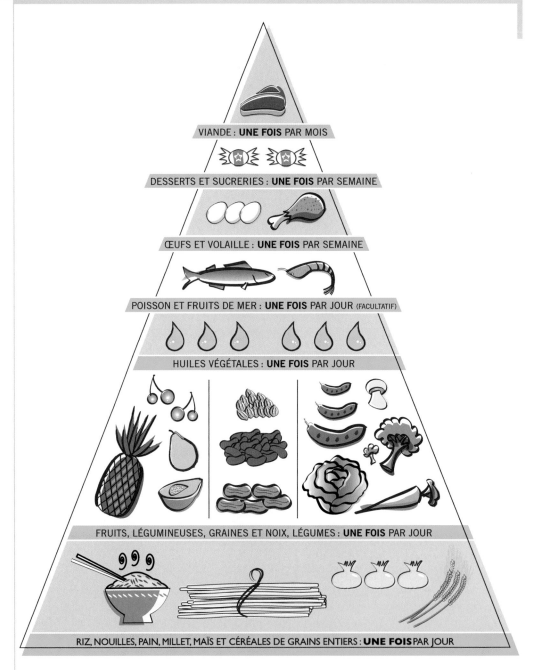

VIANDE : **UNE FOIS** PAR MOIS

DESSERTS ET SUCRERIES : **UNE FOIS** PAR SEMAINE

ŒUFS ET VOLAILLE : **UNE FOIS** PAR SEMAINE

POISSON ET FRUITS DE MER : **UNE FOIS** PAR JOUR (FACULTATIF)

HUILES VÉGÉTALES : **UNE FOIS** PAR JOUR

FRUITS, LÉGUMINEUSES, GRAINES ET NOIX, LÉGUMES : **UNE FOIS** PAR JOUR

RIZ, NOUILLES, PAIN, MILLET, MAÏS ET CÉRÉALES DE GRAINS ENTIERS : **UNE FOIS** PAR JOUR

ACTIVITÉ PHYSIQUE QUOTIDIENNE

En faisant le bilan de votre alimentation à partir des indications de la page 88, vous pourrez comparer votre alimentation avec l'une ou l'autre de ces pyramides, puisque leurs effets bénéfiques sur la santé s'équivalent. Si ce bilan révèle un ou plusieurs écarts alimentaires, voici cinq autres actions concrètes pour les corriger.

1. Coupez d'abord dans le mauvais gras

Aujourd'hui, sur les 2000 et quelques calories que nous consommons en moyenne chaque jour, presque 35 % proviennent d'aliments gras, alors que cette proportion n'était que de 27 % au début du xxᵉ siècle! C'est trop, disent les experts, qui recommandent de réduire la proportion de gras à moins de 30 % (tableau 3.3). Mais attention, il y a du bon et du mauvais gras. Les nutritionnistes s'entendent pour dire que c'est la proportion de mauvais gras qu'il faut surtout réduire. En fait, la proportion de mauvais gras ne devrait pas dépasser 10 % de notre consommation calorique quotidienne.

Le mauvais gras, ou gras saturé.   Ce type de gras obstrue les artères en formant des plaques de graisse (**athéromes**). Il est aussi associé à l'hypertension artérielle, au cancer du côlon, du rectum, de la prostate, du sein et des ovaires. Le **mauvais gras** se trouve principalement dans les aliments d'origine animale (lait, beurre, yogourt, viande et charcuterie), les fritures, les croustilles, les frites, les craquelins et les produits à base d'huiles durcies ou hydrogénées. Ces dernières sont issues d'un procédé industriel, l'**hydrogénation**, qui consiste à ajouter de l'hydrogène à l'huile liquide afin de la rendre solide. Or, l'huile hydrogénée contient une forme de gras saturés, les **acides gras trans**, qui comptent parmi les plus nuisibles à la santé. Le beurre d'arachide commercial est un exemple classique de produit hydrogéné. À l'état naturel, il contient une huile qui tend à remonter à la surface; il faut alors brasser le tout pour le rendre homogène. L'industrie alimentaire a résolu le problème en hydrogénant le produit. Résultat: le beurre d'arachide industriel reste toujours ferme et homogène; par contre, il est aussi désormais très riche en huile hydrogénée. Heureusement, les fabricants mettent sur le marché de plus en plus de produits contenant peu d'huile hydrogénée, voire n'en contenant pas du tout. C'est une bonne nouvelle pour nos artères!

Le bon gras, ou gras insaturé.   Ce type de gras est essentiel au bon fonctionnement du corps; il ne favorise pas le cancer, ne bouche pas les artères et constitue même un fabuleux réservoir d'énergie. En effet, gramme pour gramme, le gras contient deux fois plus de calories que le sucre ou les protéines, tout en occupant moins d'espace dans les cellules. Le **bon gras** (comprenant notamment les acides gras essentiels oméga-3 et oméga-6, que notre corps ne fabrique pas) abonde dans les huiles végétales (huiles de canola, d'olive, de soya, de tournesol, de maïs, etc.), les noix, les graines et le poisson. Si vous consommez régulièrement ces aliments, vous ingérez par le fait même beaucoup de bon gras. Celui-ci se trouve sous deux formes, toutes deux utiles à l'organisme: le gras **monoinsaturé** et le gras **polyinsaturé**.

Comment réduire à 10 % ou moins la proportion de mauvais gras dans l'apport calorique quotidien?   Il vous est toujours possible de tout calculer au gramme près en mangeant avec une calculatrice et une balance à vos côtés, mais cela risquerait de vous couper l'appétit. Vous obtiendrez d'aussi bons résultats en réduisant globalement votre consommation d'aliments riches en gras saturés ou trans. En clair, consommez un peu moins de hamburger-frites, de poutines, de croustilles, de charcuterie, de viandes grasses, de margarine dure et de poulet pané, et consommez un peu plus de produits laitiers légers (lait, yogourt, crème glacée à 1 % ou à 2 %), d'huiles végétales vierges, de viandes maigres (volaille, gibier, veau, etc.), de poisson frais et de fruits de mer (figure 3.5).

tableau **3.3** Trois exemples de menus avec différents pourcentages de gras

Menu A : 38 % de gras

Déjeuner	Souper
1 pâtisserie danoise aux pommes 125 mL (1/2 tasse) de jus d'orange 250 mL (1 tasse) de lait entier (3,25 %)	120 g (4 oz) de steak (aloyau) 1 grosse pomme de terre 375 mL (1 1/2 tasse) de brocoli cuit à la vapeur 1 petit pain 5 mL (1 c. à thé) de margarine 10 mL (2 c. à thé) de crème sure 325 mL (1 1/4 tasse) de fraises fraîches
Dîner	
2 tranches de pain entier 60 g (2 oz) de poitrine de dinde 30 g (1 oz) de fromage suisse 1 petite banane 1 petit sac de croustilles (15 croustilles)	**Collation 2**
	15 raisins 2 biscuits aux pépites de chocolat
Collation 1	
125 mL (1/2 tasse) de crème glacée ordinaire à la vanille	

Total des calories : 1990
Gras : 84 g ou 38 % des calories
Gras saturés (mauvais gras) : moins de 10 % des calories

Menu B : 29 % de gras

Déjeuner	Collation 1
1 bagel 15 mL (1 c. à soupe) de crème sure 125 mL (1/2 tasse) de jus d'orange 250 mL (1 tasse) de lait 1 %	250 mL (1 tasse) de yogourt faible en gras 1 pêche fraîche 1500 mL (6 tasses) de maïs soufflé sans beurre
	Souper
Dîner	120 g (4 oz) de steak grillé 1 grosse pomme de terre 375 mL (1 1/2 tasse) de brocoli cuit à la vapeur 1 petit pain 15 mL (1 c. à soupe) de margarine légère (faible en calories) 30 mL (2 c. à soupe) de crème sure 326 mL (1 1/4 tasse) de fraises fraîches
2 tranches de pain de blé entier 60 g (2 oz) de poitrine de dinde 5 mL (1 c. à thé) de mayonnaise 1 petite banane Un bol de salade avec 500 mL (2 tasses) de légumes frais (brocoli, chou-fleur, carottes, concombres et tomates miniatures) 45 mL (3 c. à soupe) de vinaigrette légère (faible en calories)	
	Collation 2
	30 raisins

Total des calories : 1971
Gras : 63 g ou 29 % des calories
Gras saturés (mauvais gras) : 7 % des calories

Menu C : 10 % de gras	
Déjeuner	**Collation 1**
125 mL (1/2 tasse) de céréales All-Bran avec raisins 1 bagel 15 mL (1 c. à soupe) de crème sure 125 mL (1/2 tasse) de jus d'orange 250 mL (1 tasse) de lait écrémé 1/2 pamplemousse	250 mL (1 tasse) de yogourt sans gras 1 pêche fraîche 1500 mL (6 tasses) de maïs soufflé sans beurre
	Souper
Dîner	120 g (4 oz) de steak grillé 1 grosse pomme de terre 375 mL (1 1/2 tasse) de brocoli cuit à la vapeur 2 petits pains 5 mL (1 c. à thé) de margarine légère (faible en calories) 250 mL (1 tasse) de lait écrémé 325 mL (1 1/4 tasse) de fraises fraîches
2 tranches de pain de blé entier 60 g (2 oz) de poitrine de dinde 5 mL (1 c. à thé) de mayonnaise 1 petite banane Un bol de salade avec 750 mL (3 tasses) de légumes frais (brocoli, chou-fleur, carottes, concombres et tomates miniatures) 45 mL (3 c. à soupe) de vinaigrette sans gras (ultra-légère)	
	Collation 2
	30 raisins 250 mL (1 tasse) de lait écrémé
Total des calories : 1990	
Gras : 21 g ou 10 % des calories	
Gras saturés (mauvais gras) : moins de 3 % des calories	

Adapté de William D. McArdle, Frank I. Katch, Victor L. Katch, *Exercise Physiology : Energy, Nutrition, and Human Performance*, 6ᵉ édition, 2005, p. 30.

figure 3.5 Bon gras, mauvais gras

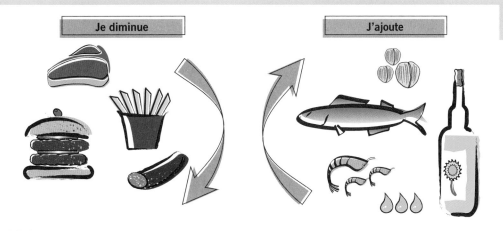

Quant à l'**huile hydrogénée**, il faut la détecter en lisant la liste des ingrédients et l'étiquette nutritionnelle imprimées sur l'emballage des aliments préparés, puisqu'elle n'existe pas à l'état naturel. Si l'un ou l'autre des termes « hydrogéné », « partiellement hydrogéné », « shortening végétal », « lipides trans » ou « gras trans » figure sur la liste des ingrédients ou sur l'étiquette nutritionnelle, changez de produit si vous le pouvez. Étonnamment, certaines barres de céréales « santé » contiennent de tels produits. Plus vous boycotterez ces produits, plus les fabricants les remplaceront par des produits plus sains. La nouvelle étiquette nutritionnelle de Santé Canada oblige d'ailleurs les fabricants de produits alimentaires à préciser la quantité de gras trans que contient leur produit. Pour en savoir plus sur cette nouvelle étiquette, consultez la figure 3.6.

figure 3.6 La nouvelle étiquette nutritionnelle

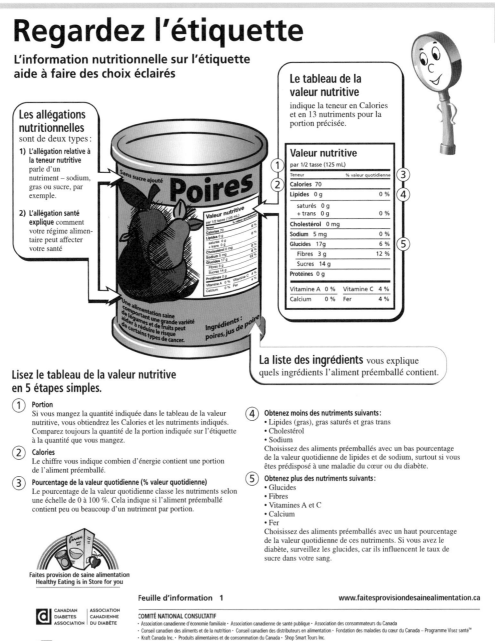

2. Colorez votre assiette avec des fruits et des légumes

Dire que les fruits et les légumes sont bons pour la santé est l'évidence même. Sous leur forme naturelle, ces aliments contiennent une grande quantité de vitamines, de minéraux et de fibres alimentaires, dont nous avons besoin pour rester en santé. Les fruits et les légumes regorgent aussi de glucides complexes – des sucres à assimilation lente qui régularisent l'appétit et le taux de sucre dans le sang – et de substances qu'on ne trouve pas dans d'autres aliments : stérols, flavonoïdes et certains composés sulfurés qui abaissent le taux de mauvais cholestérol dans le sang (LDL). Selon le Dr Richard Béliveau, certains fruits et légumes seraient même de puissants aliments anticancer (tableau 3.4). Voici une suggestion à la portée de tous : partez chaque matin en apportant un ou deux fruits ou légumes (une carotte, par exemple) que vous croquerez en vous rendant au cégep ou au travail. Après quelques jours, cette obligation deviendra une bonne habitude à laquelle vous prendrez plaisir.

tableau 3.4 Les aliments anticancer

Aliments anticancer	Quantité quotidienne suggérée
Choux de Bruxelles	125 mL (1/2 tasse)
Chou, chou-fleur, navet, brocoli	125 mL (1/2 tasse)
Pâte de tomate	1 c. à soupe
Chocolat noir à 70 %	30 g
Bleuets, framboises, mûres	125 mL (1/2 tasse)
Curcuma	1 c. à thé
Thé vert[1]	3 fois 250 mL (1 tasse)
Raisin	125 mL (1/2 tasse)
Soya[2]	125 mL (1/2 tasse)
Graines de lin moulues[3]	1 c. à soupe
Oignon, échalotes, poireau	125 mL (1/2 tasse)
Poivre noir	1/4 c. à thé
Ail	1 c. à thé
Canneberges séchées	125 mL (1/2 tasse)
Épinards, cresson	125 mL (1/2 tasse)
Jus d'agrumes	125 mL (1/2 tasse)
Vin rouge	1 verre

1. Certains thés verts ont des effets beaucoup plus marqués que d'autres. Choisir des thés en feuilles, japonais de préférence. Les thés les plus actifs, selon le Dr Béliveau, sont les thés sencha ou le yumiya. Utiliser 1 c. à thé par tasse (250 mL) d'eau bouillante et laisser infuser 10 minutes.

2. La meilleure source de soya est la fève entière, en vente dans la section des produits surgelés des supermarchés sous le nom d'edamame. Le lait de soya possède une concentration plus faible en isoflavones, mais il est plus facile à trouver. Choisir un lait provenant de fèves entières. Les autres sources de soya sont les fèves séchées ou la soupe miso (offerte en sachets pour bouillon instantané).

3. Les graines de lin doivent être fraîchement moulues (entières, elles ne sont pas absorbées) ou moulues et gardées au réfrigérateur dans un sac à congélation scellé dont on aura retiré le plus d'air possible. Consommer dans les trois semaines. Elles sont délicieuses dans les céréales ou le yogourt.

Adapté de Richard Béliveau, *Les aliments contre le cancer*, Éditions du Trécarré, 2005.

3. Mangez davantage de céréales à grains entiers et de légumineuses

La principale qualité des céréales à grains entiers (blé, orge, riz, millet, sarrasin, soya, avoine, etc.) et des légumineuses (haricots, lentilles, pois chiches, etc.) est leur grande richesse en fibres alimentaires. Ces résidus, longtemps considérés comme inutiles parce que le système digestif ne peut les assimiler, abaissent le taux de mauvais cholestérol, préviennent les hémorroïdes, combattent la constipation aussi bien qu'un laxatif, abondent en vitamines E et B et, surtout, semblent réduire les risques de souffrir d'un cancer du côlon. Il existe deux types de fibres alimentaires : les fibres solubles et les fibres insolubles. Les fibres solubles (avoine et orge, en particulier) attirent les molécules de cholestérol et les entraînent avec elles dans les matières fécales. Les fibres insolubles (son de blé, surtout) rendent les selles plus molles, ce qui facilite leur évacuation et diminue par le fait même le temps de contact des substances potentiellement cancérigènes avec la paroi des intestins.

Les fibres aident aussi à combattre une maladie de plus en plus répandue en Occident : la **diverticulose**. Celle-ci se caractérise par la formation de petites poches à même la paroi des intestins. Ces cavités, appelées diverticules, sont de véritables nids à infection, sans compter qu'elles peuvent se déchirer et infecter l'intérieur de l'abdomen. La popularité grandissante des repas préparés, habituellement pauvres en fibres alimentaires, pourrait expliquer la montée de cette maladie. Ce type de repas produit en effet des selles dures, ce qui rend leur évacuation difficile. La pression sur les parois intestinales étant plus forte, il arrive que celles-ci cèdent par endroits et forment des diverticules.

Nous devrions consommer chaque jour au moins 30 g de fibres pour pouvoir profiter pleinement de leurs bienfaits. Hélas ! nous n'en consommons en moyenne que 15 g. Pour atteindre la quantité recommandée, il suffit de manger plus souvent des aliments riches en fibres (tableau 3.5). Si vous n'avez pas l'habitude de consommer beaucoup de fibres, ajoutez-les graduellement à votre alimentation et buvez beaucoup d'eau (de 6 à 8 tasses par jour) afin d'éviter les ballonnements. Le

tableau 3.5 Quelques aliments très riches en fibres alimentaires

Aliments (en portions)	Contenu en fibres (en grammes)
125 mL (1/2 tasse) de céréales à base de son de blé	14,0
3 figues séchées de grosseur moyenne	13,9
125 mL (1/2 tasse) de haricots rouges cuits	7,5
125 mL (1/2 tasse) de haricots blancs cuits	6,8
5 dattes séchées de grosseur moyenne	6,7
125 mL (1/2 tasse) de pois cuits	4,7
1 poire moyenne avec peau	4,7
1 tige de brocoli cru	4,2
250 mL (1 tasse) de spaghettis de blé entier cuits	3,9
125 mL (1/2 tasse) de lentilles cuites	3,7
125 mL (1/2 tasse) d'avoine cuite	3,7

© Société canadienne du cancer, 2004. www.cancer.ca

tableau 3.6 indique comment passer, graduellement, d'une alimentation pauvre en fibres à une alimentation riche en fibres. Un dernier conseil : jetez vos laxatifs si vous avez l'habitude d'en prendre. Des études récentes indiquent qu'en plus de rendre les intestins paresseux, ils pourraient être cancérigènes.

tableau 3.6 Comment faire passer sa consommation quotidienne de fibres de 15 g à plus de 30 g

Menu faible en fibres	Fibres	Menu riche en fibres	Fibres
Déjeuner			
125 mL (1/2 tasse) de jus d'orange frais	0,2 g	1 orange	2,4 g
250 mL (1 tasse) de flocons de maïs	0,8 g	2 gros biscuits de blé filamenté	6,6 g
125 mL (1/2 tasse) de lait 2 %	—	125 mL (1/2 tasse) de lait 2 %	—
1 rôtie de pain blanc	0,4 g	1 rôtie de pain de blé entier	2,7 g
15 mL (1 c. à soupe) de beurre d'arachide crémeux	0,9 g	15 mL (1 c. à soupe) de beurre d'arachide croquant	1,1 g
Café au lait	—	Café au lait	—
Sous-total	**2,3 g**	**Sous-total**	**12,8 g**
Dîner			
250 mL (1 tasse) de jus de tomate	1,7 g	125 mL (1/2 tasse) de carottes miniatures	1,9 g
Salade de poulet et riz :	0,8 g	Salade de poulet Waldorf :	4,9 g
• 90 g (3 oz) de poulet		• 90 g (3 oz) de poulet	
• 250 mL (1 tasse) de laitue iceberg hachée		• 250 mL (1 tasse) de laitue romaine hachée	
• 125 mL (1/2 tasse) de riz blanc		• 1/2 pomme avec peau en cubes	
• Vinaigrette		• 125 mL (1/2 tasse) de raisins frais	
		• 15 mL (1 c. à soupe) de noix de Grenoble hachées	
		• 125 mL (1/2 tasse) de riz brun	
		• Vinaigrette	
125 mL (1/2 tasse) de yogourt à la vanille		125 mL (1/2 tasse) de yogourt à la vanille et 4 demi-abricots secs hachés	1,0 g
Sous-total	**2,5 g**	**Sous-total**	**7,8 g**
Collation			
1 kiwi	2,6 g	1 kiwi	2,6 g
Sous-total	**2,6 g**	**Sous-total**	**2,6 g**
Souper			
200 mL (3/4 tasse) de crème de poireaux	2,6 g	200 mL (3/4 tasse) de crème de poires et poireaux	3,1 g
1 petit pain croûté	1,0 g	1 petit pain multigrain	2,0 g
90 g (3 oz) de saumon grillé	—	90 g (3 oz) de saumon grillé	—
125 mL (1/2 tasse) de pommes de terre en purée	2,2 g	1 pomme de terre au four entière avec peau	4,6 g
125 mL (1/2 tasse) de fleurons de brocoli cuits à la vapeur	2,0 g	125 mL (1/2 tasse) de fleurons de brocoli cuits à la vapeur avec 15 mL (1 c. à soupe) d'amandes grillées	2,6 g
Pêche Melba (2 demi-pêches, crème glacée aux fraises, biscuits au beurre)	1,6 g	Pêche Melba (2 demi-pêches, crème glacée aux fraises, biscuits Graham)	1,8 g
Tisane à la framboise	—	Tisane à la framboise	—
Sous-total	**9,4 g**	**Sous-total**	**14,1 g**
Total pour la journée	**16,8 g**	**Total pour la journée**	**37,3 g**

Tiré de Brault-Dubuc, M. et L. Caron-Lahaie, *Valeur nutritive des aliments*, 9e édition, Société Brault-Lahaie, 2003, 338 pages.

4. Salez moins

Nous avons besoin de sel comme nous avons besoin de gras. Par exemple, pour que nos muscles et nos nerfs fonctionnent bien, notre corps a besoin d'une certaine quantité de sodium. Notre régime alimentaire lui fournit généralement plus que la dose nécessaire. En fait, nous consommons en moyenne l'équivalent de trois à quatre cuillerées à thé de sel par jour, alors qu'une seule suffirait à combler nos besoins. Notre penchant pour les aliments préparés, les produits en conserve, la restauration rapide, les viandes transformées, les sauces, les croustilles et les produits de boulangerie commerciaux (craquelins, gâteaux, etc.) explique en grande partie l'excès de sel dans notre alimentation. Au total, 75 % du sel que nous consommons aujourd'hui provient des produits alimentaires préemballés déjà salés. Seulement 10 % du sel consommé est fourni naturellement par les aliments, et 15 % est ajouté par le consommateur même. La consommation du sel est donc devenue passive, puisque c'est en grande partie l'industrie alimentaire – plutôt que le consommateur – qui décide quelle quantité de sel est ajoutée aux aliments.

Une forte consommation pose problème parce que le sel augmente le risque d'hypertension artérielle chez certaines personnes. Il semble, en effet, que de 10 à 20 % de la population est particulièrement susceptible de souffrir de cette maladie, en raison d'une hypersensibilité au sel – comparable à l'hypersensibilité au pollen chez d'autres. Hélas ! on ne peut savoir qui est hypersensible au sel et qui ne l'est pas. Il est donc sage de modérer sa consommation de sel. Pour y arriver :

- goûtez vos aliments avant de les saler ;
- remplacez le plus souvent possible le sel par des épices, des fines herbes, quelques gouttes de citron, de l'ail ou de l'oignon ;
- diminuez votre consommation d'aliments transformés (dîners congelés, pizzas, soupes en sachet, etc.), notamment les repas excessivement salés des grandes chaînes de restauration rapide.

5. Enfin, déjeunez !

Si vous faites partie des 40 % de Québécois qui ne déjeunent pas, vous sautez le repas probablement le plus important de la journée. Plusieurs études confirment, en effet, que prendre un bon déjeuner le matin permet de fournir un meilleur rendement scolaire, d'avoir plus d'énergie au cours d'éducation physique et aussi d'apprendre avec plus de facilité au lieu de s'endormir à 11 heures à la bibliothèque ou pendant un cours, à cause de la somnolence causée par un taux de sucre trop bas (hypoglycémie) ! Comme l'expriment si bien les racines du mot – dé- et jeûner –, en prenant un repas le matin on met fin à un jeûne de plusieurs heures, ce qui favorise la remontée de la glycémie à un niveau optimal avant de se remettre au travail.

De plus, en ne déjeunant pas, on risque à la longue de ralentir son **métabolisme de base**, c'est-à-dire l'énergie dépensée par le corps au repos pour maintenir les fonctions vitales (respiration, rythme cardiaque, élimination des déchets cellulaires, etc.). Or, un métabolisme plus lent fait qu'on brûle moins de calories à la minute pour ses besoins vitaux et donc qu'on stocke davantage de calories jour après jour, ce qui peut faire prendre du poids.

Sauter son déjeuner, enfin, c'est perdre une belle occasion de commencer la journée par une bonne dose de vitamines, de minéraux, de fibres et de calcium. Par exemple, un simple bol de céréales à grains entiers accompagné de lait et d'un fruit ou d'un jus de fruits satisfait plus de 33 % des besoins quotidiens en fibres alimentaires et plus de 30 % des besoins en vitamines A, B et C, sans compter les apports substantiels en fer, en zinc, en magnésium, en potassium, en phosphore et en calcium. Un bon déjeuner fournit donc de 30 à 40 % des nutriments nécessaires pour vivre en bonne santé. Alors, au lieu de le sauter, consultez nos suggestions de déjeuners pour personnes pressées (zoom 3.3). Vous en trouverez sûrement une qui vous conviendra.

L'arnaque
des régimes miracle

«Fantastique! j'ai perdu 7 kilos en 5 semaines!» «Je fonds à vue d'œil!» «Après une semaine, je pèse déjà 2 kilos de moins!» «Mes vêtements ne me vont plus!» Ces commentaires enthousiastes émanent de personnes qui ont suivi un régime amaigrissant et qui ont effectivement perdu du poids,

ZOOM
3.3 Suggestions de déjeuners
pas compliqués mais nutritifs

Déjeuner rapide

Si vous êtes en retard à votre cours, prenez au moins :

- un jus de fruits, un verre d'eau (ne l'oubliez pas !) et 125 mL (1/2 tasse) d'un mélange de fruits séchés, de graines et de noix ;

- ou encore emportez deux fruits (banane, pomme, poire, prune…).

Déjeuner complet

Si vous avez plus de temps, prenez :

- un jus de fruits, un verre d'eau, une ou deux rôties tartinées de beurre d'arachide 100 % naturel, avec un peu de miel (facultatif) et une banane coupée en tranches ;

- ou un bol de céréales genre muslix* ;

- ou deux œufs brouillés ou au miroir avec des rôties* ;

- ou une rôtie, 125 mL (1/2 tasse) d'un mélange de noix, graines et fruits séchés incorporés dans 125 mL (1/2 tasse) de yogourt nature* ;

- ou un morceau de fromage sur une gaufre, une orange en quartiers et un verre de lait* ;

- ou une portion de fromage cottage, une pêche ou une poire en morceaux sur un muffin anglais avec un verre de lait* ;

- ou un yogourt à la vanille avec une banane coupée en rondelles sur une crêpe garnie de beurre d'arachide 100 % naturel* ;

- ou un demi-pamplemousse, quelques morceaux de fromage et un verre de lait* ;

- ou des amandes et un yogourt aux fruits*.

* Sans oublier le jus de fruits et le verre d'eau.

beaucoup de poids. Il ne peut en être autrement quand on supprime 500, 700, voire 1000 calories dans son alimentation quotidienne! Ces régimes miracle proposent tous une réduction substantielle de l'apport énergétique quotidien, proposition intégrée la plupart du temps à une démarche prétendument scientifique, mais en réalité tout à fait farfelue. Ce manque de rigueur scientifique a permis de générer une multitude de régimes: au jus de raisin, aux pamplemousses, aux œufs, aux glucides, à l'index glycémique, aux protéines liquides, aux lipides, voire au vinaigre. Certains gourous de l'industrie des régimes vont même jusqu'à prêcher que, pour perdre du poids, ce qui compte n'est pas la quantité totale d'aliments qu'on absorbe, mais l'ordre dans lequel on les absorbe! De quoi rendre perplexes les coureurs de marathon ultra-minces qui mangent glucides, lipides et protéines dans l'ordre le plus aléatoire!

Malheureusement pour les personnes qui croient encore au père Noël, si les régimes ont du succès à court terme, ils sont un échec retentissant à long terme. Neuf fois sur dix, ceux qui ont suivi un régime reprennent le poids perdu. Déçus, ils en essaient un autre, puis un autre, faisant ainsi, tour à tour, descendre et monter leur poids comme s'il s'agissait d'un yo-yo! Pis encore, une étude révèle que, après 20 ans de régimes, les personnes sont finalement plus grasses qu'au début de leur aventure hypocalorique (figure 3.7).

Pourquoi cet échec? C'est simple. Chez les personnes qui suivent un régime, la reprise du poids perdu est facilitée par la baisse du métabolisme de base. En effet, tout régime hypocalorique impose à l'organisme une coupure calorique qui le force à passer en mode «économique», question de réduire

figure 3.7 **Les régimes amaigrissants qui font engraisser**

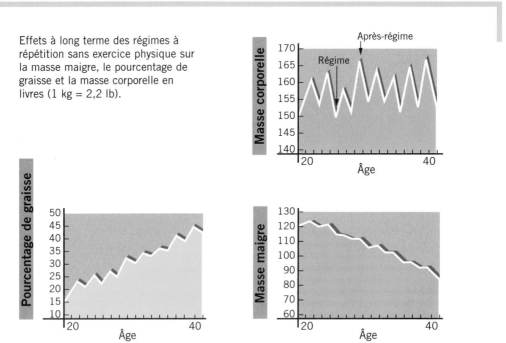

Effets à long terme des régimes à répétition sans exercice physique sur la masse maigre, le pourcentage de graisse et la masse corporelle en livres (1 kg = 2,2 lb).

la dépense énergétique et d'assurer ainsi la survie des fonctions vitales. Ce mécanisme de protection est même inscrit dans les gènes. Plus la coupure calorique est importante, plus le métabolisme ralentit. Par exemple, les régimes à moins de 1000 calories par jour peuvent provoquer, en très peu de temps, une chute de l'activité métabolique de 45 %!

Si les régimes étaient seulement inefficaces, il n'en résulterait, après tout, qu'une perte de temps et d'argent. Mais ils sont aussi malsains. Ils affectent d'abord notre psychisme. Expérimenter une panoplie de régimes – pas toujours plaisants – pour constater en bout de ligne qu'on est aussi gras qu'au début peut nous rendre d'humeur désagréable et très irritable, voire nous plonger dans un profond découragement. En outre, les régimes amaigrissants contribuent à l'apparition de troubles alimentaires comme l'anorexie et la boulimie. Ces plans anti-kilos, parfois tout simplement insensés, affectent aussi notre santé physique, car ils provoquent une fonte du tissu musculaire. Privé de l'apport habituel en calories, l'organisme se protège en ralentissant le métabolisme (comme nous l'avons vu précédemment), et aussi en ménageant les réserves de glucose, une source d'énergie capitale pour le cerveau. L'organisme doit alors faire appel davantage aux protéines des muscles pour s'approvisionner en carburant énergétique. Dans le cas des régimes sévères (1000 calories et moins par jour), la fonte des muscles peut représenter jusqu'à 25 % du poids perdu. Cette fonte musculaire s'accompagne d'une importante perte d'eau, ce qui explique la baisse rapide du poids qu'on observe dans les premiers jours d'un régime. Comble de malheur, la diminution de la masse musculaire accentue, à son tour, le ralentissement du métabolisme de base déjà observé. Le muscle est en effet un tissu très actif dans le processus métabolique. Si la masse musculaire diminue, le métabolisme ralentit forcément. On estime que, pour chaque demi-kilo de muscle perdu, on accumule de 30 à 40 calories supplémentaires par jour, et ce, même si on ne mange pas plus qu'avant.

De plus, les régimes n'altéreraient pas seulement les muscles : ils affaibliraient aussi les os, comme l'indique une étude menée pendant 18 mois auprès de 236 femmes et parue dans l'*American Journal of Clinical Nutrition*. Au terme de l'étude, les femmes du groupe avec régime (115 participantes) avaient perdu deux fois plus de densité osseuse à la hanche que celles du groupe sans régime (121 participantes).

En somme, 40 ans de régimes miracle et 50 milliards de dollars plus tard, les Nord-Américains ne sont pas plus maigres ; ils sont, au contraire, plus gras. Le régime hypocalorique n'est assurément pas une approche saine et il ne permet pas de perdre efficacement du poids. **La solution alors ?** Adopter un régime qui s'apparente à l'une des pyramides alimentaires et, surtout, brûler davantage de calories, puisque le problème causant l'embonpoint se situe plus à la sortie (la dépense de calories) qu'à l'entrée (l'absorption de calories).

S'alimenter quand on est
physiquement actif

On l'a vu, une bonne alimentation est un important facteur de santé. Votre alimentation de base doit donc inclure des aliments qui font partie des six grandes familles de nutriments essentiels à une bonne santé (tableau 3.2, p. 53). Toutefois, certains ajustements alimentaires peuvent se révéler indispensables lorsqu'on passe d'une vie sédentaire à une vie active. Par exemple, si vous commencez à faire une heure d'activité physique modérée ou vigoureuse par jour, vous aurez besoin d'ingérer *plus de calories* parce que vous en dépenserez plus. En mangeant davantage, vous maintenez non seulement l'équilibre énergétique de votre corps, mais vous comblez du coup vos besoins, désormais plus élevés, en vitamines et en minéraux. Toutefois, pour ce qui est des personnes grasses, les choses se passent un peu différemment. En effet, les recherches démontrent que les personnes grasses, contrairement aux autres, n'augmentent généralement pas leur consommation calorique lorsqu'elles commencent à faire plus d'exercice. Cette situation, si elle se maintient pendant quelques semaines, entraîne une perte calorique qui ne peut que se traduire par une perte de poids, et cela sans régime amaigrissant!

La personne physiquement active devrait aussi consommer *plus de glucides*. Ces nutriments, qui constituent la principale source d'énergie «rapide» des muscles, sont emmagasinés dans ces derniers et dans le foie sous la forme de grosses molécules de glucose (**glycogène**). Les réserves de glycogène sont très limitées. Il suffit habituellement d'un exercice d'intensité moyenne de plus de 90 minutes ou d'un exercice très intense de moins de 30 minutes pour vider presque complètement les stocks de glycogène musculaire et priver ainsi les muscles de toute énergie. Il est toutefois possible, comme nous allons le voir, d'augmenter ses réserves de glycogène en modifiant légèrement son régime alimentaire (zoom 3.4).

Même si nous utilisons plus de protéines quand nous dépensons plus d'énergie, *il ne semble pas qu'il soit nécessaire d'en ingérer davantage*, pas plus dans nos aliments que sous forme de suppléments (zoom 3.5). Cela s'explique par le fait que notre alimentation est déjà très riche en protéines.

Le repas qui précède l'activité physique

Si vous prévoyez pratiquer une activité physique modérée pendant plus de 60 minutes, prenez un repas plus riche que d'habitude en glucides, c'est-à-dire un peu plus de pain, de pâtes, de riz, de légumineuses ou de fruits. Ce repas retardera l'épuisement des stocks de glycogène musculaire, en plus d'être facile à digérer. Si le repas est consistant et riche en gras ou en protéines, prenez-le au moins trois heures avant le début de l'activité physique. Dans le cas d'une collation, une heure ou deux suffiront. Le tableau 3.7 présente quelques repas et collations qu'on peut prendre avant une activité physique.

ZOOM

3.4 Le régime-spaghetti

Lorsqu'on participe à des épreuves de grande endurance comme le marathon, on peut maximiser ses réserves de glycogène en suivant, quelques jours avant le départ, un régime très riche en glucides (de 70 à 85 % des calories consommées). Ce régime, connu sous le nom de régime-spaghetti, est recommandé aux personnes en bonne santé. Voici un exemple de régime-spaghetti suggéré par le Dr François Péronnet, dans son livre intitulé *Le marathon*. Ce régime, très riche en glucides, aide les coureurs et coureuses de longues distances, de marathon et de demi-marathon à augmenter leurs réserves de glycogène le jour de la compétition. En fait, un tel régime permet d'accroître ces réserves de 10 à 20 %, ce qui peut améliorer la performance lors du marathon.

	MATIN	MIDI	SOIR	COLLATIONS
JOUR 1	• 1/2 tranche de pain • Beurre à volonté • Yogourt, fromage • Café ou thé non sucrés	• Tomates avec sel • Viande grillée • Haricots verts, salade • Fromage • 1/2 tranche de pain • Café ou thé non sucrés	• Bouillon de légumes • Poisson frit • Asperges, chou-fleur • Salade, fromage • Crème glacée (petite) • Café ou thé non sucrés	• Yogourt non sucré • Fromage • Olives • Charcuterie • Arachides • Bouillon de légumes
JOUR 2	• 1/2 tranche de pain • Beurre à volonté • Omelette (3 œufs) • Café ou thé non sucrés	• Jus de tomate • Steak grillé • Champignons • Chou-fleur, brocoli, salade • Mayonnaise • Flan • Café ou thé non sucrés	• Salade avec vinaigrette • 1/2 poulet • Tomates • Pain grillé • Épinards • Fromage à la crème • Un petit fruit • Café ou thé non sucrés	• Yogourt non sucré • Fromage • Olives • Charcuterie • Arachides • Bouillon de légumes

ZOOM

JOUR 3			
• **Brioches**	• Crudités	• Soupe aux pois	• **Fruits secs**
• Jus de fruits	• **Petit steak**	• **Macaroni sauce tomate**	• Biscuits
• **Confiture, miel**	• **Pommes de terre**, carottes	• Salade au jus de citron	• Jus de fruits
• Fruits	• **Pain à volonté (sans beurre)**	• Fruits au sirop	• Compote de pommes
• Café ou thé sucrés	• **Tarte aux pommes**	• **Pain à volonté (sans beurre)**	• Café ou thé sucrés
• Pas de beurre	• Café ou thé sucrés	• Café ou thé sucrés	

JOUR 4			
• **Crêpes au sirop**	• Soupe aux légumes	• Soupe au vermicelle	• **Fruits secs**
• **1/2 pamplemousse sucré**	• Une cuisse de poulet	• Omelette (2 œufs)	• Biscuits
• Café ou thé sucrés	• **Riz à la tomate**	• **Purée de pommes de terre**	• Jus de fruits
• Fruits	• **Pain (sans beurre)**	• Macédoine de légumes	• Compote de pommes
• **Pain (sans beurre)**	• Salade au citron	• **Pain (sans beurre)**	• Café ou thé sucrés
	• **Tarte ou gâteau**	• **Tarte ou gâteau**	
	• Café ou thé sucrés	• **Fruits secs**	
		• Café ou thé sucrés	

Important : les aliments en caractères gras sont à consommer en grande quantité. N'hésitez pas à prendre de grosses portions et à vous resservir.

François Péronnet et coll., *Le marathon*, 2e éd., Montréal, Décarie Éditeur, 1991.

Le repas qui suit l'activité physique

Si vous êtes légèrement ou modérément actif, il n'est pas nécessaire de modifier le repas qui suit votre séance d'activité physique. En revanche, si vous pratiquez des activités vigoureuses tous les jours, vous pouvez accélérer le renouvellement de vos réserves de glycogène et éviter ainsi une fatigue musculaire précoce pendant la séance d'exercice suivante. Pour ce faire, il suffit d'ingérer environ 50 g de glucides le plus tôt possible après l'exercice. Quelques collations contenant cette quantité de glucides sont présentées dans le tableau 3.8.

ZOOM

3.5 Les suppléments de protéines : utiles ou pas ?

Doit-on prendre des suppléments de protéines lorsqu'on est physiquement très actif ? Si vous mangez bien, votre apport quotidien en protéines suffit pour couvrir à la fois vos besoins ainsi que les pertes en acides aminés dues à l'exercice. Rappelons que les protéines ne représentent que de 5 à 10 % de l'énergie fournie aux muscles actifs, et encore seulement lorsqu'il s'agit d'exercices en endurance de longue durée. En fait, les experts* ont établi à 1,3 g/kg de poids par jour la quantité de protéines dont a besoin une personne faisant beaucoup d'exercice en endurance cardiovasculaire. Si, par exemple, vous pesez 75 kg, vous avez besoin d'environ 100 g par jour (75 × 1,3).

Consommez-vous cette quantité ? La réponse est probablement oui, et voici pourquoi. Au Québec et en Occcident en général, l'apport moyen en protéines est de 15 à 30 % de l'apport calorique quotidien. En tant que personne physiquement active, supposons que vous consommez quelque 2600 calories par jour. Votre apport en protéines est alors d'environ 100 à 200 g par jour. Voici comment on fait ce calcul : 2600 × 15 à 30 % = 390 à 780 calories sous la forme de protéines. Comme une protéine libère quatre calories par gramme, on obtient une consommation approximative de 100 g (390/4) à 200 g (780/4). Vos besoins en protéines sont donc satisfaits, et les suppléments parfaitement inutiles ! Vous craignez quand même de ne pas consommer assez de protéines ? Deux ou trois pilons de poulet ou une boîte de thon ou encore une grosse portion de légumineuses de plus vous apporteront des dizaines de grammes supplémentaires avec, en prime, du fer, du zinc, des vitamines du complexe B, du calcium et plusieurs autres nutriments que ne fournissent pas les suppléments.

Dans le cas d'une personne qui fait beaucoup de musculation, les besoins en protéines augmentent sensiblement puisqu'elle se fait du muscle (c'est moins vrai chez les femmes, toutefois). Dans ces cas-là, les mêmes experts recommandent un apport de protéines de 1,6 à 1,7 g/kg/jour. Par exemple, avec un poids de 75 kg, vos besoins quotidiens en protéines, compte tenu du programme intensif de musculation, sont donc de 120 à 127 g par jour. Si on utilise les mêmes calculs que précédemment, on obtient une consommation de 100 g à 200 g. Vous êtes en déficit de protéines seulement si votre consommation est inférieure à 120 g. Là aussi, vous n'avez qu'à consommer un peu plus d'aliments riches en protéines, et le tour est joué. Donc, même dans les cas où on fait beaucoup de musculation, les suppléments de protéines, prédigérées ou pas, sont inutiles si on adapte son alimentation en conséquence.

Enfin, l'absorption de suppléments de protéines alors qu'on n'en a pas besoin peut conduire à la surconsommation. Cela peut occasionner une surcharge de travail importante pour les reins à plus ou moins long terme, ainsi qu'un taux sanguin d'urée élevé pouvant mener à la goutte (formation de cristaux d'acide urique dans les articulations).

* Nutrition and Athletic Performance, énoncé de principe de l'American College of Sports Medicine et des Diététistes du Canada, 2000.

tableau 3.7 Exemples de repas et de collations à prendre avant une activité physique*

Moment	Description du repas ou de la collation
De une à deux heures avant l'activité physique : collation de moins de 250 calories	*Au choix :* • 2 petites boîtes de raisins secs • 125 mL de fruits secs • 1 ou 2 fruits frais • 250 mL (1 bol) de céréales avec un peu de lait 1 % ou 2 % • 1/2 banane avec 1 muffin • 250 mL (1 verre) de jus de fruits avec 2 biscuits à la farine d'avoine • 200 mL (1 bouteille) de yogourt à boire • 200 mL (1 berlingot) de boisson lactée au chocolat à 2 %
De deux à trois heures avant l'activité physique : repas léger de 250 à 500 calories	*Au choix :* • De la soupe et un petit sandwich (au poulet, à la dinde, au thon ou aux tomates) contenant peu de matières grasses • Une assiette de pâtes alimentaires à la sauce tomate • Une assiette de riz vapeur aux tomates, aux légumes ou au poulet • Un verre d'« orange bantam » : battre les ingrédients suivants au mélangeur : 250 mL de jus d'orange, 1 œuf cru, 1 petite banane, 125 mL de lait 2 % et 30 mL de poudre de lait écrémé
Plus de trois heures avant l'activité physique : repas consistant de 500 à 800 calories	*Le matin :* • 250 mL de jus d'orange, 250 mL de céréales, 250 mL de lait 2 %, 1 petite banane, 2 tranches de pain (2 crêpes ou 2 gaufres), du beurre et de la confiture *Le midi ou le soir, au choix :* • 250 mL de soupe aux légumes ou de potage, 4 craquelins, 2 ou 3 morceaux de blanc de poulet, 2 tranches de pain, 125 mL de compote de pommes, 1 portion de carrés aux dattes et 125 mL de lait écrémé • 1 portion de yogourt aux fruits (environ 200 mL), 250 mL de salade de pâtes alimentaires ou de riz, 1 banane et 1 jus de fruits

* Ces repas et ces collations contiennent environ 65 % de glucides et visent à contrer l'épuisement des réserves de glycogène.
  125 mL = 1/2 tasse ; 250 mL = 1 tasse.

Les antioxydants, les radicaux libres et l'exercice

Doit-on prendre des suppléments d'antioxydants quand on fait de l'exercice ? Cette question a été soulevée récemment dans les médias écrits et télévisuels. Avant d'y répondre, parlons d'abord des **radicaux libres**, ces éléments infiniment plus petits qu'un virus mais potentiellement dangereux pour la santé. Ceux-ci seraient, en effet, les grands fossoyeurs de notre jeunesse physiologique et le ferment de maladies graves comme l'athérosclérose et le cancer. En outre, à partir de la quarantaine, ils nous en font voir de toutes les couleurs avec les rides et les taches brunes qu'ils amènent.

Que sont-ils donc ? Les radicaux libres sont des atomes devenus instables à la suite d'une banale réaction d'oxydation, c'est-à-dire de l'union d'une substance avec de l'oxygène. Le morceau de pomme qui brunit et la barre de métal qui rouille sont des exemples classiques de réaction d'oxydation. Au cours d'une réaction d'oxydation, il arrive que des atomes perdent un électron. Ils deviennent alors instables, puisqu'ils ne possèdent plus un nombre pair d'électrons.

tableau **3.8**   Quelques collations contenant environ 50 g de glucides

- 375 mL de jus de fruits (orange, pamplemousse, pomme, fruits mélangés)
- 250 mL de jus de raisin
- 625 mL de lait 1 % ou 2 %
- 3 1/2 tranches de pain
- 2 pochettes de pain pita
- 125 mL de pouding au riz et aux raisins
- 500 mL de céréales de riz
- 375 mL de pâtes alimentaires cuites
- 250 mL de riz cuit
- 125 mL de raisins secs
- 2 grosses pommes
- 8 dattes
- 2 poires
- 6 pruneaux

125 mL = 1/2 tasse ; 250 mL = 1 tasse.

Le danger vient de cet électron soudainement célibataire mais incapable de rester seul. Pour trouver l'âme sœur, l'électron esseulé entre en collision avec tout ce qu'il rencontre dans sa course folle : membranes cellulaires, globules rouges ou blancs, protéines, et même des microbes (voilà au moins une bonne nouvelle !). Lorsqu'il trouve enfin l'électron manquant dans un autre atome, il l'accapare mais déclenche du même coup une réaction en chaîne : l'atome dépouillé d'un de ses électrons devient à son tour instable et se lance à la poursuite d'un autre électron. Bref, les radicaux libres génèrent d'autres radicaux libres. Le père de la théorie des radicaux libres, le chimiste américain Denham Harman, les a même comparés à une espèce de radiation interne du corps humain.

Non maîtrisés, les radicaux libres peuvent endommager la membrane des cellules ou, pire encore, pénétrer le noyau cellulaire et briser l'intégrité du matériel génétique (ADN et ARN). Le code génétique déréglé donne alors aux cellules des « ordres aberrants » pour fabriquer des protéines. À leur tour, ces protéines défectueuses transmettent ces erreurs à d'autres composés organiques. Ce cumul d'erreurs serait, théoriquement, la cause du vieillissement. On soupçonne aussi les radicaux libres d'être responsables de nombreuses maladies.

Aux radicaux libres s'opposent les antioxydants.   Heureusement, notre corps dispose d'une arme absolue contre les radicaux libres : les **antioxydants**. Ces derniers les neutralisent comme on le fait lorsqu'on emballe sous vide un morceau de pomme ou qu'on peint une barre de métal oxydée. Grâce aux antioxydants, les atomes fous retrouvent leur électron manquant et se stabilisent, ou encore deviennent d'inoffensives molécules d'eau. Notre organisme dispose de plusieurs mécanismes de défense antioxydants. Ce sont tantôt des enzymes spécialisées dans la chasse aux radicaux libres, tantôt des oligo-éléments comme le zinc, le sélénium, le cuivre et le manganèse, ou encore des vitamines comme le fameux **trio antioxydant A, C et E**. Tout va bien tant que notre organisme maintient l'équilibre entre antioxydants et radicaux libres.

Revenons maintenant à la question posée plus haut : doit-on prendre des suppléments d'antioxydants quand on fait de l'exercice ? La réponse est non si vous vous nourrissez bien, et voici pourquoi. Tout d'abord, il est exact de dire que l'exercice, surtout s'il est vigoureux et prolongé, augmente la production des radicaux libres à cause notamment d'un apport accru d'oxygène (pensez à la barre de métal) dans les cellules musculaires qui, elles-mêmes, fonctionnent à plein régime pour répondre à la demande. Par contre, on sait que l'organisme en état d'exercice compense la production accrue de radicaux libres en augmentant l'efficacité de ses systèmes de défense antioxydants pendant et après l'activité (figure 3.8). À long terme, l'entraînement physique augmente aussi l'efficacité des enzymes chargées de neutraliser les radicaux libres. Enfin, certains chercheurs conseillent aux personnes très actives physiquement de manger chaque jour beaucoup de fruits et de légumes. Ces nutriments contiennent de grandes quantités d'antioxydants sous forme de vitamines A, C et E.

figure 3.8 L'effet antioxydant de l'activité physique

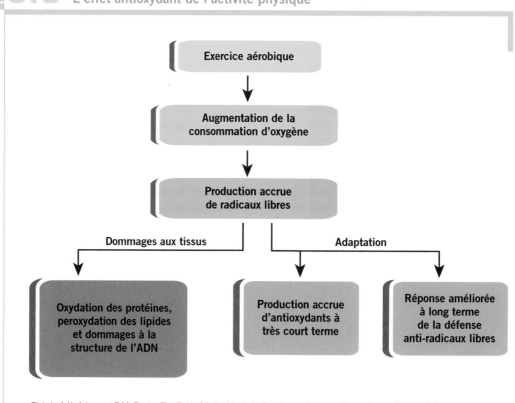

Tiré de A.K. Adams et T.M. Best, « The Role of Antioxidants in Exercise and Disease Prevention », *The Physician and Sports Medicine*, vol. 30, n° 5, mai 2002.

Être bien hydraté,
ça compte aussi !

Nos muscles sont de formidables machines à fabriquer du mouvement. Grâce à eux, nous pouvons marcher, courir, patiner, sauter, skier, déplacer et soulever toutes sortes d'objets, jouer de la guitare ou du piano, cligner les yeux, écrire, respirer, etc. La cellule musculaire, avec ses protéines contractiles, transforme très efficacement l'énergie fournie par les aliments en énergie mécanique. L'activité biochimique associée à cette transformation provoque cependant une perte d'énergie sous forme de chaleur. Selon la façon dont les experts calculent le rendement énergétique du « moteur » musculaire, cette perte d'énergie peut représenter de 20 à 45 % de l'énergie totale libérée par les cellules musculaires. Autrement dit, sur 100 calories dépensées par les muscles, de 20 à 45 produisent de la chaleur et non du mouvement.

Quand les muscles travaillent peu, cette production de chaleur est si faible qu'elle passe bien souvent inaperçue. Toutefois, dès qu'ils travaillent beaucoup, par exemple pendant une randonnée de ski de fond ou une partie de badminton, les muscles produisent forcément beaucoup de chaleur. Si cette chaleur n'est pas dissipée et si le travail musculaire demeure intense, la température du corps peut alors grimper de 1 °C toutes les 5 à 8 minutes. À ce rythme, le corps surchauffe en moins de 15 à 20 minutes, ce qui peut provoquer de sérieux problèmes de santé, comme nous le verrons plus loin. Heureusement, notre corps dispose de plusieurs mécanismes pour se refroidir. Le plus actif de ces mécanismes pendant une activité physique est la perte de chaleur par évaporation.

L'**évaporation** est le passage d'une substance de l'état liquide à l'état gazeux. Le liquide qui s'évapore de l'organisme est la **sueur**. Constituée essentiellement d'eau (99 %) et d'un peu de chlorure de sodium (d'où son goût légèrement salé), la sueur est excrétée par 2 à 4 millions de glandes sudoripares, selon les personnes. La quantité de sueur produite dépend de l'intensité et de la durée de l'effort physique. Par conséquent, plus nos muscles travaillent, plus nous avons chaud, et plus nous transpirons. Lorsque la sueur parvient à la surface de la peau, sa température est identique à celle du corps (de 38 à 40 °C en moyenne). Au contact de l'air ambiant, dont la température est généralement plus basse que celle du corps, la sueur s'évapore, ce qui refroidit la peau et, par ricochet, tout le corps. C'est ainsi que nous perdons de la chaleur par évaporation (figure 3.9).

La perte d'eau et la déshydratation

Pour le corps humain, perdre de la chaleur, c'est donc perdre de l'eau. Par exemple, on peut facilement excréter de 1 à 2 litres de sueur par heure pendant une randonnée à bicyclette par temps chaud. Au cours d'une activité physique intense de longue durée, on peut perdre de 2 à 3 litres d'eau par heure. Or, une importante perte d'eau par la transpiration entraîne une baisse de la quantité de sang dans l'organisme, puisque le sang est constitué d'eau à plus de 70 %. Si on a moins de sang, le cœur doit travailler davantage pour approvisionner les muscles en oxygène, ce qui provoque une élévation du pouls et de la pression artérielle. C'est le début de la déshydratation, qui se manifeste par de la fatigue et, parfois, par des crampes douloureuses.

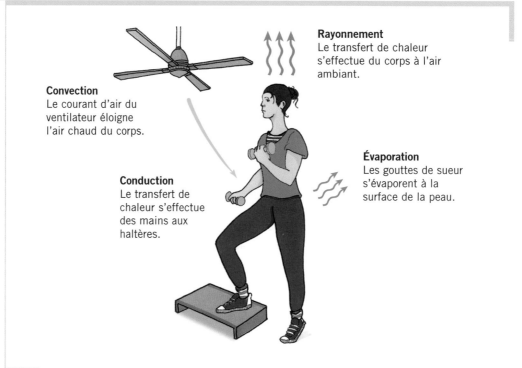

Convection
Le courant d'air du
ventilateur éloigne
l'air chaud du corps.

Rayonnement
Le transfert de chaleur
s'effectue du corps à l'air
ambiant.

Conduction
Le transfert de
chaleur s'effectue
des mains aux
haltères.

Évaporation
Les gouttes de sueur
s'évaporent à la
surface de la peau.

Si on continue à perdre de l'eau sans la remplacer, le corps se protège en ralentissant la production de sueur. Résultat : on a de plus en plus chaud, et la température du corps ne cesse de monter. Enfin, la sudation cesse complètement, et la température corporelle augmente rapidement. Lorsque celle-ci dépasse 41 °C, la situation devient critique : la personne, d'abord confuse, finit par délirer et tomber dans le coma, puis c'est le coup de chaleur (zoom 14.1, p. 366), un accident heureusement très rare.

Il est donc important de boire de l'eau quand on fait travailler ses muscles. Voici quelques conseils pour maintenir vos réserves d'eau en pratiquant une activité physique.

Avant l'activité physique.   Comme le dit le proverbe, mieux vaut prévenir que guérir. Par conséquent, deux heures avant le début d'une séance d'activité physique, buvez deux verres d'eau (pour un total d'environ 500 mL) afin d'augmenter votre réserve hydrique. Cette précaution permet une hydratation optimale et donne suffisamment de temps au corps pour éliminer l'excédent d'eau. Par ailleurs, comme la formation d'urine est ralentie pendant une séance d'exercice, l'envie d'uriner ne risque pas d'interrompre votre activité. *Ne commencez pas une séance d'activité physique avec une sensation de soif,* car cela peut signifier que vous êtes déjà déshydraté.

Pendant l'activité physique.

Si l'exercice dure *moins de 30 minutes* et si le corps peut facilement se refroidir (par exemple par temps frais et sec), il n'est pas nécessaire de boire pendant l'activité, puisque vos pertes d'eau seront minimes. *Au-delà de 30 minutes*, buvez l'équivalent d'un verre d'eau (environ 250 mL) toutes les 15 ou 20 minutes. Cette petite quantité d'eau quitte rapidement l'estomac pour se retrouver dans le sang.

Si le temps est chaud, le refroidissement du corps est plus difficile. Commencez alors à boire dès le début de l'activité et buvez plus souvent pendant l'effort. Un truc : aspergez-vous régulièrement d'eau, surtout sur la tête, puisqu'elle est à l'origine de 30 à 40 % des pertes de chaleur du corps. L'eau de ces mini-douches vient remplacer la sueur dans le processus de refroidissement par évaporation, ce qui ralentit la perte d'eau par transpiration. C'est d'ailleurs pour cette raison qu'on arrose copieusement les marathoniens. Enfin, méfiez-vous du temps chaud et humide : l'air étant déjà saturé d'eau, l'évaporation de la sueur sera considérablement ralentie. Au-delà d'un certain taux d'humidité, l'évaporation devient même impossible. Consultez le tableau 14.1 (p. 365) pour savoir si vous devriez faire de l'exercice ou… aller voir un film dans une salle climatisée !

Après 60 minutes d'activité, les muscles commencent à manquer de sucre, une source d'énergie importante, ce qui peut précipiter la fatigue musculaire. Pour relever le taux de glucose dans le sang, buvez de l'eau légèrement sucrée (zoom 3.6). Évitez toutefois les boissons trop sucrées (plus de 100 g/L de sucre), car le système digestif mettra trop de temps à absorber le sucre qu'elles contiennent. Beaucoup de boissons gazeuses commerciales de type cola entrent dans cette catégorie. Les boissons de récupération (ou boissons « de réhydratation ») vendues sur le marché contiennent habituellement le bon dosage en glucose, c'est-à-dire de 4 à 8 % de glucides (tableau 3.9). Pour connaître le contenu en sucre d'une boisson, divisez le nombre de grammes de sucre (ou glucides) indiqué sur l'étiquette par le nombre de millilitres du contenant, et multipliez par 100 le nombre obtenu. Par exemple, si un contenant de 250 mL de la boisson X contient 15 g de glucides, cela donne 6 % de glucides (15 divisé par 250, puis multiplié par 100). Après plus de deux heures d'activité, il faudra penser à ajouter un peu de sel de table (chlorure de sodium) dans l'eau sucrée que vous buvez. Une personne physiquement très active peut perdre de 13 à 17 g de sel, soit quelque 8 g de plus que ce que fournit l'alimentation.

Après l'activité physique.

Après l'exercice, il faut encore boire de l'eau ! Pour estimer la quantité que vous devriez boire, évaluez votre perte d'eau en vous pesant avant et après la séance d'exercice. Une perte de poids de 500 g signifie que vous avez perdu approximativement 500 mL d'eau. Vous pouvez aussi vous fier à la couleur de votre urine : quand elle redevient claire, c'est que vous êtes bien hydraté.

ZOOM

3.6 Préparez votre propre
boisson de récupération

Les boissons désaltérantes comme *Gatorade, All Sport, Powerade, Body Fuel, Gear Up, Power Burst* et *ReHydrate* sont actuellement très en vogue. Ces boissons contiennent de l'eau, du sucre et des sels minéraux (sodium et potassium, notamment), mais aussi beaucoup d'autres ingrédients qui n'ont rien à voir avec les besoins en eau et en sucre de la personne active. De plus, elles coûtent environ 1,50 $ les 500 mL, ce qui est un peu cher pour s'hydrater et faire remonter sa glycémie. Pour obtenir le même résultat à meilleur compte et sans ajout d'additifs inutiles, il suffit de mélanger 500 mL de jus de fruits avec 500 mL d'eau.

Pour deux fois rien, vous pouvez même concocter votre propre boisson de récupération : dans un peu d'eau tiède, mélangez 70 g (environ 4 cuillerées à soupe) de sucre ou de miel, une pincée de sel (des études récentes indiquent que le sel favorise l'absorption de l'eau) et, pour le goût, un peu de jus d'orange, de citron ou de lime. Remuez bien puis ajoutez un litre d'eau glacée.

tableau **3.9** La composition de quatre boissons de récupération (ou de réhydratation) vendues sur le marché

Nom	Quantité (mL)	Glucides (g)	Concentration en sucre (%)	Sodium (mg)
Gatorade	250	15,9	6,3	110
Everlast	250	15,5	6,1	100
Powerade	250	21,1	8,4	73
All Sport	250	21,6	8,6	55

3 à vos méninges

Remarque : Il peut y avoir plus d'une bonne réponse par question.

1. **Nommez cinq problèmes de santé associés à la malbouffe.**

- _____
- _____
- _____
- _____
- _____

2. **Désignez deux troubles alimentaires graves.**

- _____
- _____

3. **Nommez deux synonymes de « huile hydrogénée » utilisés sur l'étiquette des produits alimentaires.**

- _____
- _____

4. **Quelles sont les six grandes familles de nutriments ?**

- _____
- _____
- _____
- _____
- _____
- _____

5. **Parmi les problèmes de santé suivants, lesquels sont favorisés par un apport insuffisant en fibres alimentaires ?**

○ **a)** Hémorroïdes.
○ **b)** Cancer du sein.
○ **c)** Constipation.
○ **d)** Diverticulose.
○ **e)** Maux d'estomac.

6. Comment notre consommation quotidienne de sel se situe-t-elle par rapport à nos besoins réels ?

- ○ **a)** Elle est de 10 à 12 fois trop élevée.
- ○ **b)** Elle est de 5 à 7 fois trop élevée.
- ○ **c)** Elle est de 2 à 4 fois trop élevée.
- ○ **d)** Elle est adéquate.
- ○ **e)** Aucune des réponses précédentes.

7. Comment qualifieriez-vous les glucides complexes ?

- ○ **a)** Ce sont des sucres à éviter.
- ○ **b)** Ce sont des sucres à assimilation rapide.
- ○ **c)** Ce sont des sucres qui se trouvent dans les fruits et les légumes.
- ○ **d)** Ce sont des sucres à assimilation lente.
- ○ **e)** Aucune des réponses précédentes.

8. Quelle quantité de fibres alimentaires devrait-on consommer chaque jour ?

- ○ **a)** 0 g.
- ○ **b)** 30 g.
- ○ **c)** 15 g.
- ○ **d)** 20 g.
- ○ **e)** 40 g.

9. Quels sont les avantages d'un bon déjeuner ?

- ○ **a)** Fournir un meilleur rendement scolaire.
- ○ **b)** Favoriser le sommeil.
- ○ **c)** Donner plus d'énergie pour le cours d'éducation physique.
- ○ **d)** Favoriser la remontée de la glycémie le matin.
- ○ **e)** Réduire le nombre de collations.

10. Que doit-on faire en tout premier lieu pour savoir si on mange bien ou mal ?

- ○ **a)** Compter ses calories tous les jours.
- ○ **b)** Déterminer son poids-santé.
- ○ **c)** Connaître d'abord son métabolisme de base.
- ○ **d)** Comparer son alimentation à un modèle alimentaire sain.
- ○ **e)** Compter le nombre de repas et de collations qu'on prend chaque jour.

11. Si votre métabolisme de base ralentit,

○ **a)** c'est parce que vous brûlez plus de calories qu'avant.

○ **b)** c'est parce que vous brûlez moins de calories qu'avant.

○ **c)** c'est parce que vous n'avez pas modifié votre dépense énergétique.

○ **d)** vos réserves de graisse risquent d'augmenter.

○ **e)** votre masse musculaire risque d'être modifiée.

12. Après combien de minutes d'activité physique modérée devrait-on consommer une boisson de récupération contenant du sucre ?

○ **a)** Environ 20 minutes.

○ **b)** Environ 30 minutes.

○ **c)** Environ 45 minutes.

○ **d)** Environ 60 minutes.

○ **e)** Environ 120 minutes.

13. Pourquoi une personne physiquement très active devrait-elle augmenter sa consommation de glucides ?

○ **a)** Parce que l'exercice augmente le métabolisme.

○ **b)** Parce que les glucides sont la principale source d'énergie des muscles.

○ **c)** Parce que les glucides ont un index glycémique élevé.

○ **d)** Parce qu'un apport supplémentaire en glucides accélère la remise à niveau des réserves de glycogène dans les muscles.

○ **e)** Parce que les glucides éliminent la faim pendant l'effort.

14. Quels phénomènes permettent au corps d'évacuer la chaleur produite par les muscles ?

○ **a)** L'élévation de la température du corps.

○ **b)** L'évaporation de la sueur.

○ **c)** La vasoconstriction des vaisseaux sanguins.

○ **d)** La convection de l'air ambiant.

○ **e)** L'élévation du pouls et de la pression artérielle.

15. Dans quelle proportion les régimes miracle sont-ils un échec ?

○ **a)** 5 fois sur 10.

○ **b)** 7 fois sur 10.

○ **c)** 9 fois sur 10.

○ **d)** 3 fois sur 10.

○ **e)** 10 fois sur 10.

16. Parmi les effets suivants, lequel ou lesquels sont associés à un régime miracle ?

○ **a)** Une hausse du métabolisme de base.
○ **b)** La fonte musculaire.
○ **c)** Une constipation chronique.
○ **d)** Une perte de tissu osseux.
○ **e)** Une baisse du métabolisme de base.

17. Associez les aliments gras (liste de gauche) et les types de gras (liste de droite).

Aliments gras	Types de gras
_____ **1.** Croustilles (chips).	**a)** Gras insaturés.
_____ **2.** Huile de tournesol.	**b)** Acide gras trans.
_____ **3.** Barre granola à base d'huile hydrogénée.	**c)** Gras saturés.
_____ **4.** Gras de bœuf.	
_____ **5.** Poutine.	
_____ **6.** Graines de lin.	

18. Complétez les phrases suivantes.

○ **a)** Selon les enquêtes nutritionnelles les plus récentes, le régime alimentaire des Québécois comprend généralement encore trop de _____ , trop de _____ , trop de _____ , et reste trop pauvre en _____ , en légumes et en _____ à grains entiers.

○ **b)** Les trois pyramides alimentaires présentées dans ce chapitre ont un point en commun : les unes comme les autres garantissent un apport _____ et _____ d'aliments appartenant aux six grandes familles de _____ .

○ **c)** Au total, 75 % du sel que nous consommons aujourd'hui provient des produits alimentaires _____ déjà _____ .

pour en **savoir plus**

Lectures suggérées

- Bourque, D., *À dix kilos du bonheur; l'obsession de la minceur, ses causes, ses effets, comment s'en sortir*, Montréal, Éditions de l'Homme, 1991.

- Brault-Dubuc, M., et L. Caron-Lahaie, *Valeur nutritive des aliments*, 8e édition, Saint-Lambert, Société Brault-Lahaie, 1998.

- De Rosnay, S., et J. de Rosnay, *La mal bouffe*, Paris, Olivier Orban, 1979.

- Lambert-Lagacé, L., *Une cuisine sage*, Montréal, Éditions de l'Homme, 1990.

- Orbach, S., *Maigrir: la fin de l'obsession*, Montréal, Éditions de l'Homme, 1988.

- Santé et Bien-être Social Canada, *Guide alimentaire canadien pour manger sainement*, Ottawa, Approvisionnements et Services Canada.

- Santé Québec, Bertrand, L. (sous la dir. de), *Les Québécoises et les Québécois mangent-ils mieux?* Rapport de l'enquête québécoise sur la nutrition, ministère de la Santé et des Services sociaux, gouvernement du Québec, 1995.

- Santé Québec, *L'alimentation des Québécoises et des Québécois, de la connaissance à l'action*, ministère de la Santé et des Services sociaux, gouvernement du Québec, 2001.

sites Internet à visiter

Association québécoise d'aide aux personnes souffrant d'anorexie nerveuse et de boulimie (on trouve sur ce site une liste des ressources hospitalières qui s'occupent de ces troubles alimentaires)
http://www.anebquebec.com

Fondation des maladies du cœur du Canada
http://ww2.fmcoeur.ca/Page.asp?PageID=903

Les diététistes du Canada (on trouve sur ce site un outil extraordinaire: le planificateur de repas)
http://www.dietitians.ca/public/content/eat_well_live_well/french/index.asp

Santé Canada
http://www.hc-sc.gc.ca/francais/

Végétarisme.org (pour en savoir plus sur le végétarisme)
http://www.vegetarisme.org/

Extenso, centre de référence sur la nutrition humaine
http://www.extenso.org/

Passeport Santé (ex-réseau Protéus)
http://www.passeportsante.net/fr/Accueil/Accueil/Accueil.aspx

BILAN 3.1

Votre analyse de deux aliments préemballés à l'aide de l'étiquette nutritionnelle*

Cet exercice a pour but de vérifier votre compréhension de l'étiquetage nutritionnel. Choisissez deux aliments préemballés que vous consommez régulièrement, puis transcrivez les renseignements fournis sur les étiquettes sur les modèles ci-dessous. Répondez ensuite aux questions.

Nom du produit A : _____

Valeur nutritive
par _____ g, mL ou nombre

Teneur		% valeur quotidienne
Calories _____		
Lipides _____ g		_____ %
saturés _____ g		
+ trans _____ g		_____ %
Cholestérol _____ mg		
Sodium _____ mg		_____ %
Glucides _____ mg		_____ %
Fibres _____ g		_____ %
Sucres _____ g		
Protéines _____ g		
Vitamine A _____ % Vitamine C _____ %		
Calcium _____ % Fer _____ %		

Nom du produit B : _____

Valeur nutritive
par _____ g, mL ou nombre

Teneur		% valeur quotidienne
Calories _____		
Lipides _____ g		_____ %
saturés _____ g		
+ trans _____ g		_____ %
Cholestérol _____ mg		
Sodium _____ mg		_____ %
Glucides _____ mg		_____ %
Fibres _____ g		_____ %
Sucres _____ g		
Protéines _____ g		
Vitamine A _____ % Vitamine C _____ %		
Calcium _____ % Fer _____ %		

* Reproduit avec l'autorisation de Richard Hince, Sylvie Girard, François Cloutier et Jean-Benoît Jubinville, tous professeurs d'éducation physique au Cégep de Sherbrooke.

Analyse	Aliment A	Aliment B
1. a) Nombre de portions consommées pendant *une journée* (peut être inférieur à une portion, par exemple une moitié ou un tiers de portion) :	_____	_____
b) Calories totales :	_____ calories	_____ calories
2. Fréquence de consommation (nombre de fois par semaine)	_____	_____
3. a) Quantité de glucides consommée au total :	____ g ____ %	____ g ____ %
b) Quantité totale de sucres ajoutés :	____ g	____ g
4. a) Quantité de lipides consommée au total :	____ g ____ %	____ g ____ %
b) Quantité de gras saturés et trans consommée :	____ g ____ %	____ g ____ %
5. Quels sont les quatre premiers ingrédients qui apparaissent dans la liste des ingrédients* ? * La liste des ingrédients vous permet de connaître l'importance relative des nutriments présents dans le produit alimentaire, puisque ceux-ci sont indiqués par ordre décroissant de poids. Par exemple, si le premier ingrédient de la liste est le sucre, cela signifie que c'est l'ingrédient le plus présent dans le produit.	1. _____ 2. _____ 3. _____ 4. _____	1. _____ 2. _____ 3. _____ 4. _____

6. Relevez les *points forts* et les *points faibles* que vous avez remarqués au sujet de ces deux produits (exemples : le produit A contient beaucoup de nutriments ; le produit B contient trop de sucres et pas assez de fibres ; le produit B contient un très faible pourcentage de la valeur quotidienne de calcium, etc.).

Aliment A

Points faibles : _____

_____

_____

_____

Points forts : _____

_____

_____

_____

Aliment B

Points faibles : _____

_____

_____

_____

Points forts : _____

_____

_____

_____

7. Pour les produits A et B, trouvez des produits (ou des aliments) de remplacement similaires et justifiez ce nouveau choix santé.

_____

_____

_____

_____

_____

BILAN 3.2

Votre bilan alimentaire

On l'a dit, bien s'alimenter doit être quelque chose de simple. Les pyramides alimentaires présentées dans ce chapitre sont justement des bijoux de concision et de clarté (figures 3.2 à 3.4, p. 56 à 58). En un coup d'œil, il est possible de juger si on mange bien ou mal. En fait, ces pyramides proposent une alimentation variée, sans interdits ni discours moralisateur. Elles suggèrent de consommer, chaque jour, un certain nombre de portions d'aliments dans chacun des principaux groupes alimentaires désignés par les nutritionnistes. Quant aux aliments plus pauvres sur le plan nutritif (frites, hot-dogs, beurre, bonbons, etc.), les pyramides alimentaires ne les interdisent pas, mais proposent plutôt qu'on les consomme avec modération.

Votre alimentation ressemble-t-elle à celle qui est préconisée par ces pyramides ?

1. Pour le savoir, commencez par choisir la pyramide qui, à vue d'œil, ressemble le plus à votre régime alimentaire actuel ou qui vous semble la mieux adaptée à votre environnement culturel.

2. Remplissez ensuite le tableau correspondant à la pyramide choisie en essayant de vous remémorer ce que vous mangez chaque jour dans une semaine type, samedi et dimanche inclus. (Vous pouvez utiliser le journal alimentaire présenté dans *L'Équipier*.) Votre relevé terminé, n'oubliez pas de tirer les conclusions qui s'imposent en cochant la case appropriée à la fin du tableau. Notez aussi, s'il y a lieu, vos écarts alimentaires.

3. Une fois votre bilan alimentaire terminé, passez au bilan 3.3. On vous y invite à prendre des mesures immédiates pour corriger les écarts alimentaires constatés ou encore pour maintenir votre alimentation actuelle, s'il s'avère qu'elle est déjà équilibrée et variée.

Choisissez entre A, B, ou C

A. Bilan en fonction de la pyramide alimentaire canadienne

Inscrivez dans la case appropriée le nombre de portions ingérées de chacun des quatre groupes alimentaires. Pour savoir ce qu'est une portion, reportez-vous aux quantités indiquées et aux pictogrammes de la pyramide alimentaire canadienne (p. 56).

Portions	Lundi	Mardi	Mercredi	Jeudi	Vendredi	Samedi	Dimanche
Nombre moyen de portions recommandées par jour							
Légumes et fruits : 7 à 8 (femmes) 8 à 10 (hommes)	_____	_____	_____	_____	_____	_____	_____
Produits céréaliers : 6 à 7 (femmes) 7 à 8 (hommes)	_____	_____	_____	_____	_____	_____	_____
Produits laitiers : 3 à 4 (14-18 ans) 2 (19-50 ans)	_____	_____	_____	_____	_____	_____	_____
Viande et substituts : 2 (femmes) 3 (hommes)	_____	_____	_____	_____	_____	_____	_____
Sucreries : à l'occasion	_____	_____	_____	_____	_____	_____	_____

Tirez vos conclusions...

En général, je respecte les recommandations de la pyramide alimentaire canadienne :

○ Oui

○ Non

Si non, j'ai constaté les écarts alimentaires suivants :

Je ne mange pas assez de

○ Produits céréaliers

○ Légumes et fruits

○ Produits laitiers

○ Viande et substituts

Je mange trop de

○ Sucreries

○ Produits laitiers

○ Viande et substituts

B. Bilan en fonction de la pyramide alimentaire méditerranéenne

Inscrivez dans la case appropriée le nombre de fois par jour, par semaine ou par mois que vous avez consommé les aliments mentionnés dans la pyramide alimentaire méditerranéenne.

Recommandations	Par jour	Par semaine	Par mois
Viande : une fois par mois	_____	_____	_____
Sucreries : une fois par semaine	_____	_____	_____
Œufs : une fois par semaine	_____	_____	_____
Volaille : une fois par semaine	_____	_____	_____
Poisson : une fois par semaine	_____	_____	_____
Fromage et yogourt : une fois par jour	_____	_____	_____
Huile d'olive : une fois par jour	_____	_____	_____
Fruits : une fois par jour	_____	_____	_____
Graines et noix : une fois par jour	_____	_____	_____
Légumes : une fois par jour	_____	_____	_____
Pain, pâtes, riz, couscous, polenta, céréales de grains entiers et pommes de terre : une fois par jour	_____	_____	_____

Tirez vos conclusions...

En général, je respecte les recommandations de la pyramide alimentaire méditerranéenne :

○ Oui

○ Non

Si non, j'ai constaté les écarts alimentaires suivants :

Je ne mange pas assez de

○ Œufs ○ Volaille

○ Poisson ○ Fromage et yogourt

○ Fruits, graines, noix et légumes ○ Huile d'olive

○ Pain, pâtes, riz, couscous, polenta, céréales de grains entiers et pommes de terre

Je mange trop de

○ Sucreries

○ Viande rouge

C. Bilan en fonction de la pyramide alimentaire asiatique

Inscrivez dans la case appropriée le nombre de fois par jour, par semaine ou par mois que vous avez consommé les aliments mentionnés dans la pyramide alimentaire asiatique.

Recommandations	Par jour	Par semaine	Par mois
Viande : une fois par mois	_____	_____	_____
Sucreries : une fois par semaine	_____	_____	_____
Œufs et volaille : une fois par semaine	_____	_____	_____
Poisson et fruits de mer : une fois par jour (facultatif)	_____	_____	_____
Huiles végétales : une fois par jour	_____	_____	_____
Fruits : une fois par jour	_____	_____	_____
Légumineuses, graines et noix : une fois par jour	_____	_____	_____
Légumes : une fois par jour	_____	_____	_____
Riz, nouilles, pain, millet, maïs et céréales de grains entiers : une fois par jour	_____	_____	_____

Tirez vos conclusions...

En général, je respecte les recommandations de la pyramide alimentaire asiatique :

○ Oui

○ Non

Si non, j'ai constaté les écarts alimentaires suivants :

Je ne mange pas assez de

○ Œufs et volaille

○ Poisson et fruits de mer

○ Huiles végétales

○ Fruits

○ Légumineuses, graines et noix

○ Légumes

○ Riz, nouilles, pain, millet, maïs et céréales de grains entiers

Je mange trop de

○ Sucreries

○ Viande rouge

BILAN 3.3

Votre engagement en matière d'alimentation

Maintenant que vous avez fait le point sur la façon dont vous vous alimentez, vous pouvez vous poser la question suivante : que suis-je prêt à faire pour améliorer ou maintenir la qualité de mon alimentation ?

Cochez dans le tableau qui suit les engagements que vous souhaitez prendre ; dans un mois, vous cocherez ceux que vous aurez respectés.

Je m'engage à...	Je vais le faire dès maintenant.	Après un mois, je tiens toujours le coup.		Après trois mois, je persiste et signe.	
corriger mes écarts alimentaires constatés dans le bilan 3.2.	Date :	○	Oui ○ Non	○	Oui ○ Non
manger à des heures régulières le plus souvent possible.	Date :	○	Oui ○ Non	○	Oui ○ Non
réduire ma consommation d'aliments riches en mauvais gras (gras saturés et hydrogénés).	Date :	○	Oui ○ Non	○	Oui ○ Non
augmenter ma consommation d'aliments riches en bon gras (gras insaturés).	Date :	○	Oui ○ Non	○	Oui ○ Non
manger davantage de fruits et de légumes.	Date :	○	Oui ○ Non	○	Oui ○ Non
manger davantage de légumineuses et de céréales de grains entiers.	Date :	○	Oui ○ Non	○	Oui ○ Non
saler un peu moins ma nourriture.	Date :	○	Oui ○ Non	○	Oui ○ Non
déjeuner tous les matins.	Date :	○	Oui ○ Non	○	Oui ○ Non
éviter de prendre un repas copieux tard dans la soirée.	Date :	○	Oui ○ Non	○	Oui ○ Non
éviter de manger des repas minute riches en gras saturés et en sel plus de 2 fois par semaine.	Date :	○	Oui ○ Non	○	Oui ○ Non
boire l'équivalent de 6 verres d'eau par jour.	Date :	○	Oui ○ Non	○	Oui ○ Non
prendre la ou les mesures suivantes : _____ _____	Date :	○	Oui ○ Non	○	Oui ○ Non

1. Au total, vous avez pris _____ engagement(s) et vous en avez respecté _____ .

2. Le cas échéant, pour quelle raison n'avez-vous pas respecté certains de vos engagements ?

   ○   J'ai manqué de temps.

   ○   J'ai manqué de motivation.

   ○   Je n'étais pas aussi prêt à passer à l'action que je le pensais.

   ○   Il aurait fallu que je ne sois pas seul dans ma démarche.

   ○   Autre(s) raison(s) : _____

3. Finalement, croyez-vous être capable d'adopter à long terme des habitudes alimentaires saines ou, si votre alimentation est déjà saine, de la maintenir telle qu'elle est ? Expliquez brièvement votre réponse.

   _____

   _____

   _____

   _____

   _____

   _____

Stressé
ou détendu?

chapitre 4

Objectifs

- Définir ce qu'est le stress.

- Décrire les effets physiologiques immédiats du stress.

- Décrire les symptômes associés à une surcharge de stress.

- Expliquer les effets sur la santé d'une surcharge de stress.

- Déterminer des stratégies pour mieux contrôler votre niveau de stress.

- Faire le bilan de votre niveau de stress et l'interpréter.

- Prendre des engagements à court terme pour contrôler votre niveau de stress.

La scène se passe en 1903. Voyant venir le boom technologique et l'accélération du rythme de vie, un médecin hongrois réputé, Francis Volgyesi, risque une prédiction devant ses pairs. « À moins de changer notre manière de vivre, prévient-il, le siècle qui s'amorce sera celui de "l'âge des nerfs". » Il avait vu juste ! Le stress, celui qui nous met les nerfs en boule, qui nous glace les pieds et fait battre la chamade à notre cœur, touche aujourd'hui pratiquement tout le monde, y compris les enfants. On estime même que plus de la moitié des consultations chez le médecin au Québec sont reliées au stress !

> L'absence complète de stress est la mort. C'est le stress désagréable, ou détresse, qui est nuisible.
>
> Hans Selye

Le stress
est nécessaire pour vivre

En soi, ce qu'on dépeint souvent comme le « mal du siècle » n'est ni bon ni mauvais. Le stress est simplement une **réaction d'adaptation**, plus ou moins forte, de l'organisme face à une situation donnée. Que cette situation déclenche une joie immense, une peur bleue ou une douleur aiguë, la **réaction d'adaptation est non spécifique** (pour reprendre l'expression du Canadien Hans Selye, l'auteur de la théorie du stress), autrement dit **la réaction d'adaptation est toujours la même**.

Cette réaction d'adaptation, inscrite dans nos gènes depuis des générations, met le corps sous tension comme s'il venait d'être branché sur une prise de courant. En une fraction de seconde, les terminaisons nerveuses reliées aux divers organes libèrent de l'adrénaline (à 80 %) et de la noradrénaline. Ces neurotransmetteurs, associés à l'action de certaines hormones, provoquent immédiatement une série de réactions physiologiques (figure 4.1) qui ne visent qu'une chose : préparer le corps à l'action. C'est ce qui se produit lorsqu'on retire brusquement la main au contact d'une eau trop chaude, lorsqu'on sursaute de peur au cinéma ou lorsqu'on éclate de joie parce qu'on a réussi un examen auquel on croyait avoir échoué. Une fois que le corps a réagi, l'énergie accumulée par l'état d'alerte est consommée, donc libérée, et le niveau de stress diminue. C'est, si on veut, le calme après la tempête. Souvent, on ressent même après coup une « bonne fatigue ».

En fait, **une certaine dose de stress n'affecte pas la santé et peut même être bénéfique**. Face à un nouveau défi, qu'il soit d'ordre mental ou physique, le corps subit une poussée d'adrénaline qui nous rend plus alerte, plus énergique, plus motivé. Qu'on songe ici à l'acteur ou à l'athlète qui ont besoin de stress pour être performants. Certaines personnes en viennent même à rechercher le grand frisson que procure l'adrénaline. La sensation procurée par cet état physiologique est une dimension importante de la passion du jeu et de la pratique des sports extrêmes.

Dans une situation d'urgence, par exemple quand on sent la mince couche de glace d'un lac céder sous nos pieds ou quand on donne un coup de volant pour éviter un accident de la route, l'état d'alerte physiologique déclenché par le stress peut même nous sauver la vie.

figure 4.1 Les effets physiologiques immédiats du stress

Le cerveau libère des endorphines pour « engourdir » la douleur.

Les glandes salivaires se referment (la bouche devient pâteuse).

Les pupilles se dilatent pour mieux voir, et les oreilles entendent mieux.

Le pouls et la respiration s'accélèrent.

La digestion cesse.

Les bronches se dilatent pour faciliter le passage de l'air.

Les glandes sudoripares s'activent (sueurs froides!).

Tous les muscles sont sous tension, prêts à l'action.

Le sang se gorge de sucre (les muscles en auront besoin) et s'épaissit pour freiner une éventuelle hémorragie.

Les vaisseaux sanguins superficiels se contractent (mains et pieds se glacent alors!).

Quand le stress
rend malade

Malheureusement, le stress n'est pas toujours bénéfique. Par exemple, si la présentation que vous devez faire devant la classe vous angoisse au plus haut point depuis des jours, la réaction d'adaptation a beau être moins forte que lors d'un stress aigu, elle n'en maintient pas moins votre corps sous tension pendant des heures. L'énergie accumulée pour permettre au corps de réagir n'est pas libérée mais contenue: le cerveau maintient l'état d'alerte parce que le conflit émotif n'est pas résolu (figure 4.2). Ce type de stress, que les experts appellent **stress émotionnel**, semble de plus en plus répandu de nos jours (zoom 4.1).

Là encore, **ce n'est pas tant le stress émotionnel qui nuit à la santé que la réaction ou l'apparente absence de réaction devant la situation stressante.** Face à un même événement, certaines personnes restent imperturbables ou se sentent stimulées, tandis que d'autres paniquent ou se découragent. Si on ne parvient pas à contrôler ce type de stress, on devient plus tendu au fil des jours. Cette surcharge de stress altère progressivement la santé. Au début, on ne ressent que les **symptômes du « surstress »** :

- pouls rapide (palpitations)
- muscles tendus
- raideur au niveau de la nuque et du haut du dos
- fatigue
- anxiété
- maux de tête plus fréquents
- irritabilité

figure 4.2 Quand le stress finit bien... ou mal

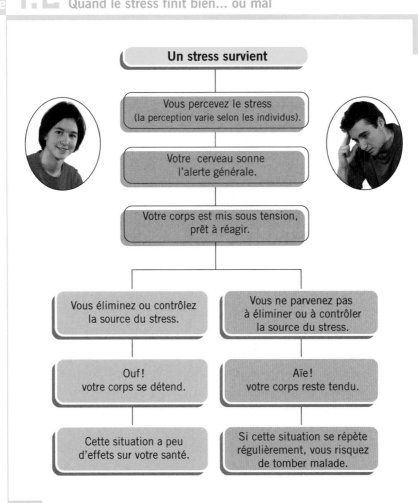

- hyperactivité

- apparition de tics nerveux

- manque de concentration

- problèmes de peau (apparition de boutons, d'eczéma, etc.)

- problèmes digestifs (brûlures d'estomac, constipation, diarrhée, etc.)

- difficulté à s'endormir (zoom 4.2)

ZOOM

4.1 Quelques exemples de stress émotionnel

La vie quotidienne favorise les situations génératrices de stress émotionnel. En voici quelques exemples :

- l'épuisante combinaison travail-études

- l'attente prolongée dans un embouteillage

- les sautes d'humeur du patron qu'on endure sans broncher pour ne pas perdre son emploi

- les tensions familiales entraînées par une séparation ou un divorce

- l'angoisse causée par l'attente de résultats scolaires incertains

- la crainte de perdre son emploi ou de ne pas en trouver

- les difficultés financières qui s'accumulent

- la présentation d'un exposé en classe

- l'anxiété causée par de nouvelles responsabilités

- le travail répétitif qui distille l'ennui

- le changement dans les études (nouveau cégep) ou le travail

- une peine d'amour

- etc.

Cependant, si elle devient chronique, voire quotidienne, la surcharge de stress favorise l'apparition de **maladies psychosomatiques**, c'est-à-dire de maladies essentiellement causées par un piètre état psychologique. Ainsi, une personne trop stressée risque d'avoir de graves problèmes de santé :

- maladies du cœur (notamment infarctus)

- hypertension

- dépression grave

- asthme grave

- arthrite rhumatoïde

Une accumulation de situations de stress émotionnel non contrôlé peut même favoriser l'apparition d'un cancer. La tension nerveuse qui s'accumule finit par affaiblir le système immunitaire, comme l'ont notamment montré les recherches en **neuropsychoimmunologie** (science qui étudie la relation entre la santé mentale et le système immunitaire).

En outre, pour échapper à la nervosité ou à l'anxiété provoquées par le stress, une personne peut être tentée de boire davantage d'alcool, d'abuser des médicaments ou des drogues qui améliorent (temporairement) son humeur, de manger exagérément ou encore de se retirer toute seule dans son coin. Si ces faux-fuyants peuvent apporter un soulagement à court terme, à la longue ils ne font qu'affaiblir un organisme déjà épuisé par une surcharge de stress non contrôlé.

ZOOM

4.2 Si vous manquez de sommeil

Pour mener à bien un programme de plus en plus chargé, beaucoup de gens n'hésitent pas à sabrer dans leurs heures de sommeil. Or, le sommeil joue un rôle réparateur. Lorsqu'on dort, l'organisme récupère, se refait des forces et organise la mémoire, notamment à travers les rêves. Si on manque de sommeil, on s'expose à toutes sortes de problèmes : diminution de la mémoire, troubles de la concentration, manque d'énergie, sautes d'humeur, réflexes plus lents, risques accrus d'accidents et de blessures, moindre résistance à la maladie, etc. Certains individus ne dorment que 5 heures par nuit et s'en portent bien. D'autres ont besoin de 8 heures de sommeil, et les bébés, de 16 ! Cependant, la récupération n'est pas uniquement une question d'heures de sommeil. Ce qui compte le plus, c'est la qualité du sommeil. Si vous vous levez le matin aussi fatigué que la veille, il y a certainement des changements à apporter à vos habitudes. Les six règles suivantes pourront vous aider à mieux dormir.

1. Couchez-vous et levez-vous à des heures régulières. Selon la théorie de l'horloge interne, notre corps a besoin d'un horaire fixe pour bien dormir.

2. Si le sommeil ne vient pas au bout de 15 à 20 minutes, levez-vous et prenez un bain chaud ou lisez un peu jusqu'à ce que vous ayez de nouveau sommeil.

3. L'activité physique favorise le sommeil. Alors faites-en régulièrement.

sommeil

4. Si vous avez l'habitude de grignoter au cours de la soirée, optez pour une collation légère ou simplement pour un verre de lait. Le lait contient du tryptophane, un acide aminé qui faciliterait le sommeil.

5. L'abus d'alcool en soirée va certes vous aider à dormir... mais quel gâchis le lendemain matin !

6. Si vous ne parvenez pas à vous endormir parce que vous n'avez pas terminé un travail ou accompli une tâche quelconque, levez-vous et travaillez-y un peu. Vous aurez l'esprit plus en paix et vous vous endormirez plus facilement.

Mieux gérer son niveau de stress :
quelques stratégies

Puisqu'il est impossible d'éviter toutes les situations de stress émotionnel, vous devrez donc apprendre à mieux les vivre, afin que votre santé n'en souffre pas. Comment faire ? Il n'existe pas de solutions miracles pour contrôler le stress émotionnel. Néanmoins, diverses stratégies peuvent vous aider à maîtriser votre niveau de stress. En voici quelques-unes.

1. Évaluez d'abord votre niveau de stress

C'est la première chose à faire. Après tout, peut-être n'êtes-vous pas aussi stressé que vous l'imaginez. Vous pouvez faire cette évaluation à l'aide des deux questionnaires présentés à la fin de ce chapitre. Le but du premier questionnaire est de vous faire prendre conscience des manifestations associées à l'état actuel de votre tension physique et psychique (bilan 4.1). Le deuxième questionnaire vous aidera à déterminer votre niveau actuel de stress et à préciser les moyens que vous utilisez pour gérer votre stress (bilan 4.2).

2. Mettez le doigt sur ce qui vous stresse

Il importe de déterminer clairement ce qui crée chez vous une tension. Pour y parvenir, soyez attentif à la façon dont votre corps réagit dans diverses situations et face à certaines personnes. Demandez-vous si c'est une personne, un lieu ou un événement en particulier qui vous crispe, fait accélérer votre pouls, vous rend les mains moites et froides, vous noue l'estomac, vous donne un mal de tête ou des raideurs dans la nuque, vous fait transpirer (notamment aux aisselles), vous cause des démangeaisons, vous fait serrer les mâchoires (zoom 4.1)… Si vous pouvez associer de façon nette l'une ou l'autre de ces réactions à une personne, un lieu ou un événement précis, c'est qu'il s'agit pour vous d'un stresseur, c'est-à-dire d'un stimulus causant des réactions physiques et émotives.

3. Évitez autant que possible les sources de stress

Évidemment, la logique veut qu'on commence par éliminer les sources du stress. Par conséquent, évitez dans la mesure du possible les situations, les événements et les individus qui vous stressent le plus. Toutefois, ce n'est pas toujours possible ni même souhaitable. Par exemple, si la préparation d'un examen ou d'une entrevue vous stresse, abandonner vos études ou cesser de chercher du travail ne serait pas une bonne solution. Mieux vaut essayer de garder votre calme en utilisant, au besoin, les techniques de relaxation proposées plus loin (zoom 4.3).

4. Dédramatisez les situations stressantes

Vous vous êtes fait une entorse, et vlan ! c'est la catastrophe. Vous vous demandez comment vous allez vous débrouiller pour le travail, le sport et les sorties. Ou bien vous n'avez pas obtenu l'emploi souhaité, et vous voilà déprimé pour le reste de la semaine. Mais pourquoi s'en faire autant ? Donner une importance démesurée aux problèmes ne vous avancera guère. Essayez plutôt d'analyser calmement la situation en vous demandant si elle justifie que vous vous mettiez dans tous vos états. Souvent, vous serez surpris de constater que vous vous faisiez une montagne de pas grand-chose ! Selon les experts en la matière, notre manière de percevoir et de gérer le stress influe beaucoup plus sur notre état psychologique que le stress lui-même. Un truc : cultivez votre sens de l'humour. C'est un moyen très efficace pour épancher les tensions… et, en plus, vous faites sourire votre entourage.

5. Soyez optimiste

Le phénomène est bien connu des sportifs : un joueur (ou une équipe) qui arrive sur le terrain convaincu qu'il va perdre subira effectivement une défaite. Le conditionnement de l'esprit peut être très puissant. Remarquez que le contraire, l'optimisme béat, entraîne également l'échec. La solution consiste à cultiver votre capacité de percevoir avec lucidité ce qu'il y a de bon dans chaque personne, dans chaque situation. Un optimisme bien dosé tient le découragement à distance et permet de mieux affronter les situations de stress. C'est aussi une des caractéristiques qu'on retrouve chez les personnes qui arrivent à maintenir leur équilibre intérieur en tout temps, même au plus fort de la tempête.

6. N'hésitez pas à vous servir des « chasse-stress »

Il se peut que, pour toutes sortes de raisons, vous ne pouviez éviter le stress. Prenez alors les moyens nécessaires pour en atténuer les effets sur votre santé. Il existe en effet des méthodes très efficaces pour réduire son niveau de stress. Comme chaque personne réagit différemment au stress, il est important que vous trouviez la ou même les méthodes qui fonctionneront dans votre cas, c'est-à-dire celles qui vous calmeront. En voici quatre qui ont l'avantage d'être simples, économiques et accessibles à tous.

L'activité physique.   N'importe quel exercice réduit le niveau de stress parce qu'il permet au corps de réagir et, par conséquent, de diminuer la tension physiologique. Dans le chapitre 2, il a été longuement question des effets de l'exercice sur la santé mentale (p. 35-40).

Les techniques de relaxation.   Les techniques de relaxation s'attaquent directement à la tension musculaire (zoom 4.3). Lorsqu'on les maîtrise, elles procurent une détente musculaire presque instantanée et, par ricochet, un apaisement de l'esprit. Pratiquées régulièrement, elles agissent aussi sur le système cardiovasculaire car elles abaissent le pouls et la pression artérielle. Les techniques de relaxation peuvent éliminer, ou du moins atténuer, plusieurs des symptômes associés à une surcharge de stress (tableau 4.1). Pour apprendre ces techniques et les maîtriser, l'idéal est de suivre des cours appropriés. Si ce n'est pas possible, vous pouvez faire des minipériodes de relaxation en vous inspirant d'exercices simples et efficaces. Voici deux de ces exercices, que vous pouvez pratiquer à peu près n'importe où et n'importe quand.

Exercice 1

En position couchée ou assise, les yeux fermés, tendez tous les muscles de votre corps comme si vous deviez une barre de fer. Maintenez-les contractés pendant 3 secondes, puis relâchez-les complètement, de la tête aux pieds. Ne retenez aucune tension musculaire. Vous remarquerez que cet exercice fort simple procure une sensation de détente. Répétez cet exercice deux fois.

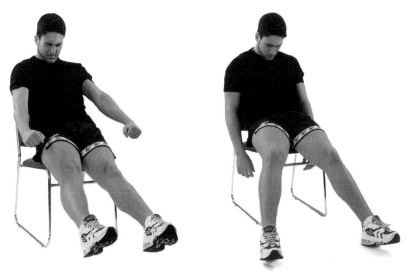

Exercice 2

En position assise, les yeux fermés, serrez les dents en tirant le coin des lèvres vers les oreilles. Maintenez la position pendant 3 secondes : notez la tension dans les joues et la mâchoire. Ouvrez ensuite la bouche toute grande et gardez-la ouverte pendant 3 secondes, puis relâchez la mâchoire. Cet exercice vous aidera à prendre conscience des tensions accumulées à votre insu dans les muscles du visage. Répétez-le deux fois.

La respiration abdominale.
Si le stress vous gagne, votre respiration risque de devenir brève et superficielle, voire de se bloquer à l'occasion. Pour y remédier, faites l'exercice suivant.

Exercice ————————————————

Prenez une inspiration profonde en gonflant d'abord le ventre, puis la cage thoracique. Ensuite, expirez lentement, lèvres pincées. Répétez trois ou quatre fois ce petit exercice respiratoire, après quoi vous serez déjà plus détendu.

D'autres « chasse-stress »
Vous pouvez aussi réduire les effets du stress en vous faisant masser, en limitant votre consommation de café si vous en prenez beaucoup, en adoptant un animal ou encore en couchant sur papier vos états d'âme. Mais, quoi que vous fassiez, agissez rapidement, avant que le stress ne vous tue à petit feu. Le bilan 4.3 vous aidera à prendre des engagements pour mieux gérer votre stress.

ZOOM

4.3 Quelques techniques
de relaxation

Il serait trop long de décrire ici toutes les techniques aidant à se détendre. En voici quelques-unes parmi les plus populaires au Québec.

La relaxation progressive de Jacobson

Cette technique est fondée sur un paradoxe : on tend le muscle pour mieux le détendre ! Les exercices consistent en effet à contracter un groupe de muscles, par exemple les muscles de la jambe droite, puis à les relâcher complètement en se concentrant sur la sensation de détente qui envahit alors la région concernée. On passe ainsi en revue tous les muscles, y compris ceux du visage. Cette méthode, facile à maîtriser, se pratique habituellement en position couchée (de préférence sur le dos). Une séance complète de relaxation progressive peut durer plus de deux heures. Cependant, il existe des versions abrégées, d'une durée de 15 à 20 minutes (écouter la bande sonore du Compagnon Web). On peut même se contenter de 5 minutes en limitant les exercices aux zones musculaires les plus tendues (pages 103-104).

Jacobson

Le training autogène de Schultz

Cette technique inspirée de l'hypnose vise à détendre le corps et l'esprit. Les exercices passifs où domine la suggestion mentale provoquent une sensation de lourdeur, de chaleur ou encore de fraîcheur dans tous les muscles. Pour obtenir l'effet désiré (lourdeur, chaleur ou fraîcheur), on prononce mentalement une phrase d'autosuggestion : « Je sens mon bras droit devenir lourd… », « Je sens mon front devenir frais… », etc. Bien exécuté, le training autogène alourdit et réchauffe réellement le corps. Des chercheurs ont même enregistré une hausse de 4 °C de la température de la main chez des sujets bien entraînés. Cette technique de relaxation se pratique allongé sur le dos ou assis confortablement. Une séance dépasse facilement 30 minutes. Mais on peut déjà obtenir une détente profonde après une séance de 5 à 10 minutes (écouter la bande sonore du Compagnon Web).

Schultz

La méditation

Cette technique est sûrement la plus simple des méthodes d'autorelaxation. Pour la maîtriser, il suffit de s'asseoir confortablement et de répéter mentalement pendant 10 à 20 minutes, de préférence les yeux fermés, un son tel que « Om », que les hindous appellent un mantra. Il existe plusieurs mantras, correspondant à plusieurs niveaux de méditation. À la place du son, on peut prononcer un mot ou visualiser une image qui nous aide à nous détendre. On peut s'asseoir sur une chaise, à l'indienne ou encore s'adosser à un mur : l'important, c'est d'être à l'aise.

Le yoga

C'est une des gymnastiques douces les plus connues au Québec. Le yoga intègre savamment l'art de respirer, l'art d'assouplir les muscles et l'art de méditer. Il existe une centaine de positions, appelées « asanas », dans lesquelles on respire tantôt normalement, tantôt profondément. Chaque position doit être maintenue pendant 20 à 30 secondes. C'est pourquoi on parle souvent de « poses » de yoga. Si vous êtes patient et persévérant, vous pourrez maîtriser les asanas les plus difficiles après deux ou trois ans de pratique assidue. L'effet physique le plus remarquable du yoga est l'étonnante souplesse des muscles qu'il procure.

Le taï-chi

Si le yogi bouge peu, l'adepte du taï-chi, lui, bouge continuellement. Il déploie, lentement et en silence, ses bras et ses jambes dans des directions bien précises, en une suite de mouvements amples et circulaires. Le taï-chi donne une impression de grande légèreté, comme si on dansait au fond de l'eau. Même la respiration, parfaitement synchronisée avec les mouvements du corps, se fait au ralenti. Le taï-chi exige de maîtriser une série de mouvements enchaînés, exécutés lentement, il va de soi, et dans un ordre rigoureux. Bref, il s'agit d'une gymnastique douce qui améliore d'une part l'équilibre dynamique et la posture, d'autre part la souplesse, l'endurance et la coordination musculaires. Un cours de taï-chi commence toujours par une séance d'échauffement consistant en des exercices légers. Après l'échauffement, on pratique, sous la supervision du professeur, divers enchaînements qui deviennent par la suite des chorégraphies complètes. Pendant les premiers cours, on doit respirer aussi naturellement que possible. Une fois que les mouvements de base sont maîtrisés, on vise une respiration profonde.

La visualisation

L'imagerie mentale consiste à simuler mentalement des actions réelles. Plus on la pratique, plus les images deviennent claires et précises. Par exemple, certains athlètes qui visualisent une course de ski de fond vont jusqu'à ressentir le froid et entendre le bruit des skis sur la neige. L'imagerie mentale n'est pas uniquement profitable dans le domaine des sports. On peut y recourir pour se préparer à une entrevue, à un exposé ou à une rencontre importante. Comment fait-on ? Rien de plus simple. Calez-vous dans un fauteuil, les yeux fermés, et passez-vous mentalement le film de l'entrevue, de l'exposé ou de la rencontre. Imaginez les questions qu'on vous posera et les réponses que vous donnerez. Par exemple, vous pouvez visualiser la façon dont vous serez assis devant vos interlocuteurs ou vous imaginer en train de faire votre exposé devant la classe. Où vos mains sont-elles posées sur le lutrin ? Que ressentez-vous dans vos muscles du cou et des épaules ? Répétez cet exercice de visualisation plusieurs fois. Quand vous serez dans la situation réelle, vous vous sentirez rassuré parce que vous l'aurez déjà vécue plusieurs fois dans votre tête.

tableau 4.1 Les principaux effets du stress et de la relaxation*

Plus de 400 études scientifiques ont clairement démontré les effets de la relaxation sur le corps. Voici un aperçu de ces effets, comparés à ceux du stress. On peut obtenir certains des bienfaits associés à la relaxation après seulement quelques minutes de relaxation profonde.

	Effets du stress	Effets de la relaxation
Le pouls…	s'accélère.	se ralentit.
La pression artérielle chez l'hypertendu…	augmente.	diminue (de 10 à 15 %).
La respiration…	s'accélère.	se ralentit.
La fréquence des ondes alpha…**	diminue.	augmente.
La tension musculaire…	augmente.	diminue.
Le sommeil est …	perturbé.	facilité.
Les migraines…	sont plus fréquentes et plus intenses.	sont moins fréquentes et moins intenses.
La tolérance à la douleur…	diminue***.	augmente.
L'apprentissage d'une activité sportive est…	plus difficile.	plus facile.
L'aptitude à communiquer…	se détériore.	s'améliore.
Les vaisseaux sanguins…	se contractent.	se dilatent.

* Il a aussi été démontré que la relaxation donne de bons résultats dans les cas suivants : asthme, tachycardie (cœur qui bat trop vite), eczéma, psoriasis, douleurs prémenstruelles, brûlures d'estomac, constipation, bégaiement et autres troubles du langage.

** Les ondes alpha sont associées au sommeil profond, celui qui nous permet de récupérer.

*** Les dentistes connaissent bien cet effet.

BILAN 4.1

L'inventaire de vos symptômes de stress

Le but de ce bilan est de vous faire prendre conscience de l'ensemble des signes, tant physiques que psychologiques, associés au stress. Ces signes ou symptômes sont un bon indicateur de votre tension actuelle. Ce bilan a été établi d'après un questionnaire mis au point par Jacques Lafleur, psychologue, et Robert Béliveau, médecin (tiré du livre *Les quatre clés de l'équilibre*, Les Éditions Logiques, 1994).

Dans la grille qui suit, indiquez ce vous avez ressenti pour chaque symptôme durant **le dernier mois :**

- ◯ 0 vous ne l'avez pas du tout ressenti.
- ◯ 1 vous l'avez ressenti un peu ou rarement.
- ◯ 2 vous l'avez ressenti modérément ou assez souvent.
- ◯ 3 vous l'avez ressenti souvent ou continuellement.

Remarque : Les énoncés suivis d'un astérisque indiquent des manifestations d'un état de stress désirable, que nous appelons équilibre. Vous devez y répondre de la même manière que pour les autres symptômes.

Symptômes physiques

Symptômes de tension musculaire

0	1	2	3	
◯	◯	◯	◯	Mes muscles sont plutôt détendus*.
◯	◯	◯	◯	J'ai le visage tendu (mâchoires serrées, front crispé, etc.).
◯	◯	◯	◯	J'ai des tensions dans la nuque ou dans le cou.
◯	◯	◯	◯	Je sens de la pression sur mes épaules.
◯	◯	◯	◯	Je suis crispé (poings serrés, tendance à sursauter, etc.).
◯	◯	◯	◯	Je sens un point entre les omoplates.
◯	◯	◯	◯	J'ai des maux de tête tensionnels (dus à la tension musculaire).
◯	◯	◯	◯	J'ai des maux de dos.
◯	◯	◯	◯	J'ai des tremblements.
◯	◯	◯	◯	J'ai continuellement besoin de bouger.
◯	◯	◯	◯	J'ai de la difficulté à me détendre.

Autres symptômes physiques

	0	1	2	3	
	○	○	○	○	Je suis en parfaite santé*.
	○	○	○	○	Je me sens fatigué.
	○	○	○	○	J'ai une boule dans l'estomac.
	○	○	○	○	J'ai une boule dans la gorge.
	○	○	○	○	J'ai les yeux cernés.
	○	○	○	○	Je dors mal ou je prends des médicaments pour dormir.
	○	○	○	○	Je mange plus (ou moins) que d'habitude.
	○	○	○	○	J'ai des bouffées de chaleur ou des frissons.
	○	○	○	○	J'ai des palpitations.
	○	○	○	○	J'ai souvent froid aux mains ou aux pieds.
	○	○	○	○	Je transpire, j'ai les mains moites.
	○	○	○	○	J'ai le souffle court ou de la difficulté à respirer profondément.
	○	○	○	○	Je digère mal.
	○	○	○	○	J'ai des brûlures d'estomac.
	○	○	○	○	J'ai de la constipation ou de la diarrhée.
	○	○	○	○	J'ai des nausées.
	○	○	○	○	Mon cycle menstruel est changé.

Symptômes psychologiques

Symptômes associés aux émotions

	0	1	2	3	
	○	○	○	○	Je ressens de la joie*.
	○	○	○	○	Je m'inquiète pour un rien.
	○	○	○	○	Je panique.
	○	○	○	○	Je manque de patience.
	○	○	○	○	Je suis à fleur de peau.
	○	○	○	○	Je me sens frustré.
	○	○	○	○	Je change d'humeur pour un rien.
	○	○	○	○	Je fais des colères pour un rien.
	○	○	○	○	Je suis de mauvaise humeur.
	○	○	○	○	Je suis triste.
	○	○	○	○	Je suis déprimé.

Symptômes associés à la perception des choses

0 1 2 3

○ ○ ○ ○ Je trouve la vie agréable*.
○ ○ ○ ○ Je n'ai plus le sens de l'humour.
○ ○ ○ ○ Je me sens pressé ou débordé.
○ ○ ○ ○ Je ne retire pas de plaisir des petites choses de la vie.
○ ○ ○ ○ Je suis préoccupé.
○ ○ ○ ○ Tout me semble être une montagne.
○ ○ ○ ○ Dès que je vois quelqu'un, je crains qu'il ait quelque chose à me demander.
○ ○ ○ ○ J'ai perdu confiance en moi.
○ ○ ○ ○ Je fais des drames pour un rien.
○ ○ ○ ○ J'ai une attitude négative, je prends tout mal.
○ ○ ○ ○ Je pense que je ne vaux pas grand-chose ou que je ne fais jamais rien de bon.

Symptômes associés à la motivation

0 1 2 3

○ ○ ○ ○ Je suis motivé par mes projets*.
○ ○ ○ ○ Je fais passer mes tâches avant tout.
○ ○ ○ ○ Je ne sais pas ce que je veux.
○ ○ ○ ○ Je manque d'enthousiasme.
○ ○ ○ ○ Je n'ai pas le goût de faire quoi que ce soit.
○ ○ ○ ○ J'ai de la difficulté à me mettre à la tâche, je remets tout au lendemain.
○ ○ ○ ○ J'ai perdu mon désir d'apprendre, de m'instruire.
○ ○ ○ ○ Je suis découragé.

Symptômes associés aux comportements

0 1 2 3

○ ○ ○ ○ J'agis le plus souvent de façon saine et appropriée*.
○ ○ ○ ○ J'ai des comportements brusques, je laisse tout échapper, je suis maladroit.
○ ○ ○ ○ Je fais tout vite (manger, marcher, bouger, travailler, etc.).
○ ○ ○ ○ Je tape du pied, des doigts, je me mords l'intérieur de la bouche.
○ ○ ○ ○ Je me ronge les ongles, je ris nerveusement, etc.
○ ○ ○ ○ Je me préoccupe constamment de l'heure qu'il est.
○ ○ ○ ○ Je saute des repas.
○ ○ ○ ○ Je fais de plus en plus d'efforts pour de moins en moins de résultats.
○ ○ ○ ○ Je fuis tout ce que je peux fuir.
○ ○ ○ ○ Je bois davantage de café ou d'alcool, ou je fume davantage.
○ ○ ○ ○ Je prends des médicaments pour les nerfs.
○ ○ ○ ○ Je prends de la drogue.

Symptômes associés à la dimension intellectuelle

0   1   2   3

○   ○   ○   ○   Je me sens en pleine possession de toutes mes facultés intellectuelles*.
○   ○   ○   ○   Je consacre beaucoup de temps aux divertissements faciles (télé, potins, jeux faciles, etc.).
○   ○   ○   ○   J'ai un tourbillon d'idées dans la tête.
○   ○   ○   ○   J'ai les idées confuses.
○   ○   ○   ○   J'ai des idées fixes.
○   ○   ○   ○   Je rumine les mêmes choses, je tourne en rond, sans trouver d'issue.
○   ○   ○   ○   J'ai de la difficulté à me concentrer.
○   ○   ○   ○   J'ai des troubles de mémoire.
○   ○   ○   ○   Je ne produis rien au plan intellectuel.
○   ○   ○   ○   Je trouve que tout est trop compliqué.
○   ○   ○   ○   J'ai la tête vide.

Symptômes associés à mes relations avec les autres

0   1   2   3

○   ○   ○   ○   Je me sens bien avec les autres et je me sens bien seul*.
○   ○   ○   ○   J'ai peur de rencontrer de nouvelles personnes.
○   ○   ○   ○   Je suis intolérant.
○   ○   ○   ○   J'éprouve beaucoup de ressentiment.
○   ○   ○   ○   Je fais constamment preuve d'agressivité.
○   ○   ○   ○   J'ai de la difficulté à être aimable.
○   ○   ○   ○   J'ai moins le goût d'écouter les autres.
○   ○   ○   ○   Je fuis les relations intimes.
○   ○   ○   ○   Je suis distrait quand je suis en compagnie d'autres personnes.
○   ○   ○   ○   Je m'isole.

Symptômes associés à l'existence

0   1   2   3

○   ○   ○   ○   Je trouve que la vie est belle*.
○   ○   ○   ○   Je me sens inutile.
○   ○   ○   ○   Je ne sais plus à quelles valeurs me raccrocher.
○   ○   ○   ○   Ma vie spirituelle a changé.
○   ○   ○   ○   J'ai l'impression que quelque chose en moi est brisé.
○   ○   ○   ○   J'ai l'impression de ne plus me reconnaître.
○   ○   ○   ○   Je suis au bout du rouleau.
○   ○   ○   ○   J'ai un sentiment de vide.
○   ○   ○   ○   Je pense que la vie n'a pas de sens.
○   ○   ○   ○   Je suis désespéré.
○   ○   ○   ○   J'ai des idées suicidaires.

Que signifient vos choix?

Ce questionnaire doit vous aider à prendre conscience de l'ensemble des manifestations de votre tension actuelle. Selon leur nombre, leur nature et leur intensité, vos symptômes vous montrent que vous êtes en équilibre (la vie est belle, je me sens bien avec les autres, etc.) ou en déséquilibre (je suis découragé, je ressens de la fatigue, etc.).

Selon qu'on est ou non en équilibre, on aura plus ou moins de symptômes de stress, qui seront plus ou moins intenses (il est moins grave d'avoir quelques pertes de mémoire que d'oublier tout) et qui révéleront un déséquilibre plus ou moins grand (il est plus grave d'avoir des idées suicidaires que de regarder souvent l'heure).

L'objectif est de déterminer votre état de tension actuel. Observer est une première étape. Une fois qu'on connaît mieux son niveau de stress, on peut travailler pour y remédier.

1. La nature des symptômes

Votre niveau de stress est très élevé si vous avez coché 2 ou 3 pour l'un ou l'autre des symptômes suivants : je panique, je suis à fleur de peau, je suis déprimé, je m'isole, j'ai perdu le désir d'apprendre, je fuis tout ce que je peux fuir, j'ai un sentiment de vide, je n'ai plus le goût de rien faire, je fais de plus en plus d'efforts pour de moins en moins de résultat, j'ai l'impression de ne plus me reconnaître, j'ai l'impression que quelque chose en moi est brisé, je suis désespéré, je suis au bout du rouleau et j'ai des idées suicidaires. Si vous êtes dans ce cas, il est conseillé d'aller chercher de l'aide auprès d'un professionnel.

2. L'intensité des symptômes

Les symptômes de stress vont ensemble. Si vous avez coché des 2 ou des 3 dans au moins cinq des huit catégories, vous êtes trop stressé et vous gagneriez à effectuer certains changements pour vivre mieux.

3. Le nombre de symptômes

Il n'y a pas un nombre de symptômes en deçà duquel tout va bien, ni un nombre au-delà duquel tout va mal. Cela dit, si vous ressentez modérément ou souvent plus d'une quinzaine de symptômes (2 ou 3), vous avez sans doute intérêt à essayer de réduire votre tension. Si vous en avez coché quarante ou plus, vous pouvez difficilement vous cacher que ça va mal.

4. Les indices d'équilibre

Chaque catégorie de symptômes commence par un indice suivi d'un astérisque. Ces symptômes révèlent un état d'équilibre et sont aussi importants que les autres. Ainsi, si vous trouvez que la vie est belle, si vous avez projets et de l'énergie, si vous vous sentez bien seul et avec les autres, vous êtes probablement près de l'équilibre, même si vous avez occasionnellement des maux de tête et parfois de la difficulté à vous concentrer.

Reprendre régulièrement le questionnaire

Vos réponses vous indiquent votre état de tension actuel. Dans quelques mois, selon les changements que vous aurez effectués (par exemple ceux adoptés dans le bilan 4.3) et selon les nouveaux événements qui auront marqué votre vie, votre état de tension pourrait avoir changé pour le mieux. C'est pourquoi il est utile de noter la date à laquelle vous avez rempli le questionnaire, de conserver vos résultats et d'y répondre de nouveau dans quelques mois, et ainsi de suite, périodiquement.

BILAN 4.2

Votre niveau de stress

Ce bilan vous aidera à déterminer votre niveau de stress, ainsi que la manière dont vous vous y prenez pour le maintenir à un niveau qui ne nuit pas à votre santé.

Pour chacun des énoncés suivants, indiquez, sur une échelle de 0 (jamais) à 5 (toujours), le résultat qui reflète le mieux votre situation en général, **au cours des six derniers mois.**

A. Mon niveau de stress

Mes sources de stress

1. J'ai vécu des événements importants, heureux ou malheureux (par exemple deuil, naissance, divorce de mes parents, mariage, échec scolaire, maladie importante, congédiement, etc.).

   jamais 0 1 2 3 4 5 toujours
   ○ ○ ○ ○ ○ ○

2. Je vis des irritants ou des situations pressantes (par exemple embouteillage, imprévus, commérage, échéances brèves, double tâche maison-travail, éducation des enfants, soins à des parents âgés, manque de temps pour soi, etc.).

   jamais 0 1 2 3 4 5 toujours
   ○ ○ ○ ○ ○ ○

3. Je manque de défis ou je souffre d'ennui, de solitude et d'isolement.

jamais 0 1 2 3 4 5 toujours

4. J'ai l'impression de ne pas contrôler suffisamment ma vie en général.

jamais 0 1 2 3 4 5 toujours

5. J'ai tendance à voir les choses en noir.

jamais 0 1 2 3 4 5 toujours

6. Je suis préoccupé par mes résultats scolaires et mon choix de carrière.

jamais 0 1 2 3 4 5 toujours

7. Ma situation financière me préoccupe.

jamais 0 1 2 3 4 5 toujours

Mes signaux

8. J'éprouve des manifestations physiques qui me semblent associées au stress (par exemple troubles du sommeil, fatigue générale, maux de dos, maux de tête, troubles digestifs, etc.).

jamais 0 1 2 3 4 5 toujours

9. J'observe des changements dans mes habitudes de vie qui me semblent associés au stress (par exemple augmentation ou diminution de l'appétit, augmentation de ma consommation de tabac, d'alcool, de drogues ou de médicaments, absences répétées au travail, fuite des responsabilités, difficultés sexuelles, etc.).

jamais 0 1 2 3 4 5 toujours

10. Je ressens des manifestations psychologiques qui me semblent associées au stress (par exemple inquiétudes sans fondement, humeur instable, relations plus difficiles avec l'entourage et même propos ou gestes agressifs, difficulté à prendre des décisions, manque de concentration, etc.).

jamais 0 1 2 3 4 5 toujours

Additionnez les points obtenus aux numéros 1 à 10.

Mon niveau de stress : **Total A :** _____

B. Mes outils pour gérer mon stress

Ma façon de réagir

11. Je change les situations que je peux changer et j'accepte celles que je ne peux pas changer.

    jamais 0 1 2 3 4 5 toujours

12. Je sais voir le bon côté des choses et j'ai un bon sens de l'humour.

    jamais 0 1 2 3 4 5 toujours

Ma façon de communiquer

13. Je réussis à exprimer mes besoins et mes émotions tout en respectant ceux des autres.

    jamais 0 1 2 3 4 5 toujours

14. En cas de situation difficile, je cherche à inventer des solutions

    jamais 0 1 2 3 4 5 toujours

15. Je peux compter sur quelqu'un en cas de difficulté.

    jamais 0 1 2 3 4 5 toujours

16. Je consulterais un professionnel de la santé si j'en ressentais le besoin.

    jamais 0 1 2 3 4 5 toujours

Ma façon d'organiser mon temps

17. Même en période d'activité intense, je réussis à me « débrancher », à me changer les idées.

    jamais 0 1 2 3 4 5 toujours

18. Je prends plaisir à des loisirs ou à des activités simples sans avoir l'impression de perdre mon temps.

    jamais 0 1 2 3 4 5 toujours

19. Je fais régulièrement des activités physiques ou je recours à des techniques de détente.

    jamais 0 1 2 3 4 5 toujours

20. Je suis capable de faire la part des choses et de répartir mon temps entre ma vie personnelle, ma vie sociale et mes études.

    jamais 0 1 2 3 4 5 toujours

Additionnez les points obtenus aux numéros 11 à 20.

Mes outils pour gérer mon stress : **Total B :** _____

Maintenez-vous un bon équilibre ?

Comparez votre Total B et votre Total A, puis cochez l'énoncé qui correspond à votre situation.

○ Mon Total B est **beaucoup plus grand** que mon Total A.

Félicitations ! Vous possédez beaucoup d'outils pour maintenir votre équilibre.

○ Mon Total B est **plus grand** que mon Total A.

Bravo ! Vous possédez un bon nombre d'outils pour maintenir votre équilibre.

○ Mon Total B est **égal ou presque égal** à mon Total A.

Prudence ! Vous possédez un certain nombre d'outils, mais vous gagneriez à en développer davantage pour maintenir votre équilibre.

○ Mon Total B est **plus petit** que mon Total A.

Attention ! Vous devriez vous appliquer à développer de nouveaux outils pour gérer votre stress et améliorer votre équilibre.

○ Mon Total B est **beaucoup plus petit** que mon Total A.

Réagissez ! Vous devez apprendre à développer des outils pour gérer votre stress et améliorer votre équilibre.

Tiré de Fondation des maladies mentales. www.fmm-mif.ca

BILAN 4.3

Votre engagement en matière de stress

Maintenant que vous avez fait le point sur votre niveau de stress, vous pouvez vous poser la question suivante : que suis-je prêt à faire pour maintenir mon niveau de stress actuel, s'il est faible ou modéré, ou pour le faire baisser, s'il est élevé ?

Cochez dans le tableau qui suit les engagements que vous souhaitez prendre ; dans un mois, vous cocherez ceux que vous aurez respectés.

Je m'engage à...	Je vais le faire dès maintenant.	Après un mois, je tiens toujours le coup...		Après trois mois, je persiste et signe.	
mettre le doigt sur ce qui me stresse.	Date :	○	Oui	○	Oui
		○	Non	○	Non
éviter autant que possible les situations, les événements et les individus qui me stressent.	Date :	○	Oui	○	Oui
		○	Non	○	Non
dédramatiser les situations stressantes.	Date :	○	Oui	○	Oui
		○	Non	○	Non
être plus optimiste.	Date :	○	Oui	○	Oui
		○	Non	○	Non
améliorer la qualité de mon sommeil (voir p. 100).	Date :	○	Oui	○	Oui
		○	Non	○	Non
utiliser, au besoin, une technique de relaxation pour me détendre.	Date :	○	Oui	○	Oui
		○	Non	○	Non
effectuer l'activité suivante :	Date :	○	Oui	○	Oui
		○	Non	○	Non

_____

1. Au total, vous avez pris _____ engagement(s) et vous en avez respecté _____.

2. Le cas échéant, indiquez pour quelle raison vous n'avez pas respecté certains de vos engagements.

   ○ J'ai manqué de temps.
   ○ J'ai manqué de motivation.
   ○ Je n'étais pas aussi prêt à passer à l'action que je le pensais.
   ○ Il aurait fallu que je ne sois pas seul dans ma démarche.
   ○ Autre(s) raison(s) : _____

3. Finalement, croyez-vous être capable de gérer votre stress efficacement ? Expliquez brièvement votre réponse.

   _____
   _____
   _____
   _____
   _____
   _____

Le tabac et l'alcool : dépendant ou pas ?

chapitre 5

Objectifs

○ Connaître les méfaits du tabagisme et de l'abus d'alcool sur
la santé.

○ Connaître les moyens à prendre
pour cesser de fumer et pour
éviter l'abus d'alcool.

○ Faire le bilan de votre dépendance à la nicotine et à l'alcool.

○ Prendre des engagements
fermes en matière de dépendance au tabac et à l'alcool.

Ce chapitre est consacré aux deux dépendances les plus répandues sur la planète : le tabagisme et l'abus d'alcool. À elles seules, ces deux habitudes tuent des millions de personnes chaque année. Au Québec seulement, elles coûtent des milliards de dollars en soins de santé et en journées de travail perdues, sans parler des coûts sociaux considérables qu'elles entraînent. Nous nous intéresserons tout d'abord au premier de ces deux « tueurs en série », celui qui cause le plus de morts sur la planète : le tabagisme – une habitude nocive très répandue et qui continue de se répandre.

> Nos habitudes commencent par des plaisirs dont nous n'avons pas besoin et se terminent par des nécessités dans lesquelles nous ne trouvons aucun plaisir.
>
> Thomas McKeown

Le tabagisme :
la plus mortelle des dépendances

Vous ne fumez pas ? Tant mieux ! Mais si vous fumez, cette première partie du chapitre 5 vous concerne au plus haut point. Après tout, cette habitude inventée de toutes pièces par l'industrie du tabac il n'y a même pas 100 ans tue, bon an mal an, 4 millions de personnes. Imaginez un peu : c'est comme si 50 % de la population du Québec disparaissait en un an (tableau 5.1) ! De plus, avant de mourir pour de bon, le fumeur meurt à petit feu : sa santé et sa qualité de vie se détériorent (figure 5.1).

tableau 5.1 Une hécatombe silencieuse !

La cigarette...	C'est comme si...
tue plus de 4 millions de fumeurs chaque année.	50 % de la population du Québec mourait en un an.
a tué plus de 32 millions de fumeurs en 10 ans.	100 % de la population du Canada avait été décimée en une décennie.
a tué plus de 50 millions de fumeurs en 25 ans.	90 % de la population de la France avait disparu en un quart de siècle.

Statistiques tirées de « L'atlas de l'OMS dresse la carte de l'épidémie mondiale de tabagisme », site Internet de l'Organisation mondiale de la santé, http://www.who.int/mediacentre/releases/pr82/fr/

Fait inquiétant, si le tabagisme a diminué chez les plus de 30 ans, il a augmenté chez les moins de 20 ans. Plus grave encore, **on fume de plus en plus tôt.** Aujourd'hui, il n'est pas rare de voir des jeunes de moins de 12 ans qui fument déjà plusieurs cigarettes par jour. S'ils continuent à fumer, leur santé s'en ressentira dès le début de la trentaine, comme on l'observe chez les personnes qui ont commencé à fumer en bas âge.

Cela dit, l'objectif visé ici n'est pas d'insister sur ce que vous savez probablement déjà, à savoir que le tabac est nuisible pour la santé, mais plutôt de renforcer votre désir d'arrêter de fumer si vous êtes

figure 5.1 Portrait d'un tueur en série : le tabac

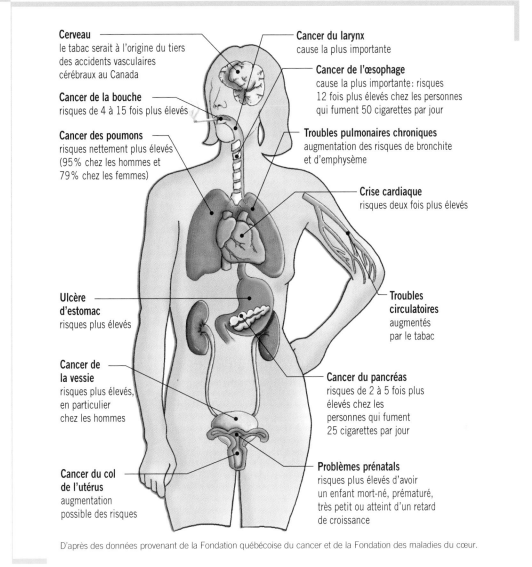

Cerveau
le tabac serait à l'origine du tiers des accidents vasculaires cérébraux au Canada

Cancer de la bouche
risques de 4 à 15 fois plus élevés

Cancer des poumons
risques nettement plus élevés (95 % chez les hommes et 79 % chez les femmes)

Ulcère d'estomac
risques plus élevés

Cancer de la vessie
risques plus élevés, en particulier chez les hommes

Cancer du col de l'utérus
augmentation possible des risques

Cancer du larynx
cause la plus importante

Cancer de l'œsophage
cause la plus importante : risques 12 fois plus élevés chez les personnes qui fument 50 cigarettes par jour

Troubles pulmonaires chroniques
augmentation des risques de bronchite et d'emphysème

Crise cardiaque
risques deux fois plus élevés

Troubles circulatoires
augmentés par le tabac

Cancer du pancréas
risques de 2 à 5 fois plus élevés chez les personnes qui fument 25 cigarettes par jour

Problèmes prénatals
risques plus élevés d'avoir un enfant mort-né, prématuré, très petit ou atteint d'un retard de croissance

D'après des données provenant de la Fondation québécoise du cancer et de la Fondation des maladies du cœur.

fumeur. Si vous voulez écraser votre dernière cigarette, comme le souhaitent 90 % des fumeurs, vous savez mieux que quiconque que ce n'est pas chose facile.

Pourquoi est-il si difficile d'arrêter de fumer ? Parce que la nicotine contenue dans le tabac crée une **dépendance physiologique**, comme la cocaïne et l'héroïne. Cette dépendance apparaît dès les premières bouffées : il suffit de fumer quelques cigarettes pour en devenir dépendant. Si l'habitude persiste, ce qui est souvent le cas, la dépendance physiologique se double d'une **dépendance psychologique**. Fumer est alors associé à des moments agréables ou devient un moyen de supporter le stress. On fume :

- le matin en commençant la journée
- pendant la pause au travail, pour accompagner son café

- après le souper, pour se détendre
- après une dispute ou une colère, pour se calmer
- avant un examen ou une entrevue, pour se détendre
- au bar, pour se donner meilleure contenance
- dans un embouteillage, pour passer le temps
- quand on s'ennuie
- quand on a envie de se récompenser
- etc.

Bref, dès qu'on est devenu un vrai « nicotinomane », tous les prétextes sont bons pour s'en griller une.

Pour en finir avec le tabac

Il n'est donc pas facile de se défaire d'une telle habitude. D'ailleurs, des milliers d'ex-fumeurs ont fait plusieurs rechutes avant d'arrêter pour de bon. Néanmoins, chaque jour, des centaines y arrivent. Il ne tient qu'à vous d'en faire autant. Aujourd'hui, vous avez le choix : soit éteindre votre dernière cigarette, soit allumer la dix millième, au mépris de votre santé. Mais si vous êtes décidé à rompre avec cette habitude, tenez compte des conseils suivants.

Évaluez d'abord votre degré de dépendance. Vous trouverez à la fin de ce chapitre (p. 137) un test qui vous permettra d'évaluer à quel point vous êtes accro au tabac. Votre degré de dépendance à la nicotine vous donnera une idée du degré de difficulté que vous rencontrerez lorsque vous tenterez d'arrêter de fumer.

Demandez-vous quand et pourquoi vous fumez. Posez-vous cette question chaque fois que vous allumez une cigarette et notez vos réponses. Celles-ci vous permettront de connaître les situations qui déclenchent chez vous l'envie de fumer. Libre à vous ensuite de les éviter. Vous trouverez à la fin de ce chapitre (p. 138) un formulaire qui vous aidera à faire ce bilan. Il est tout simple, mais il révélera très efficacement ce qui vous pousse à fumer et les satisfactions que vous en retirez.

N'attendez pas la méthode miracle pour passer à l'action. Beaucoup de fumeurs remettent à plus tard leur décision en espérant qu'une méthode miracle viendra un jour faire le travail à leur place. Ne vous faites pas d'illusions : c'est impossible. La plupart des ex-fumeurs ont abandonné la cigarette sans l'aide d'une méthode particulière. La première condition pour arrêter de fumer est d'en prendre la décision. Le reste suivra, même si cela risque d'être difficile.

Prenez la décision au bon moment. Entreprendre de devenir non-fumeur en période de grand stress ou de déprime, c'est courir à l'échec. Mieux vaut prendre cette décision quand tout va plutôt bien dans votre vie. Par exemple, nombreux sont ceux qui décident de passer à l'acte

ZOOM

5.1 Quelques conseils pour
cesser de fumer... en douceur !

Les cigarettes les plus faciles à supprimer sont celles dont vous n'avez pas besoin. Avant d'allumer une cigarette, réfléchissez et posez-vous la question : « Dois-je vraiment fumer cette cigarette ? » Si la réponse est « non », ne la fumez pas. Vous pourrez alors vous dire : « Je commence à contrôler ma consommation de cigarettes. »

Pour mieux contrôler la situation, retardez graduellement le moment de la prochaine cigarette. Lorsque vous avez envie de fumer, faites autre chose ou dirigez votre pensée vers un autre objet.

Essayez de retarder le moment où vous fumez votre première cigarette de la journée ou éliminez certaines cigarettes à divers autres moments, comme à la pause de l'après-midi ou après le dîner.

Vous pouvez aussi diminuer votre consommation de cigarettes en ne fumant qu'une demi-cigarette à la fois. Commencez par tracer une ligne au milieu de vos cigarettes, puis arrêtez-vous de les fumer lorsque vous atteignez cette ligne. Jetez ensuite vos mégots. La prochaine fois que vous ressentirez le besoin de fumer, prenez une autre cigarette.

Enfin, si vous décidez de diminuer le nombre de cigarettes que vous fumez, n'essayez pas de compenser en couvrant les trous d'air au bout du filtre ou en inhalant plus profondément la fumée.

Sur la voie de la réussite – Coupez la quantité que vous fumez, Santé Canada, 2002 © Adapté et reproduit avec la permission du Ministre des Travaux publics et Services gouvernementaux Canada, 2003.
http://www.hc-sc.gc.ca/hecs-sesc/tabac/cesser/en_route/evaluation/unit3/14.html

pendant leurs vacances ou encore pour faire plaisir à leur nouvel amoureux. Mettez toutes les chances de votre côté.

Si vous ne pouvez arrêter d'un coup, réduisez du moins votre consommation. Les recherches ont démontré que ceux qui ne peuvent pas – ou ne veulent pas – arrêter de fumer sont toutefois capables de réduire leur consommation de cigarettes. Ainsi, vous pouvez cesser de fumer graduellement en réduisant d'abord la quantité de cigarettes que vous fumez chaque jour. En diminuant votre consommation, vous aurez une idée de ce que sera votre vie sans tabac. Il est toujours plus facile de s'attaquer à un problème en réglant un à un chacun de ses aspects, plutôt qu'en le prenant dans sa globalité : petit à petit, l'oiseau fait son nid (zoom 5.1).

Faites de l'exercice. L'activité physique est une saine façon d'occuper son temps tout en améliorant sa santé (zoom 5.2). Reprendre l'activité physique a d'ailleurs incité plus d'un fumeur à abandonner la cigarette ou du moins à réduire sa consommation (p. 126). En cessant de fumer, vous augmenterez votre capacité aérobique de 5 à 7 %, et ce, en moins de 48 heures. Ce résultat rapide peut être très motivant.

Surveillez votre alimentation.   Il est fréquent de prendre quelques kilos quand on cesse de fumer. La raison en est fort simple : non seulement la cigarette tient la bouche et les doigts occupés, mais elle coupe aussi l'appétit. En arrêtant de fumer, on est donc porté à remplacer la pause-cigarette par une pause-bouffe. De plus, le métabolisme ralentit un peu dans les premières semaines de sevrage, ce qui facilite l'accumulation des calories, comme on l'a déjà vu. Pendant les deux premiers mois de sevrage, vous aurez donc intérêt à surveiller votre alimentation. Et n'oubliez pas ce bon vieux truc : buvez de l'eau quand l'envie de manger (ou de fumer) vous prend, histoire d'apaiser votre estomac.

Ne tentez pas le diable !   Fuyez les lieux, les occasions et les gens qui pourraient vous inciter à fumer. Il est déjà assez difficile de tenir le coup. Alors, inutile de mettre le nez dans la fumée des autres !

Rappelez-vous que les bénéfices viendront rapidement.   Dès les premières heures qui suivront l'abandon de cette habitude mortelle, vous vous sentirez mieux. Et, en peu de temps, votre santé reprendra du poil de la bête (zoom 5.3).

ZOOM

5.2 Le coup de pouce particulier
de l'exercice

Plusieurs études ont démontré que l'exercice pouvait vous aider à écraser tout en conservant, en prime, votre poids corporel et, surtout, en obtenant un cœur, des artères et des poumons en meilleure santé ? Une première étude[1] des Centers for Disease Control and Prevention aux États-Unis, menée auprès d'anciens fumeurs, rapporte que 81 % des hommes et 75 % des femmes ont abandonné la cigarette après avoir commencé à faire régulièrement du jogging. Une seconde étude[2], menée auprès de 132 marathoniens ex-fumeurs, montre qu'environ les deux tiers ont affirmé que la course de longue distance les avait aidés à abandonner le tabac.

Dans une troisième étude[3], on a demandé à 281 fumeuses de suivre un programme d'abandon de la cigarette. De ce nombre, la moitié faisaient en plus un programme d'exercice qui consistait en trois séances de 50 minutes d'exercices aérobiques par semaine pendant 12 semaines. La figure ci-contre

1. Marti, B., T. Abelin, C.E. Minder, *et al.* Smoking, alcohol, consumption, and endurance capacity : an analysis of 6 500 19 year-old conscripts and 4 100 joggers. *Preventive Medicine 17*: 79-92, 1988.
2. Blair, S.N., N.N. Goodyear, K.L. Wynne, *et al.* Comparison of dietary and smoking habit changes in physical fitness improvers and nonimprovers. *Preventive Medicine 13*: 411-420, 1984.
3. Bess H. Marcus, Anna E. Albrecht, Teresa K. King, Alfred F. Parisi, Bernardine M. Pinto, Mary Roberts, Raymond S. Niaura, and David B. Abrams. The Efficacy of Exercise as an Aid for Smoking Cessation in Women : A Randomized Controlled Trial. *Archives of Internal Medicine*, June 1999 ; 159 :1229-1234.

montre les résultats de cette étude. On constate que les femmes ayant combiné exercice et programme d'abandon ont été deux fois plus nombreuses à cesser de fumer comparativement à celles qui ne suivaient que le programme théorique. En plus, les femmes du groupe-exercice ont amélioré leur capacité pulmonaire et cardiovasculaire sans pour autant présenter le gain de poids corporel qu'on observe fréquemment chez les personnes qui arrêtent de fumer. Une quatrième étude[4] menée auprès de 18 femmes montre que les femmes du groupe qui suivait un programme d'exercice pendant la période de sevrage ne mangeaient pas plus qu'avant. Par contre, celles du groupe qui ne faisait aucun exercice pendant cette période avaient pris du poids.

Soulignons un autre effet intéressant de l'exercice en tant que méthode pour cesser de fumer : il permet de mieux contrôler le stress. Quand ils se sentent stressés, bien des fumeurs prennent une cigarette pour se relaxer. Or, quelques heures après avoir cessé de fumer, les premiers symptômes de la privation de nicotine apparaissent déjà : irritabilité, frustration, angoisse, difficulté à se concentrer, sommeil perturbé... Ces symptômes, qui varient en intensité d'un ex-fumeur à un autre, peuvent durer quelques semaines. C'est au cours de cette période difficile que l'exercice peut vous aider à tenir le coup. Pratiquée régulièrement, l'activité physique est un relaxant naturel qui atténue les symptômes dus à la privation de

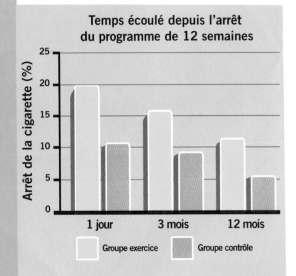

nicotine. Le fait que beaucoup d'ex-fumeurs ont écrasé après avoir commencé à faire de l'exercice est d'ailleurs très significatif. Un conseil toutefois. Pour profiter pleinement du coup de pouce de l'exercice, commencez à en faire quelques semaines (trois ou quatre) avant le jour J, soit celui que vous avez choisi pour arrêter de fumer.

En somme, l'exercice a une double fonction : il peut soit vous garder dans le clan des non-fumeurs (on sait que les personnes actives physiquement fument beaucoup moins que celles qui sont plus sédentaires), soit vous aider à devenir un ex-fumeur.

Résistez à la tentation d'en griller une « juste pour voir ». Si vous cédiez à cette tentation, vous risqueriez la rechute, et ce, quel que soit le temps qui s'est écoulé depuis que vous avez cessé de fumer — 1 mois ou 5 ans...

Au besoin, faites-vous aider. Si vous vous sentez incapable d'y arriver seul, contactez des organismes voués à la lutte contre le tabagisme. Vous y trouverez des spécialistes et de la documentation qui vous aideront à tenir bon. Voici quelques organismes utiles : l'Association pulmonaire du Québec (qui fournit une trousse individuelle antitabac), la Société canadienne du cancer, le centre Vivre mieux sans fumée, la Gang allumée du Conseil québécois sur le tabac et la santé, le programme Vie 100 fumer, les YMCA, les CLSC et certains hôpitaux comme le Centre thoracique de Montréal. Tous ces organismes sont en mesure de vous aider. Consultez aussi la rubrique **Pour en savoir plus** à la fin de ce chapitre.

4. Niura R., B. Marcus, A. Albrecht, P. Thompson et D. Abrams. Exercise, smoking cessation, and short-term changes in serum lipids in women : a preliminary investigation. *Medicine and Science in Sports and Exercise*, 30(90), p. 1414-1418. 1998.

ZOOM

5.3 Ce qui va **changer...**

Dès les premiers jours, vous aurez une meilleure haleine, vos vêtements et vos cheveux ne sentiront plus la fumée, votre odorat s'améliorera, votre sommeil sera plus profond (la nicotine perturbe le sommeil) et vous tousserez moins. Après une semaine, votre sang sera déjà de 5 à 10 % plus riche en oxygène. Après un an, votre décision vous aura fait économiser au bas mot 3 000 dollars (si vous fumiez un paquet par jour). De plus, quels que soient votre âge et le nombre d'années durant lesquelles vous avez fumé, l'abandon de la cigarette fera diminuer, dès la première année, vos risques de crise cardiaque et de cancer du poumon. Dix ans après avoir complètement arrêté de fumer, ces risques ne seront pas plus élevés que si vous n'aviez jamais fumé. Si vous êtes enceinte et que vous cessez de fumer à partir du quatrième mois de grossesse, votre bébé sera plus gros et aura moins de risques d'être prématuré que si vous continuez à fumer.

L'alcool:
quand la coupe déborde

C'est connu, l'alcool améliore l'humeur, rend plus sociable et accentue le plaisir sensoriel. Pourquoi ? Parce qu'il agit sur le cerveau limbique, la partie du cerveau qui gère les émotions. Consommé modérément, l'alcool est bénéfique pour la santé. Il nous aide à nous détendre en relâchant nos muscles. Il nous protège contre les maladies cardiaques en augmentant le taux de bon cholestérol dans le sang et en rendant le sang plus liquide (il a un effet anticoagulant). Par son action sur le taux de sucre, il ferait aussi diminuer les risques de diabète de type 2 et de dégénérescence maculaire (une maladie de l'œil pouvant entraîner la perte de la vue).

Hélas! Le hic avec l'alcool, c'est justement quand on fait : « Hic ! » Consommé au-delà d'une certaine quantité (figure 5.2), l'alcool perturbe le jugement, diminue la coordination, ralentit le temps de réaction et rend téméraire. Prendre le volant en ayant trop bu augmente de 40 % les risques d'avoir un accident de la route, et si celui-ci se produit, il est souvent mortel. Dans les pays industrialisés, la consommation excessive d'alcool est responsable de la moitié des décès résultant d'un accident de la route. Et, parmi ces décès, on compte les personnes sobres, qui ont eu la malchance de se trouver dans la même voiture que le conducteur ivre ou qui ont été heurtées par cette voiture.

Conséquence de cette hécatombe routière : conduire en ayant un certain taux d'alcool dans le sang est maintenant considéré comme un acte criminel. Au Québec, la loi qui interdit strictement la conduite avec facultés affaiblies fixe l'**alcoolémie** tolérée au volant à 80 mg d'alcool par 100 mL de sang (0,08) et à 0 mg dans le cas d'un permis probatoire. Beaucoup de personnes atteignent le taux de 0,08 en 1 heure, après seulement deux consommations. Une **consommation** est l'équivalent d'un verre de bière (340 mL ou 12 oz), d'un verre de vin (125 mL ou 4,5 oz) ou d'un verre de spiritueux (40 mL ou 1,5 oz). Il n'est donc pas nécessaire d'avoir « beaucoup bu » pour conduire en toute illégalité (tableau 5.2).

figure 5.2 Quand la coupe est pleine !

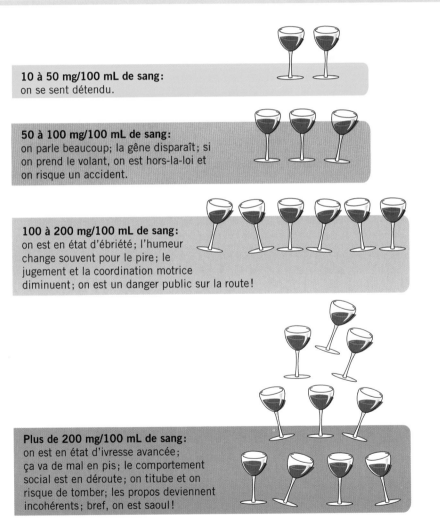

10 à 50 mg/100 mL de sang :
on se sent détendu.

50 à 100 mg/100 mL de sang :
on parle beaucoup ; la gêne disparaît ; si on prend le volant, on est hors-la-loi et on risque un accident.

100 à 200 mg/100 mL de sang :
on est en état d'ébriété ; l'humeur change souvent pour le pire ; le jugement et la coordination motrice diminuent ; on est un danger public sur la route !

Plus de 200 mg/100 mL de sang :
on est en état d'ivresse avancée ; ça va de mal en pis ; le comportement social est en déroute ; on titube et on risque de tomber ; les propos deviennent incohérents ; bref, on est saoul !

D'après des données provenant de Éduc'Alcool et de la Société de l'assurance automobile du Québec.

tableau 5.2 Le taux d'alcool dans le sang augmente rapidement*

HOMME					
Nombre de consommations	57 kg (125 lb)	68 kg (150 lb)	80 kg (175 lb)	91 kg (200 lb)	113 kg (225 lb)
1	34 mg	29 mg	25 mg	22 mg	17 mg
2	69 mg	58 mg	50 mg	43 mg	35 mg
3	103 mg	87 mg	75 mg	65 mg	52 mg
4	139 mg	116 mg	100 mg	87 mg	70 mg
5	173 mg	145 mg	125 mg	108 mg	87 mg

FEMME					
Nombre de consommations	45 kg (100 lb)	57 kg (125 lb)	68 kg (150 lb)	80 kg (175 lb)	91 kg (200 lb)
1	50 mg	40 mg	34 mg	29 mg	26 mg
2	101 mg	80 mg	68 mg	58 mg	50 mg
3	152 mg	120 mg	101 mg	87 mg	76 mg
4	203 mg	162 mg	135 mg	117 mg	101 mg
5	253 mg	202 mg	169 mg	146 mg	126 mg

Il est important de soustraire 15 mg d'alcool par heure à partir de la première consommation, car c'est à ce rythme que l'organisme élimine l'alcool. Mais si le foie est en mauvais état, il fonctionne moins bien et moins vite, et le processus d'élimination est ralenti. Une personne qui a des problèmes de santé devrait s'abstenir de consommer de l'alcool ou du moins boire très modérément.

* Fourni à titre indicatif, ce tableau d'Éduc'alcool doit être interprété avec prudence. Les réactions à l'alcool fluctuent beaucoup d'un individu à l'autre et, chez une même personne, selon les circonstances dans lesquelles l'alcool est absorbé. Par exemple, si vous buvez un soir où vous êtes fatigué, énervé ou sous médication, il se peut que vous ne soyez pas en état de conduire, malgré les données de consommation inscrites dans ce tableau.

Éduc'Alcool, *Boire. Conduire. Choisir*, 2002.

L'alcool constitue un problème, et pas seulement au volant. On risque aussi de se blesser au travail, de faire une mauvaise chute, d'attraper ou de transmettre une ITS (éthanol ne rime pas avec condom), de se livrer à la violence verbale ou physique et même de mourir d'une intoxication grave à l'alcool (plus de 300 mg d'alcool dans le sang!). C'est ce qui est arrivé ces dernières années à de jeunes étudiants qui participaient à des fêtes où on tenait des concours de «**calage**», une pratique dangereuse qui consiste à ingurgiter de grandes quantités d'alcool en peu de temps. Lorsque l'abus d'alcool devient chronique, la santé mentale et physique en est sérieusement affectée. Ce qui attend les accros de la bouteille? Malnutrition, cirrhose du foie, hypertension artérielle, perte de mémoire, cancer de la bouche ou de la gorge, intoxication du fœtus pendant la grossesse, problèmes conjugaux et familiaux, état dépressif, relations désastreuses avec les autres, comportement antisocial, absences répétées au travail… Et la liste n'est pas exhaustive!

Pour éviter l'abus : quelques trucs utiles

La plupart des consommateurs d'alcool s'arrêtent souvent avant que la coupe soit pleine. Mais les occasions de prendre un verre semblent aujourd'hui plus fréquentes que par le passé. De plus, à cause de l'augmentation de l'espérance de vie, un buveur boit pendant un plus grand nombre d'années qu'autrefois. Voici donc quelques trucs pour éviter de succomber trop souvent à la tentation de Bacchus ou, à tout le moins, pour boire modérément et ne pas vous retrouver hors-la-loi.

Hydratez-vous. Lorsque vous allez à une fête, n'arrivez pas déshydraté. Vous risqueriez d'avaler une bière rapidement pour étancher votre soif, ce qui ferait grimper tout aussi rapidement votre taux d'alcool dans le sang. Avant de prendre votre première consommation, buvez plutôt deux ou trois verres d'eau. Évidemment, ce conseil est également valable si vous sortez d'une partie de tennis ou de hockey : buvez de l'eau avant de songer à la première bière. N'oubliez pas que l'effet diurétique de l'alcool fait perdre beaucoup d'eau : buvez également de l'eau après avoir consommé des boissons alcoolisées.

Ne conduisez pas. Si vous sortez et que vous savez que vous aurez du mal à vous retenir de boire, laissez les clés de l'auto chez vous. Si vous tenez malgré tout à votre rendre à la fête en auto, prenez les dispositions nécessaires pour vous faire reconduire au bercail… par une personne sobre !

Prenez connaissance des mythes sur l'alcool. Il y a encore trop de on-dit sur l'alcool dans notre société. Malheureusement, ils induisent en erreur beaucoup de gens. Consultez le zoom 5.4 pour savoir si ces rumeurs sont fondées ou pas.

Mangez avant de prendre un verre. Si vous buvez l'estomac vide, l'alcool pénètre très rapidement dans le sang. Sachez aussi que l'alcool pénètre plus vite dans le sang s'il est contenu dans les spiritueux (whisky, vodka, cognac, etc.), les vins mousseux (surtout le champagne) et les mélanges contenant de l'eau gazeuse (par exemple rhum et cola), en raison de la concentration d'alcool et de la présence de gaz carbonique, que s'il est contenu dans la bière ou le vin.

Buvez lentement. Le foie met une heure à éliminer la quantité d'alcool absorbée dans une consommation, et il n'existe aucun produit qui permet d'accélérer son travail. Par ailleurs, un mauvais état de santé et une alimentation malsaine ralentissent l'élimination de l'alcool par le foie.

Comment dire : « Non » ? Voici une petite liste d'excuses qui peuvent vous être utiles : « Non merci, je conduis », « Désolé, mais les alcools forts me rendent malade », « J'ai des problèmes de foie », « Si j'en prends trop, j'aurai mal à la tête », « Je prends des médicaments », « J'ai un examen demain matin », « Je dois me lever tôt pour aller travailler », etc. À compléter selon les circonstances.

Évitez les aliments très salés ou très sucrés. Les croustilles, les arachides et les sucreries incitent à boire davantage.

ZOOM

5.4 Cinq mythes tenaces
sur l'alcool

Prendre un peu d'alcool permet de se réchauffer.

Certes, l'alcool réchauffe dans un premier temps, mais l'effet ne dure pas ! En ouvrant les capillaires situés sous la peau, l'alcool laisse filer la chaleur du corps. Après un certain temps, on finit par geler !

Le café, ça dégrise !

Le café n'a aucun effet sur l'élimination de l'alcool dans le sang. Il peut seulement aider à rester éveillé.

Danser et transpirer permet d'éliminer l'alcool.

La danse, aussi endiablée soit-elle, ne vous fera perdre que 3 % d'alcool par la transpiration. Si vous avez pris quelques bières, vous devrez danser toute la nuit pour vous dégriser !

On peut conduire une heure après la dernière consommation.

Non ! En une heure, le corps a le temps d'éliminer uniquement l'alcool contenu dans une consommation (15 mg).

Quand on est habitué, l'alcool fait moins d'effet.

Il est vrai qu'une personne habituée à boire ressent moins les effets de l'alcool. Mais cela n'affecte en rien le taux d'alcool dans le sang : il reste le même. L'alcootest peut le confirmer !

Devenez l'hôte parfait

Quand vous organisez une fête, vous pouvez aider vos invités à résister à l'attrait de l'alcool. Voici quelques trucs utiles pour veiller au bien-être de vos amis !

Servez des aliments riches en protéines ou en amidon.   Des aliments comme le fromage, les fruits de mer, les craquelins ou les crudités ralentissent l'absorption de l'alcool dans le sang.

Choisissez un endroit assez vaste et bien aéré.   Plus les gens sont serrés les uns sur les autres, plus ils ont chaud et plus ils ont soif. Et plus ils ont soif… plus ils boivent.

Prévoyez assez de sièges.   Les gens ont tendance à vouloir tenir un verre à la main lorsqu'ils sont debout : ils boivent donc plus en restant debout qu'en étant assis.

Offrez des boissons non alcoolisées ou faibles en alcool (0,5 %).   Vous serez surpris de l'accueil qui leur sera réservé !

Animez la fête en faisant bouger vos invités.   Occupez-les avec des jeux de société amusants. Vous éviterez ainsi que la consommation d'alcool ne devienne la principale activité de la soirée !

à vos méninges

5

Remarque : Il peut y avoir plus d'une bonne réponse par question.

1. **Parmi les effets suivants, lequel ou lesquels sont associés à la nicotine ?**

○ **a)** Un déficit en oxygène dans le sang.
○ **b)** Une dépendance physiologique.
○ **c)** Une baisse de la concentration.
○ **d)** Une hausse de la concentration de monoxyde de carbone.
○ **e)** Aucun des effets précédents.

2. **Vous organisez une fête avec des amis. Parmi les trucs énumérés ci-dessous, auxquels pouvez-vous recourir pour aider vos amis à ne pas abuser de l'alcool ?**

○ **a)** Servir des aliments riches en hydrates de carbone.
○ **b)** Choisir un endroit assez vaste et bien aéré.
○ **c)** Animer la fête en faisant bouger vos invités.
○ **d)** Servir des arachides salées et des croustilles.
○ **e)** Servir des aliments riches en protéines et en amidon.

3. **Parmi les dépendances suivantes, laquelle entraîne le plus de morts sur la planète ?**

○ **a)** L'abus de médicaments.
○ **b)** L'abus d'alcool.
○ **c)** L'abus de drogues.
○ **d)** Le tabagisme.
○ **e)** Toutes les dépendances précédentes.

4. **Parmi les problèmes de santé suivants, lequel ou lesquels sont associés à un abus d'alcool passager ?**

○ **a)** Perte d'appétit.
○ **b)** Diarrhée.
○ **c)** Perturbation du jugement.
○ **d)** Diminution de la coordination.
○ **e)** Constipation.

5. **L'habitude de fumer des cigarettes existe depuis :**

○ **a)** 50 ans.
○ **b)** 100 ans.
○ **c)** 300 ans.
○ **d)** le Moyen Âge.
○ **e)** l'Empire romain.

6. En 25 ans, le tabagisme a tué l'équivalent de :

○ **a)** 50 % de la population du Québec.

○ **b)** 100 % de la population du Canada.

○ **c)** 25 % de la population des États-Unis.

○ **d)** 90 % de la population de la France.

○ **e)** Aucune des réponses précédentes.

7. Parmi les effets bénéfiques suivants, lequel ou lesquels ressent-on lorsqu'on cesse de fumer ?

○ **a)** Le métabolisme de base augmente.

○ **b)** On a une meilleure haleine.

○ **c)** On goûte mieux les aliments.

○ **d)** On a un meilleur odorat.

○ **e)** En une semaine, le sang est plus riche de 5 à 10 % en oxygène.

8. Chez beaucoup de personnes, le taux d'alcool dans le sang peut atteindre 80 mg par 100 mL en une heure, après seulement :

○ **a)** 1 consommation.

○ **b)** 2 consommations.

○ **c)** 3 consommations.

○ **d)** 4 consommations.

○ **e)** 5 consommations.

9. Parmi les options suivantes, laquelle ou lesquelles s'offrent à vous si vous êtes sorti et que vous avez trop bu ?

○ **a)** Coucher sur place.

○ **b)** Prendre un taxi.

○ **c)** Prendre du café pour vous dégriser.

○ **d)** Danser beaucoup pour accélérer l'élimination de l'alcool.

○ **e)** Rentrer avec un chauffeur que vous aviez désigné auparavant.

10. Indiquez cinq problèmes de santé associés à l'abus chronique d'alcool.

- _____
- _____
- _____
- _____
- _____

11. Indiquez cinq conseils que vous donneriez à quelqu'un qui veut arrêter de fumer.

- _____
- _____
- _____
- _____
- _____

12. Indiquez cinq problèmes de santé graves causés par le tabagisme.

- _____
- _____
- _____
- _____
- _____

13. Indiquez trois effets intéressants de l'exercice pour quelqu'un qui veut cesser de fumer ou éviter une rechute.

- _____
- _____
- _____

14. Complétez les phrases suivantes.

a) Il n'y a pas qu'au volant que l'_____ constitue un problème. On risque de faire une mauvaise chute, d'attraper ou de transmettre une _____, et même de faire montre de _____ verbale ou physique.

b) Beaucoup de fumeurs remettent à plus tard leur décision d'arrêter de fumer en espérant qu'une _____ viendra un jour faire tout le travail à leur _____.

c) Les recherches ont démontré que ceux qui ne peuvent ou ne veulent pas arrêter de fumer sont toutefois capables de _____ leur consommation de cigarettes.

pour en savoir plus

lectures suggérées

- *Les dangers du calage d'alcool*, brochure de 3 pages, publiée par Éduc'alcool et le gouvernement du Québec, 2003 (aussi disponible sur le site du ministère de la Santé et des Services sociaux).

- *Les jeunes et l'alcool*, brochure de 15 pages du ministère de la Santé et des Services sociaux, Québec, 2001 (aussi disponible sur le site du ministère).

sites internet à visiter

Campagne du ruban bleu
www.hc-sc.gc.ca/hl-vs/tobac-tabac/second/do-faire/ribbon-ruban/index_f.html

Conseils pour vous aider à vivre sans fumée
www.hc-sc.gc.ca/hl-vs/tobac-tabac/index_f.html

Éduc'alcool Québec
http://www.educalcool.qc.ca/

Parlons drogue et alcool (Santé-Québec)
http://www.parlonsdrogue.org/fr/accueil/index.php

Vie 100 fumer (Santé Canada)
http://www.hc-sc.gc.ca/hl-vs/tobac-tabac/youth-jeunes/index_f.html

Tobacco Facts
http://www.tobaccofacts.org

ressources

Drogue Aide et référence (si vous avez besoin d'aide ou d'informations)
Montréal et environs : (514) 527-2626
Ailleurs : 1-800-265-2626

Tel-jeunes (service confidentiel, 24 h sur 24, 7 jours sur 7)
Montréal et environs : (514) 288-2266
Ailleurs : 1-800-263-2266

Centre canadien de lutte contre l'alcoolisme et les toxicomanies 1-800-214-4788

Jeunesse, j'écoute 1-800-668-6868

Centre national de documentation sur le tabac et la santé 1-800-267-5234

Ligne Poumons neufs 1-888-768-6669

L'Association pulmonaire du Québec 1-800-295-8111

BILAN 5.1

Déterminez votre dépendance à la nicotine

A. À quel point êtes-vous dépendant de la nicotine ?

L'échelle de tolérance à la nicotine de Fagerström est la meilleure façon de déterminer le niveau de dépendance à la nicotine. Si vous êtes fumeur, passez ce test avant de faire les autres bilans.

	0 point	1 point	2 points	points obtenus
Je fume ma première cigarette…	plus de 30 minutes après le réveil.	moins de 30 minutes après le réveil.	dès le lever.	
J'ai de la difficulté à m'abstenir de fumer là où c'est interdit.	Non.	Oui.	——	
Ce qui m'apporte le plus de satisfaction…	ce sont toutes les cigarettes, sauf la première de la journée.	c'est la première cigarette de la journée.	——	
Je fume chaque jour…	de 1 à 15 cigarettes.	de 16 à 25 cigarettes.	plus de 25 cigarettes.	
Je fume plus le matin que le reste de la journée.	Non.	Oui.	——	
Si je suis malade et alité…	je ne fume pas.	je fume.	——	
La teneur en nicotine de mes cigarettes est…	faible.	modérée.	forte.	
J'inhale la fumée.	Jamais.	Parfois.	Toujours.	

T.F. Heatherton, L.T. Kozlowski, R.C. Frecker, K.O. Fagerström, « The Fagerström Test for Nicotine Dependence : a revision of the Fagerström Tolerance Questionnaire », *British Journal of Addiction*, 1991, 86(9) : 1119-1127.

Faites le total des points obtenus. _____

Ce que votre résultat signifie…

Entre 0 et 3 points. Vous êtes peu ou pas du tout dépendant.

Entre 4 et 6 points. Vous êtes moyennement dépendant.

Entre 7 et 9 points. Vous êtes sérieusement dépendant.

10 points et plus. Vous êtes complètement dépendant.

B. Où, quand et pourquoi fumez-vous ?

Le formulaire qui suit vous aidera à déterminer ce qui vous pousse à fumer et les satisfactions que vous en retirez. Vous devrez avoir ce formulaire à portée de la main pendant toute une journée : faites-en une photocopie à partir de *L'Équipier*, pliez-la en deux et insérez-la dans votre paquet de cigarettes ou placez-la dans un autre endroit facilement accessible. Avant de fumer une cigarette, inscrivez sur le formulaire l'heure, l'endroit, la personne avec qui vous êtes (le cas échéant), votre humeur (bonne ou mauvaise) et votre besoin réel de fumer à ce moment précis. Vous verrez, l'exercice est très instructif !

Dans la colonne « Humeur », inscrivez :

B : si vous vous sentez bien ou de bonne humeur avant de fumer.

M : si vous vous sentez en colère, triste ou de mauvaise humeur avant de fumer.

? : si vous n'êtes pas certain de la nature de vos sentiments avant de fumer.

Dans la colonne « Besoin », notez l'intensité (de 1 à 5) de votre besoin de fumer. Inscrivez :

1 : si cette cigarette n'est pas du tout indispensable.

5 : si vous avez « désespérément » besoin de cette cigarette.

Cigarette	Heure	Endroit	Avec qui ?	Humeur (B, M ou ?)	Besoin (1 à 5)
1 re					
2 e					
3 e					
4 e					
5 e					
6 e					
7 e					
8 e					
9 e					
10 e					
11 e					
12 e					
13 e					
14 e					
15 e					
16 e					
17 e					

Cigarette	Heure	Endroit	Avec qui ?	Humeur (B, M ou ?)	Besoin (1 à 5)
18e					
19e					
20e					
21e					
22e					
23e					
24e					
25e					

Programme Vie 100 Fumer Santé Canada – Formulaire de suivi, http://www.hc-sc.gc.ca/hecs-sesc/tabac/jeunesse/cesser/100st 3envie.html, Santé Canada, 2002 © Adapté et reproduit avec la permission du Ministre des Travaux publics et Services gouvernementaux Canada, 2003.

Répondez maintenant à ces questions.

1. Parmi les cigarettes que vous avez fumées pendant la journée, combien…

   a) satisfont un besoin « désespéré » de fumer ? _____

   b) ne satisfont aucun besoin particulier ? _____

   c) l'ont été alors que vous étiez de mauvaise humeur ? _____
   de bonne humeur ? _____

2. Compte tenu de ce qui vous pousse à fumer en général et des satisfactions que la cigarette vous procure, quelles conclusions en tirez-vous ?

   _____

   _____

   _____

C. Êtes-vous vraiment prêt à arrêter de fumer ?

Vous connaissez à présent votre degré de dépendance à la nicotine (et donc le degré de difficulté qui vous attend si vous décidez d'arrêter de fumer). Vous connaissez aussi ce qui vous pousse à fumer et les satisfactions que vous en retirez. La question qui se pose est la suivante : êtes-vous vraiment prêt à arrêter ? Le court bilan qui suit vous aidera à y répondre.

Arrêteriez-vous de fumer si vous pouviez le faire facilement ?

⭕ Non (0 point)   ⭕ Oui (1 point)

Avez-vous réellement envie d'arrêter de fumer ?

○ Pas du tout (0 point)

○ Moyennement (2 points)

○ Un peu (1 point)

○ Beaucoup (3 points)

Pensez-vous réussir à arrêter de fumer au cours des deux semaines à venir ?

○ Non (0 point)

○ Vraisemblablement (2 points)

○ Peut-être (1 point)

○ Certainement (3 points)

Selon ce que vous entrevoyez aujourd'hui, serez-vous un ex-fumeur dans six mois ?

○ Non (0 point)

○ Vraisemblablement (2 points)

○ Peut-être (1 point)

○ Certainement (3 points)

Faites le total des points obtenus. _____

Ce que votre résultat signifie...

Entre 0 et 2 points. Votre degré de motivation est faible : vous n'êtes pas vraiment décidé à arrêter de fumer.

Entre 3 et 6 points. Votre degré de motivation est moyen : vous commencez à être décidé à arrêter de fumer.

7 points et plus. Votre degré de motivation est élevé : vous êtes vraiment décidé à arrêter de fumer.

BILAN 5.2

Votre engagement en matière de consommation de cigarettes

Maintenant que vous avez fait le point sur votre dépendance à la nicotine, vous pouvez vous poser la question suivante : que suis-je prêt à faire pour fumer moins ou arrêter de fumer ?

Cochez dans le tableau qui suit les engagements que vous souhaitez prendre ; dans un mois, vous cocherez ceux que vous aurez respectés.

Je m'engage à...	Je vais le faire dès maintenant.	Après un mois, je tiens toujours le coup...	Après trois mois, je persiste et signe.
faire comme la plupart des ex-fumeurs : arrêter par moi-même sans attendre la méthode miracle.	Date :	○ Oui ○ Non	○ Oui ○ Non
prendre ma décision au moment opportun.	Date :	○ Oui ○ Non	○ Oui ○ Non
faire de l'exercice.	Date :	○ Oui ○ Non	○ Oui ○ Non
éviter le plus possible les endroits et les occasions qui incitent à fumer.	Date :	○ Oui ○ Non	○ Oui ○ Non
diminuer graduellement ma consommation de cigarettes.	Date :	○ Oui ○ Non	○ Oui ○ Non
passer un contrat avec un ami dans lequel je m'engage à arrêter de fumer à une date précise.	Date :	○ Oui ○ Non	○ Oui ○ Non
prendre contact avec un organisme voué à la lutte contre le tabagisme.	Date :	○ Oui ○ Non	○ Oui ○ Non
prendre la mesure suivante : _____ _____	Date :	○ Oui ○ Non	○ Oui ○ Non

1. Au total, vous avez pris _____ engagement(s) et vous en avez respecté _____.

2. Le cas échéant, pour quelle raison n'avez-vous pas respecté certains de vos engagements ?

   ○ J'ai manqué de temps.

   ○ J'ai manqué de motivation.

   ○ Je n'étais pas aussi prêt à passer à l'action que je le pensais.

   ○ Il aurait fallu que je ne sois pas seul dans ma démarche.

   ○ Autre(s) raison(s) :

   _____

   _____

   _____

3. Finalement, croyez-vous être capable de cesser de fumer dans un avenir rapproché ? Expliquez brièvement votre réponse.

   _____

   _____

   _____

   _____

   _____

   _____

BILAN 5.3

Déterminez votre dépendance à l'alcool

Le petit test qui suit vous permettra de mesurer votre degré de dépendance à l'alcool. Pour chaque question, choisissez la réponse qui décrit le mieux votre attitude à l'égard de l'alcool au cours des 12 derniers mois et inscrivez le nombre de points obtenus dans la case appropriée. Faites ensuite le total de vos points.

Rappelons qu'une consommation d'alcool est l'équivalent d'un verre de bière (340 mL ou 12 oz), d'un verre de vin (125 mL ou 4,5 oz) ou d'un verre de spiritueux (40 mL ou 1,5 oz).

	0 point	1 point	2 points	3 points	4 points	Points obtenus
1. À quelle fréquence prenez-vous de l'alcool ?	Jamais.	Une fois par mois ou moins.	Deux à quatre fois par mois.	Deux ou trois fois par semaine.	Plus de trois fois par semaine.	
2. Combien de consommations d'alcool prenez-vous, en moyenne, par jour ?	Aucune, une ou deux.	Trois ou quatre.	Cinq ou six.	Sept à neuf.	Dix ou plus.	
3. Vous arrive-t-il souvent de prendre six consommations ou plus en une même occasion ?	Jamais.	Moins d'une fois par mois.	Une fois par mois.	Une fois par semaine.	Tous les jours ou presque.	
4. Au cours des 12 derniers mois, vous est-il arrivé de ne plus être capable d'arrêter de boire une fois que vous aviez commencé ?	Jamais.	Moins d'une fois par mois.	Une fois par mois.	Une fois par semaine.	Tous les jours ou presque.	
5. Au cours des 12 derniers mois, vous est-il arrivé de ne pas faire ce que vous deviez faire à cause d'une trop grande consommation d'alcool ?	Jamais.	Moins d'une fois par mois.	Une fois par mois.	Une fois par semaine.	Tous les jours ou presque.	
6. Au cours des 12 derniers mois, vous est-il arrivé de prendre un verre le matin pour vous aider à démarrer la journée après avoir trop bu la veille ?	Jamais.	Moins d'une fois par mois.	Une fois par mois.	Une fois par semaine.	Tous les jours ou presque.	
7. Au cours des 12 derniers mois, vous êtes-vous senti coupable ou pris de remords après avoir trop bu ?	Jamais.	Moins d'une fois par mois.	Une fois par mois.	Une fois par semaine.	Tous les jours ou presque.	
8. Au cours des 12 derniers mois, vous est-il arrivé d'être incapable de vous rappeler ce que vous aviez fait la veille parce que vous aviez trop bu ?	Jamais.	Moins d'une fois par mois.	Une fois par mois.	Une fois par semaine.	Tous les jours ou presque.	
9. Vous êtes-vous déjà blessé ou avez-vous déjà causé une blessure à autrui parce que vous aviez trop bu ?	Non.		Oui, mais pas au cours des 12 derniers mois.		Oui, au cours des 12 derniers mois.	
10. Vos parents, vos amis, votre médecin ou un autre travailleur de la santé s'inquiètent-ils de votre consommation d'alcool ou vous suggèrent-ils de la diminuer ?	Non.		Oui, mais pas au cours des 12 derniers mois.		Oui, au cours des 12 derniers mois.	

Total : _____

Ce que votre résultat signifie...

Entre 0 et 4 points. Vous n'avez aucune dépendance à l'alcool.

Entre 5 et 7 points. Vous avez une certaine dépendance à l'alcool.

8 points et plus. Vous avez une forte dépendance à l'alcool.

BILAN 5.4

Votre engagement en matière de consommation d'alcool

Maintenant que vous avez fait le point sur votre dépendance à l'alcool, vous pouvez vous poser la question suivante : que suis-je prêt à faire pour éviter l'abus d'alcool et ses conséquences ? Cochez dans le tableau qui suit les engagements que vous souhaitez prendre ; dans un mois, vous cocherez ceux que vous aurez respectés.

Je m'engage à...	Je vais le faire dès maintenant.	Après un mois, je tiens toujours le coup...	Après trois mois, je persiste et signe.
boire lentement.	Date :	○ Oui ○ Non	○ Oui ○ Non
avoir la volonté de dire « non » quand on insiste pour me faire boire.	Date :	○ Oui ○ Non	○ Oui ○ Non
manger avant de prendre un verre.	Date :	○ Oui ○ Non	○ Oui ○ Non
faire appel à l'opération Nez rouge ou à me faire reconduire par un ami ou un proche chaque fois que j'aurai dépassé la limite légale pour la conduite.	Date :	○ Oui ○ Non	○ Oui ○ Non
utiliser les alcootests disponibles dans les bars pour vérifier mon taux d'alcool.	Date :	○ Oui ○ Non	○ Oui ○ Non
éviter de boire de la bière pour combattre la soif ; je prendrai d'abord de l'eau.	Date :	○ Oui ○ Non	○ Oui ○ Non
éviter le piège consistant à recourir à l'alcool pour « oublier » ses problèmes.	Date :	○ Oui ○ Non	○ Oui ○ Non
prendre la mesure suivante : _____ _____	Date :	○ Oui ○ Non	○ Oui ○ Non

1. Au total, vous avez pris _____ engagement(s) et vous en avez respecté _____ .

2. Le cas échéant, pour quelle raison n'avez-vous pas respecté certains de vos engagements ?

   ○   J'ai manqué de temps.

   ○   J'ai manqué de motivation.

   ○   Je n'étais pas aussi prêt à passer à l'action que je le pensais.

   ○   Il aurait fallu que je ne sois pas seul dans ma démarche.

   ○   Autre(s) raison(s) :

   _____

   _____

   _____

3. Finalement, croyez-vous être capable d'éviter l'abus d'alcool ? Expliquez brièvement votre réponse.

   _____

   _____

   _____

   _____

   _____

   _____

Faire le point
sur sa condition physique

La deuxième partie de cet ouvrage est entièrement consacrée au comportement qui influe le plus sur votre santé : la pratique régulière de l'activité physique. Dans un premier temps, vous apprendrez à faire la part du vrai et du faux parmi les idées reçues sur l'activité physique. Puis, vous serez transporté jusqu'au cœur de la cellule musculaire, ce qui vous permettra de voir quelles sources d'énergie le muscle utilise lorsqu'il est en pleine action. Enfin, vous serez invité à faire le bilan de vos capacités physiques, de votre posture et de vos besoins en activité physique.

chapitre 6

Vingt et une
idées reçues
à propos de
l'activité physique

Objectif

- Faire la part du vrai et du faux parmi les idées reçues sur l'exercice.

Vers la fin des années 1950, il existait une théorie sur l'activité physique qui disait à peu près ceci : ne faites pas trop d'exercice, sinon vous épuiserez votre « banque génétique » de battements cardiaques. Les personnes hostiles à l'exercice (il y en a toujours eu !) brandissaient cette théorie jusque dans les congrès de médecine sportive ! À cette époque, on sommait les patients qui venaient de subir un infarctus de garder le lit pendant des semaines. On ne se rendait pas compte que leurs os pouvaient se décalcifier, qu'ils perdaient leur tonus musculaire et, même, qu'ils risquaient une autre crise cardiaque ! Aujourd'hui, la théorie selon laquelle nous possédons une banque de battements cardiaques soulève l'hilarité, et on fait marcher les patients le plus tôt possible après leur infarctus, dans le but de renforcer leur moral et leur... cœur ! Tel est le sort que devraient subir la plupart des croyances populaires : elles devraient disparaître si elles sont erronées et ne survivre que si elles sont fondées. Avant de plonger au cœur des connaissances scientifiques sur l'activité physique, nous ferons donc subir l'épreuve du détecteur de mensonges à 21 de ces idées reçues. Les voici.

1 Les suppléments de créatine sont sans danger.

NI VRAI NI FAUX En fait, on ignore encore quels sont les effets à long terme sur l'organisme d'une consommation régulière de suppléments de créatine. À court terme, on note une plus grande fréquence de diarrhées et de crampes musculaires. À moyen terme, plus de trois mois d'utilisation, une étude rapporte un cas de néphrite (maladie inflammatoire du rein) chez un jeune homme, mais il consommait plus de 20 g de créatine par jour ! Rappelons-nous qu'il y a quelques années on ignorait aussi les effets à long terme des stéroïdes anabolisants synthétiques. On sait aujourd'hui que ces substances peuvent endommager des organes comme le foie et les reins. On pourrait en arriver aux mêmes conclusions pour les suppléments de créatine. La prudence s'impose donc. Pour en savoir plus sur la créatine, reportez-vous à la page 164 du chapitre 7.

2 Si je m'entraîne tous les jours, je serai encore plus en forme.

FAUX Les recherches en physiologie de l'exercice montrent clairement qu'il n'y a pas de différence sensible de gain de condition physique entre les personnes qui s'entraînent 7 jours sur 7 et celles qui le font cinq fois par semaine. En revanche, les risques de blessures musculosquelettiques et de fatigue causées par le surentraînement augmentent notablement chez celles qui s'entraînent intensément tous les jours.

3 L'exercice peut être dangereux pour une femme enceinte.

FAUX Au contraire, l'exercice présente plusieurs avantages pour la femme enceinte. Ainsi, les recherches ont montré que les femmes enceintes qui sont physiquement actives prennent moins de poids, se plaignent moins souvent de crampes nocturnes et de varices, souffrent moins de vergetures, sont de meilleure humeur, accouchent plus facilement (notamment, la phase d'expulsion est plus courte) et récupèrent plus rapidement en cas d'accouchement difficile. Néanmoins, la femme enceinte doit éviter de pratiquer les sports de contact et les sports comportant un risque de chute (arts martiaux, sports collectifs, sports de raquette, équitation, planche à voile, etc.). En cas de doute, il est souhaitable de demander l'avis du médecin avant d'entreprendre un programme d'exercice ou de pratiquer un sport risqué.

4 Une femme sportive devrait porter un soutien-gorge approprié.

VRAI Les seins sont constitués de glandes mammaires et de graisse enveloppées par la peau, laquelle constitue le seul soutien naturel du sein. Si la peau se distend, le sein tend à s'affaisser, ce qui est inévitable avec le vieillissement. L'exercice ne peut donc pas faire «tomber» les seins. Cependant, il les fait rebondir, ce qui peut être désagréable quand on pratique un sport comme la danse aérobique ou le tennis. Plus le sein est volumineux, plus les rebonds sont gênants. Faute de soutien-gorge adapté, il arrive que de petits ligaments reliant les glandes mammaires aux muscles pectoraux, les **ligaments de Cooper**, soient surétirés, ce qui peut entraîner une hypersensibilité des seins après l'exercice. La solution? Porter un soutien-gorge conçu pour le sport. Il en existe deux modèles : le premier encapsule chaque sein, ce qui leur assure un meilleur soutien, tandis que le second compresse les deux seins, ce qui redistribue leur masse sur toute la poitrine. Si vous pratiquez une activité où les bras bougent beaucoup (par exemple l'aéroboxe), optez pour un modèle muni de bretelles élastiques : il empêche le bas du soutien-gorge de remonter sur les seins. En revanche, des bretelles non élastiques sont plus appropriées pour les exercices tels que le jogging ou le vélo. Enfin, il est préférable que le soutien-gorge s'attache dans le dos et qu'il ne comporte pas de couture devant le mamelon.

5 Le muscle atrophié se transforme en graisse.

FAUX Une cellule musculaire ne peut pas se transformer en cellule adipeuse, pas plus qu'une banane ne peut devenir un citron. En revanche, chez les personnes qui deviennent sédentaires, les protéines musculaires se dégradent et finissent par disparaître (**catabolisme**), d'où une diminution du volume des muscles. Comme l'inactivité physique entraîne une faible dépense énergétique, les stocks de graisse, eux, augmentent. La combinaison de ces deux facteurs peut donner l'impression que le muscle, devenu flasque, s'est transformé en graisse.

6 On ne devrait pas faire d'exercice juste après un repas.

FAUX En réalité, la pire chose qu'on puisse faire après un repas est de s'écraser devant le téléviseur. C'est en effet après le repas que le corps stocke le maximum de calories. Une activité physique légère, par exemple la marche, ne gêne en rien le processus de la digestion. Au contraire, elle le facilite en faisant augmenter légèrement le métabolisme. En effet, l'exercice double presque l'**effet thermique**

des aliments, c'est-à-dire l'énergie dépensée par l'organisme pour digérer les aliments. Pour un individu de taille moyenne, faire de l'exercice après les repas entraîne une dépense énergétique supplémentaire de 50 à 75 calories par jour. Mais attention ! Ce n'est en rien une invitation à courir un marathon ou à faire une partie de squash endiablée après un repas. Des efforts aussi intenses exigent beaucoup trop d'oxygène dans les zones musculaires actives. Or, l'organisme favorise d'abord le travail musculaire : si on pratique une activité physique intense, le corps réduit donc l'apport d'oxygène dans les organes de la digestion. Résultat : la digestion est lente et laborieuse, et on souffre en prime de points à l'abdomen !

7 L'exercice peut faire cesser les règles.

VRAI Si vous faites vraiment beaucoup d'exercice, vos règles risquent de devenir irrégulières. Elles pourraient même cesser pendant quelques mois (l'**aménorrhée secondaire**), ce qui arrive parfois aux femmes qui s'entraînent intensément plusieurs heures par jour. Une étude a montré que l'aménorrhée secondaire apparaissait chez seulement 2 % des joggeuses occasionnelles, alors qu'elle touchait 28 % des participantes à un marathon et 43 % des coureuses d'élite. Selon une autre étude, 57 % des skieuses de fond des équipes d'élite de niveau collégial (16-19 ans) ont des règles irrégulières ou font de l'aménorrhée secondaire.

Les chercheurs ne connaissent pas la cause exacte de l'aménorrhée secondaire, mais ils croient que la diminution de la masse corporelle et de la masse grasse, associée à l'exercice intensif, joue un rôle important. Ce phénomène n'est pas catastrophique, dans la mesure où il est réversible. Dès que l'entraînement diminue ou cesse, les règles réapparaissent. La fertilité future n'est donc pas compromise. Attention, toutefois : l'absence de règles ne signifie pas qu'il faut négliger la contraception. Ce serait une erreur, comme l'a constaté Ingrid Christiaensen. Cette coureuse d'élite avait l'habitude de ne pas avoir de règles pendant les mois où elle s'entraînait en vue d'un marathon. Un jour, elle nota une baisse de sa performance. Inquiète, elle consulta son médecin, qui lui apprit qu'elle était enceinte de 5 mois !

8 Une femme ne peut pas avoir des muscles aussi gros que ceux d'un homme, même si elle fait beaucoup de musculation.

VRAI La raison est simple : il y a beaucoup moins de testostérone dans le sang de la femme. Cette hormone, qui sert à fabriquer du tissu musculaire, est en effet le quasi-monopole des hommes. C'est pourquoi la testostérone est si populaire dans certaines salles de musculation, où on la retrouve sous forme de stéroïdes anabolisants. Les femmes peuvent donc lever des charges sans crainte : elles n'atteindront jamais le niveau d'hypertrophie musculaire des hommes. En revanche, elles auront des muscles aussi fermes que ceux des hommes.

9 Les risques de souffrir d'un cancer de la peau sont moins importants si on reste en forme.

FAUX L'exercice protège contre certains types de cancers, mais pas contre le cancer de la peau. Les golfeurs et les cyclistes professionnels sont considérés comme des personnes à risque élevé pour ce type de cancer, surtout s'ils ont la peau claire et ne se protègent pas suffisamment. Alors, n'oubliez ni la crème solaire ni le chapeau!

10 Si on sue beaucoup, c'est le signe qu'on est en mauvaise forme.

FAUX Certains athlètes de haut calibre excrètent des torrents de sueur, alors que de parfaits sédentaires ne transpirent presque pas. La production de sueur n'a rien à voir avec la condition physique : elle dépend tout bonnement du nombre de glandes sudoripares que la nature nous a données.

11 Si on fait de l'exercice quand il fait très froid, on peut se geler les poumons.

FAUX Même si la température extérieure est de –24 °C, l'air qui pénètre dans les voies respiratoires est réchauffé à une température variant entre 26,5 et 32,2 °C avant d'atteindre les bronches! Il n'y a même pas de quoi se geler une bronchiole! En revanche, et certains en ont fait l'expérience, respirer de l'air très froid peut irriter la gorge et provoquer la toux. Chez les asthmatiques et les angineux, l'exercice par temps froid peut déclencher une crise. Il suffira souvent d'un foulard devant la bouche et le nez ou d'une cagoule pour régler le problème.

12 Le matin est le meilleur moment pour faire de l'exercice.

FAUX Certaines personnes aiment faire de l'exercice tôt le matin, d'autres l'après-midi ou le soir. L'important, c'est de suivre son horloge biologique. Si votre horloge biologique fait de vous un lève-tôt, les exercices matinaux sont pour vous. Mais si c'est un supplice de vous lever tôt ou si vous ne vous sentez pas en forme à l'heure du réveil, remettez l'activité physique à plus tard.

13 Les exercices localisés font maigrir là où on veut.

FAUX Si c'était vrai, les dactylos auraient les doigts les plus maigres de la planète! Cette croyance, encore fort répandue, n'a en fait aucun fondement scientifique. Lorsque des muscles actifs ont besoin de carburant, la graisse est libérée dans la circulation sanguine pour leur être acheminée. Par conséquent, la graisse fournie aux muscles du ventre peut provenir d'un dépôt de tissu adipeux situé derrière l'omoplate! Des chercheurs ont comparé la circonférence des bras et le dépôt graisseux sous la peau des bras de joueurs de tennis de haut calibre. Les résultats montrent que la circonférence du bras frappeur (le bras droit pour la plupart) est nettement plus grande que celle de l'autre bras. C'est parce que le bras dominant est plus musclé. Cependant, le bras dominant n'est pas plus maigre que l'autre : la mesure du tissu adipeux n'indique aucune différence notable entre le bras gauche et le bras droit. Le surentraînement du bras dominant ne s'accompagne donc pas d'une réduction locale des dépôts de graisse.

14 L'exercice n'est pas un moyen de maigrir efficace.

FAUX Au contraire, c'est une des meilleures méthodes pour maigrir réellement, c'est-à-dire perdre de la graisse (tableau 6.1). Beaucoup de régimes dits amaigrissants ne réduisent en rien les tissus adipeux et font surtout perdre du tissu musculaire et de l'eau.

tableau 6.1 Changements survenus chez des jeunes femmes après 16 semaines d'entraînement cardiovasculaire

Plis cutanés en millimètres	Avant	Après	Changement absolu, en millimètres	Changement en pourcentage
Triceps	22,5	19,4	–3,1	–13,8
Sous l'omoplate	19,0	17,0	–2,0	–10,5
Au-dessus de la crête iliaque	34,5	30,2	–4,3	–12,8
Abdomen	33,7	29,4	–4,3	–12,8
Devant de la cuisse	21,6	18,7	–2,9	–13,4
Total	131,3	114,7	–16,6	–12,6

W.D. McArdle, F.I. Katch et V.L. Katch, *Essentials of Exercise Physiology*, Philadephie, Lippincott William & Wilkins, 2e édition, 2000, p. 515.

15 L'exercice favorise l'apparition de varices.

FAUX La principale cause des varices est la gravité. Toutefois, chez certaines personnes, un facteur génétique rend les parois des veines plus sensibles aux effets de la pression exercée par le sang. Pour comprendre l'effet de la gravité sur les veines, laissez pendre vos mains. Au bout de quelques secondes seulement, les veines du dos de vos mains se gonfleront de sang. Quand vous relèverez les mains (ce qui réduit l'effet de la gravité), les veines se dégonfleront. Le même phénomène se produit dans les jambes lorsqu'on reste debout, presque immobile, pendant de longues périodes : les veines des jambes ont de plus en plus de mal à lutter contre la gravité pour renvoyer le sang vers le cœur. Toutefois, dès qu'on se met à marcher, la pression du sang sur les parois des veines passe de 100 à 20 mm Hg. Pourquoi en est-il ainsi ? Tout simplement parce que, pendant la marche, les muscles des jambes se contractent, ce qui fait remonter le sang vers le cœur (figure 6.1). En somme, une personne qui active ses mollets n'augmente pas ses risques d'avoir des varices, au contraire : elle les réduit. Ne dit-on pas des Tibétains, rompus aux longues marches sur le plateau himalayen, qu'ils possèdent trois cœurs : un dans la poitrine et un autre dans chaque mollet ? Si vous avez hérité d'une prédisposition aux varices, le port de bas de compression pourrait vous être utile. Certains sont d'ailleurs conçus spécialement pour l'activité physique.

figure 6.1 L'effet de « pompe » des muscles sur les veines

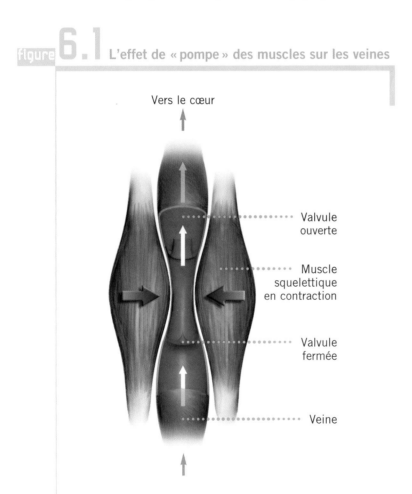

Vers le cœur

Valvule ouverte

Muscle squelettique en contraction

Valvule fermée

Veine

16 Il vaut mieux ne pas faire d'exercice si on est malade.

NI VRAI NI FAUX Vous avez le rhume ou un mal de gorge, et vous vous demandez si vous devriez aller à votre cours de danse aérobique ce soir. Certains vous conseilleront de vous reposer le plus possible et d'éviter tout exercice. D'autres vous diront qu'au contraire rien ne vaut une bonne suée pour faire sortir le mal. Encore des avis contradictoires, direz-vous! Une règle toute simple permet pourtant de prendre la bonne décision: la « règle du cou ». Si vos symptômes sont localisés au-dessus du cou (nez congestionné ou qui coule, éternuements, mal de gorge, sensation de tête lourde), l'exercice est habituellement sans danger. Pour le reste, réduisez toutefois de moitié la durée et l'intensité de la séance, et si vous vous sentez mal, arrêtez-vous. En revanche, si vos symptômes sont localisés au-dessous du cou (muscles endoloris, toux, fièvre, frissons, diarrhée, envie de vomir, etc.), ne pratiquez aucun exercice tant que ces symptômes persisteront. Autrement, vous vous déshydrateriez et vous vous affaibliriez davantage.

17 L'exercice retarde le déclin des fonctions respiratoires associé au vieillissement.

VRAI La capacité des poumons de faire circuler de l'air diminue au fil des ans. Par exemple, la capacité pulmonaire maximale d'une personne âgée de 80 ans est de 40 % inférieure à ce qu'elle était quand elle avait 30 ans. Toutefois, on a observé chez des athlètes âgés de 60 ans et plus une capacité respiratoire beaucoup plus élevée que ce qu'on constate habituellement à cet âge. La **ventilation maximale** (quantité d'air respirée en une minute lors d'un effort maximal) de certains de ces athlètes était même plus élevée que celle de personnes plus jeunes mais sédentaires. L'exercice peut donc retarder le déclin de la fonction pulmonaire associé au vieillissement.

18 On ne devrait pas appliquer de glace sur une blessure (entorse, élongation, etc.) pendant plus de 20 minutes.

VRAI La glace met environ 20 minutes pour freiner une hémorragie ou une réaction inflammatoire. Au-delà, le froid risque d'irriter les terminaisons nerveuses. Les personnes maigres, qui ont une couche de tissu adipeux plutôt mince, sont particulièrement exposées à ce risque. Par ailleurs, il est préférable d'envelopper le sac de glace d'une serviette sèche pour éviter qu'il soit en contact direct avec la peau. La glace « chimique » (comme le Ice Pak) peut être appliquée plus longtemps que la glace ordinaire parce qu'elle est moins froide (10 °C). On peut répéter l'application de glace plusieurs fois par jour.

19 On doit toujours passer un examen médical avant de commencer un programme de mise en forme.

FAUX Seules les personnes qui souffrent de problèmes de santé particuliers doivent subir un examen médical avant d'entreprendre un programme d'activité physique. Pour savoir si vous faites partie de ce groupe, remplissez le **Questionnaire sur l'aptitude à l'activité physique** (p. 183).

20 Faire de l'activité physique coûte cher: matériel, chaussures, vêtements spéciaux… et il faut même parfois payer pour utiliser des installations sportives.

FAUX On peut faire de l'exercice physique presque partout et sans matériel! Monter un escalier, porter un panier à provisions, du bois, des livres ou un enfant sont autant d'excellentes activités physiques d'appoint. La marche, sans doute l'exercice physique le plus pratiqué et le plus vivement recommandé, ne coûte absolument rien. On trouve dans la plupart des villes des parcs, des zones riveraines ou d'autres zones piétonnières idéales pour marcher, courir ou jouer. Il n'y a pas besoin d'aller dans un gymnase, une piscine ou une installation sportive particulière pour faire de l'exercice physique.

21 Le manque d'activité physique est un problème propre aux pays industrialisés.

FAUX Le manque d'exercice physique est une cause importante de décès, de maladie et d'incapacité dans les pays industrialisés comme dans les pays en développement. Selon les données de l'Organisation mondiale de la santé sur les facteurs de risque de maladies chroniques, le manque d'exercice physique – ou une vie sédentaire – serait l'une des 10 principales causes de décès et d'incapacité, et ce, pour l'ensemble de la population mondiale. Plus de 2 millions de décès sont attribués chaque année au manque d'exercice physique. Dans le monde, entre 60 et 85 % des adultes n'ont pas une activité physique suffisante pour protéger leur santé. Mener une vie sédentaire accroît la mortalité, quelle qu'en soit la cause, double les risques de maladie cardiovasculaire, de diabète et d'obésité, et augmente sensiblement le risque de cancer du côlon, d'hypertension, d'ostéoporose, de dépression et d'anxiété.

D'après des données provenant de l'OMS, http://216.239.57.100/cobrand_univ?q=cache:eXjKk4_XXV0C : www.who.int/world-health day/brochure.fr.pdf+inactivit%C3 %A9+physique&hl=fr&ie=UTF-8

à vos méninges

Remarque : Il peut y avoir plus d'une bonne réponse par question.

1. Parmi les affirmations suivantes, laquelle ou lesquelles sont fondées ?

- ○ **a)** Les risques de souffrir d'un cancer de la peau sont moins importants si on reste en forme.
- ○ **b)** Si on sue beaucoup, c'est le signe qu'on est en mauvaise forme.
- ○ **c)** Le matin est le meilleur moment pour faire de l'exercice.
- ○ **d)** L'exercice retarde le déclin des fonctions respiratoires associé au vieillissement.
- ○ **e)** On doit toujours passer un examen médical avant de commencer un programme de mise en forme.

2. Pourquoi est-il bon qu'une femme enceinte reste en forme ?

- ○ **a)** Les visites médicales peuvent être réduites.
- ○ **b)** Elle aura moins de nausées en début de grossesse.
- ○ **c)** La récupération physique sera plus rapide après l'accouchement.
- ○ **d)** Le métabolisme diminue pendant la grossesse.
- ○ **e)** Aucune des affirmations précédentes.

3. Pourquoi un muscle inactif ne se transforme-t-il pas en graisse ?

- ○ **a)** Parce que les cellules musculaires ne peuvent pas se transformer en cellules adipeuses.
- ○ **b)** Parce que les glucides en réserve dans le muscle sont éliminés par la voie urinaire.
- ○ **c)** Parce que les protéines se dégradent et sont éliminées par la voie urinaire.
- ○ **d)** Parce que les lipides en réserve dans le muscle sont métabolisés dans le foie.
- ○ **e)** Pour aucune des raisons précédentes.

4. Que signifie l'expression « effet thermique des aliments » ?

- ○ **a)** Une fois dans l'estomac, les aliments prennent la température du corps.
- ○ **b)** L'organisme dépense des calories pour digérer les aliments.
- ○ **c)** La digestion des aliments ralentit le métabolisme de base.
- ○ **d)** Les aliments digérés libèrent de la chaleur.
- ○ **e)** Toutes les définitions précédentes.

5. **Vrai ou faux ?**

a) L'arrêt des règles causé par un entraînement physique intense est irréversible.   **V**   **F**

b) À entraînement musculaire équivalent, les femmes peuvent, en général, avoir des muscles aussi gros que les hommes.   **V**   **F**

c) Les risques de souffrir d'un cancer de la peau sont moins importants si on reste en forme.   **V**   **F**

d) L'air froid qui pénètre dans les voies respiratoires est réchauffé avant d'atteindre les bronches.   **V**   **F**

e) On peut maigrir du ventre si on fait des exercices pour les muscles du ventre.   **V**   **F**

Muscle 101

chapitre 7

Objectifs

○ Expliquer ce qu'est l'ATP.

○ Faire la distinction entre un exercice aérobique et un exercice anaérobique.

○ Reconnaître les trois systèmes producteurs d'énergie et expliquer leur contribution respective lors d'exercices de durée et d'intensité différentes.

Aérobique! Ce mot est sur toutes les lèvres dès qu'il est question de condition physique. Et pour cause: un système musculaire bien développé et oxygéné est une assurance vie pour le cœur et une garantie pour la santé en général (chapitre 2). Toutefois, s'il vous arrivait de rencontrer un ours affamé, ce n'est pas votre performance aérobique qui vous sauverait, mais une petite molécule gorgée d'énergie à base d'acides aminés, l'**adénosine triphosphate** ou ATP (figure 7.1). Cette molécule se retrouve dans toutes les cellules musculaires. Elle libère une énergie que les muscles utilisent instantanément et qui leur permet de se contracter. C'est donc grâce à l'ATP que vous pourriez détaler à toute vitesse.

La réserve d'ATP dont vos muscles disposent est cependant très limitée: après trois ou quatre secondes d'effort maximal, elle est à sec. C'est plutôt inquiétant, surtout si l'ours vous poursuit toujours! Heureusement, l'organisme renouvelle sans cesse le réservoir d'ATP dans les cellules musculaires, si bien que vous pourrez continuer à courir, même si vous irez moins vite qu'au tout début. En effet, le corps peut compter sur trois systèmes pour alimenter les muscles en ATP: le système ATP-CP, le système à glycogène et le système à oxygène. Les deux premiers systèmes sont anaérobies, c'est-à-dire qu'ils produisent l'ATP sans apport d'oxygène. Ils nous donnent la rapidité et la force. Le troisième système, plus lent, est aérobie, c'est-à-dire qu'il renouvelle l'ATP seulement en présence d'oxygène. Il nous donne de l'endurance pendant l'effort. Ces trois systèmes assurent conjointement le renouvellement de l'énergie nécessaire aux cellules, et ce, 24 heures sur 24. En quelque sorte, nos muscles sont à trois vitesses! Nous verrons que la contribution relative de chacun de ces systèmes dépend toutefois de la durée et de l'intensité de l'effort fourni.

> Il y a très longtemps, parce que les muscles au travail lui faisaient penser à des souris s'activant sous la peau, un homme de science leur a donné le nom de muscles, d'après le mot latin *mus*, qui signifie «petite souris».
>
> Elaine N. Marieb

Le système ATP-CP:
le 9-1-1 des muscles

Vif comme l'éclair, le système ATP-CP nous permet d'entrer en action à tout moment et avec force, s'il le faut. C'est grâce à son intervention que nous pouvons courir pour attraper l'autobus, sauter par-dessus une flaque d'eau, soulever une valise lourde, frapper une balle de golf, freiner brusquement et même écraser un moustique.

Ce «9-1-1 musculaire» est toujours prêt à répondre aux appels d'urgence non seulement grâce à sa réserve d'ATP instantanément disponible, mais également grâce à une autre molécule, elle aussi riche en énergie, la **créatine phosphate** (CP). Comment cela se passe-t-il? On a vu que l'ATP en réserve nous permet de soutenir un effort maximal, mais seulement durant quelques secondes. Aussitôt que le corps commence à puiser dans cette réserve, la CP se met à fabriquer, à une vitesse phénoménale, de nouvelles molécules d'ATP.

On pourrait comparer la CP à un accumulateur qui recharge la pile d'ATP au fur et à mesure que celle-ci se décharge. Comme le muscle contient 3 à 4 fois plus de CP que d'ATP, la CP permet de soutenir un effort maximal 3 à 4 fois plus longtemps que ne le ferait l'ATP seule, soit environ 9 à 15 secondes au lieu de 3 secondes. Après ce laps de temps, l'accumulateur tombe lui-même à plat, car les réserves de CP sont épuisées. C'est au moment où le système ATP-CP fait défaut que les muscles passent en deuxième vitesse. Toutefois, ce moment peut être retardé chez les personnes qui consomment des suppléments de créatine dans le but d'augmenter les réserves intramusculaires de CP (zoom 7.1).

figure 7.1 L'ATP: la pile qui alimente l'activité biologique fournit l'énergie pour...

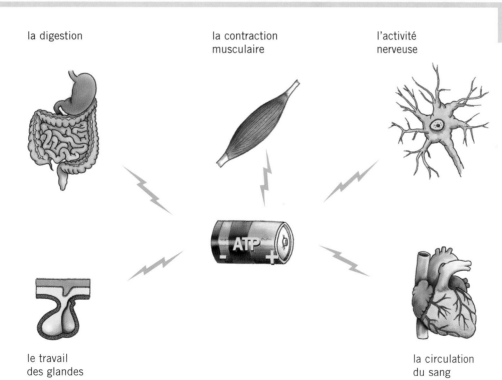

la digestion

la contraction musculaire

l'activité nerveuse

le travail des glandes

la circulation du sang

Nos muscles puisent l'énergie nécessaire à leur fonctionnement dans les aliments. Mais ils ne peuvent pas utiliser cette énergie directement. En effet, les calories tirées des aliments sont emmagasinées, à la suite d'une série de réactions chimiques, dans un petit réservoir d'énergie qu'on appelle adénosine triphosphate (ATP). Ce composé biochimique constitue la source d'énergie universelle des cellules de tous les organismes vivants, de la fourmi à l'être humain, en passant par la marguerite.

ZOOM

7.1 À propos de la créatine...

La créatine est une substance qui retarderait la fatigue découlant d'un effort physique. Disponible au Québec depuis quelques années, la créatine se vend en toute légalité. On peut s'en procurer au kilo — chez Costco, bien sûr — ou en plus petites quantités à la pharmacie du coin. Elle n'est pas bannie, du moins pas encore, ni par le Comité international olympique (CIO) ni par Santé Canada, qui la classe pour l'heure dans la catégorie des suppléments alimentaires. Et elle coûte de moins en moins cher, sans doute parce qu'on la consomme de plus en plus.

On peut se poser deux questions à son sujet : la créatine tient-elle réellement ses promesses ? Et, que ces promesses soient tenues ou non, la consommation de ce supplément nuit-elle à la santé ?

Un super-réservoir d'énergie

Expliquons d'abord ce qu'est la créatine. C'est un acide aminé riche en énergie qui est présent dans le muscle sous forme de créatine phosphate (CP). Sa présence dans l'organisme est assurée, notamment, par la consommation de viande, de volaille et de poisson, qui en sont d'excellentes sources. Son rôle est de renouveler les petites réserves d'adénosine triphosphate (ATP), une molécule à haute teneur en énergie qui est en quelque sorte le carburant du moteur musculaire. La créatine refait le plein d'ATP dans les muscles, ce qui permet à ces derniers de fournir un effort intense plus long. Hélas, les réserves de créatine dans le muscle sont limitées et, une fois qu'elles sont épuisées, la fatigue musculaire apparaît rapidement.

Un jour, des petits malins se sont donc dit : « Et si on prenait des suppléments de créatine pour en augmenter les réserves dans les muscles ? » Depuis, les suppléments de créatine — qu'on consomme en poudre, en tablettes, en capsules ou sous forme liquide — ont détrôné les dangereux stéroïdes chez les athlètes de haut niveau, qui utilisent ainsi des « coups de pouce physiologiques » pour améliorer leur performance.

Les effets positifs

Une grande consommation de créatine en augmente effectivement les réserves dans le muscle. Par exemple, l'ingestion de 20 à 30 g de créatine tous les jours pendant deux semaines augmente jusqu'à 30 % les réserves de créatine intramusculaire. Les recherches ont démontré qu'en remplissant ainsi au maximum son réservoir d'énergie, n'importe qui peut faire des efforts intenses pendant plus de temps. En cas d'effort intense, la performance peut même être améliorée de 15 %. Il est donc tentant de prendre de la créatine lorsqu'on est un athlète de haut niveau. Mais si tous les athlètes en prennent, au bout du compte aucun d'entre eux n'est avantagé !

Chez les adeptes de ce supplément, on observe aussi un gain de poids rapide qui, à court terme, résulterait davantage d'une augmentation des réserves d'eau dans le corps que d'une augmentation de la masse musculaire. En effet, il faut beaucoup d'eau pour que la créatine s'emmagasine dans les muscles. À long terme, consommer régulièrement de la créatine entraîne une augmentation de la masse musculaire parce que le « créatinomane » peut faire plus d'exercices intenses.

Les effets négatifs

La prise de suppléments de créatine ne semble pas aussi nuisible pour la santé que la consommation de stéroïdes anabolisants. Elle présente tout de même quelques inconvénients qui doivent être pris au sérieux.

1. Ces suppléments permettent de faire plus d'exercices intenses, d'où une augmentation des risques de blessures musculaires ou ligamentaires, en particulier chez les personnes qui ne sont pas habituées à faire beaucoup d'exercices intenses.

2. La prise de fortes doses de créatine (20 à 30 g par jour pendant plus de deux mois) augmente les risques de crampes musculaires, de nausées et de troubles digestifs.

3. La créatine attirant l'eau dans les muscles, on doit boire de l'eau fréquemment afin de prévenir la déshydratation lorsqu'on ingère de grandes quantités de créatine.

4. L'ingestion de grandes quantités de créatine crée une surcharge de travail pour les reins. Comme la quantité de créatine pouvant être emmagasinée dans le muscle est limitée, le surplus prend le chemin des reins, qui doivent l'éliminer. Cette substance est donc déconseillée aux personnes souffrant d'insuffisance rénale.

5. On ignore si la consommation de suppléments de créatine est dangereuse à long terme pour la santé. Il a fallu des années pour que les recherches montrent que les stéroïdes anabolisants sont nuisibles à la santé. En sera-t-il de même pour la créatine ?

Consommer de petites quantités de créatine (moins de 5 g par jour) semble ne pas causer de problèmes de santé à court terme. Mais il est nécessaire, notamment au début, d'en ingérer de grandes quantités pour obtenir un effet notable sur les muscles et le rendement à l'effort. Enfin, les suppléments de créatine sont parfaitement inutiles si on n'est pas un athlète visant une haute performance et si on pratique surtout des activités aérobiques, donc légères ou modérées.

Le système à glycogène :
un système puissant mais polluant

Outre la réserve d'urgence d'ATP-CP, chaque cellule musculaire contient une petite quantité de sucre, emmagasinée sous forme de granules de **glycogène** (figure 7.2), une substance composée de molécules de glucose géantes. Le système à glycogène puise dans ce réservoir de sucre pour fabriquer, toujours sans apport d'oxygène, de nouvelles molécules d'ATP. Une fois le système ATP-CP épuisé, la relève est ainsi assurée, ce qui permet à l'organisme de fournir un effort intense pendant plus de 90 secondes. Hélas, il y a un prix à payer ! Les cellules musculaires finissent par se noyer dans une mer d'**acide lactique** : le muscle qui était fringant devient tremblotant, douloureux et dépourvu d'énergie. Résultat : il ne peut plus se contracter. À ce stade, si l'ours vous poursuit toujours, souhaitez ardemment qu'il ait une crampe ou qu'il croise une ruche pleine de miel !

figure **7.2** Du muscle à la cellule musculaire

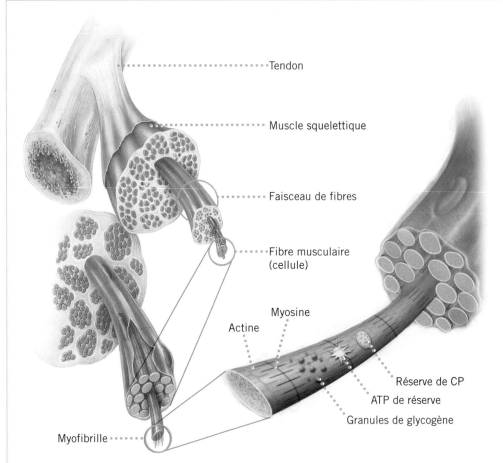

Tendon

Muscle squelettique

Faisceau de fibres

Fibre musculaire
(cellule)

Myosine

Actine

Réserve de CP

ATP de réserve

Granules de glycogène

Myofibrille

Le muscle squelettique est attaché à l'os par un **tendon** (cordon de tissu conjonctif très dense fixé sur l'enveloppe de l'os). Le muscle lui-même est constitué de milliers de cellules de forme allongée, appelées **fibres musculaires**. Ces fibres sont regroupées en paquets ou faisceaux, un faisceau pouvant contenir de 10 à 100 fibres musculaires.

Au microscope, on remarque qu'une fibre est constituée de filaments très minces : les **myofibrilles**. Ces filaments contiennent deux autres filaments encore plus petits : les myofilaments. C'est à ce niveau que s'effectue la contraction du muscle. Ces myofilaments contiennent, en effet, deux protéines spécialisées qui peuvent se contracter et se relâcher : l'actine et la myosine.

Pour que ces protéines puissent agir, elles ont besoin d'énergie, en l'occurrence d'**ATP**. À l'intérieur de la cellule musculaire, il y a une petite réserve d'ATP, mais il y a aussi une réserve de créatine phosphate (CP), ainsi que des **granules de glycogène** au cas où l'effort se prolongerait (système ATP-CP et système à glycogène). Si l'effort devait durer plusieurs minutes, l'oxygène apporté par les vaisseaux sanguins serait alors mis à contribution (système à oxygène).

Adapté de S.R. Grabowski et G.J. Tortora, *Principes d'anatomie et de physiologie*, Montréal, ERPI, 2001, p. 287. Reproduit avec la permission de John Wiley & Sons, Inc.

L'acide lactique se forme lorsque le muscle utilise du sucre en l'absence d'oxygène. C'est ce qu'on appelle la voie anaérobie avec production d'acide lactique, ou **système anaérobie lactique**. Quant au système ATP-CP, il constitue la voie anaérobie sans production d'acide lactique, ou **système anaérobie alactique**. Il y a manque d'oxygène lorsque des muscles se contractent de façon vigoureuse pendant une assez longue période : cette contraction prolongée finit par entraver la libre circulation du sang, et l'approvisionnement en glucose et en oxygène par le système cardiovasculaire devient insuffisant. En somme, chaque fois que vous faites un exercice intense durant plus d'une demi-minute, vos muscles produisent de plus en plus d'acide lactique. Grande fatigue musculaire en vue!

Pour éliminer l'acide lactique, il n'y a qu'une solution : réduire l'intensité de l'effort afin de desserrer l'espèce de garrot que forme le muscle fortement contracté. Le sang peut alors circuler à nouveau librement dans les muscles actifs et les réapprovisionner en oxygène. Au contact de l'oxygène, l'acide lactique se décompose en eau et en gaz carbonique, lesquels ne fatiguent pas les muscles. En fait, l'arrivée en trombe de cet oxygène dans les muscles a pour effet de les faire passer en troisième vitesse. C'est la vitesse de croisière aérobie

Le système à oxygène :
une énergie lente mais illimitée

Nous avons vu que les deux premiers systèmes sont des systèmes anaérobies : ils produisent très rapidement de grandes quantités d'ATP sans apport d'oxygène. Cette superproductivité tient au fait que les cellules musculaires contiennent déjà de la créatine phosphate et du glycogène, de même que les enzymes nécessaires à leur transformation en ATP. Il suffit d'une impulsion nerveuse pour les activer. En somme, la voie anaérobie se caractérise par des réactions biochimiques d'une rapidité extraordinaire, qu'on pourrait comparer à celle d'un superordinateur, et encore.

Il en va autrement du système à oxygène, qui est beaucoup plus lent que les deux autres. Il repose en effet en partie sur un processus mécanique : le transport de l'oxygène des poumons jusqu'à la cellule musculaire. Pourquoi l'oxygène qu'on inhale met-il plusieurs secondes avant d'atteindre le muscle actif? Parce qu'il doit parcourir un trajet incroyablement long: plus de 100 000 km! Soit deux fois et demi le tour de la terre! Il y a donc un délai inévitable dans l'approvisionnement du muscle en oxygène. Et ce délai oblige le système ATP-CP, et parfois même le système à glycogène, à entrer en action dès le début d'un effort physique, du plus grand au plus petit, tel que se moucher ou se gratter le nez.

Cependant, lorsque l'oxygène arrive dans les cellules musculaires, c'est le début d'une production d'ATP qui est pratiquement illimitée. Il y a deux raisons à cela. Premièrement, la fabrication d'ATP en présence d'oxygène (voie aérobie) ne produit presque pas d'acide lactique. Or, on a vu qu'une forte concentration de cet acide fatigue le muscle, ce qui ralentit du même coup la production d'ATP. Deuxièmement, le sang qui circule librement dans le muscle lui apporte de façon continue de grandes quantités de sucre et de graisses. On trouve donc réunis, et en abondance, tous les ingrédients – oxygène, sucre et graisses – nécessaires pour produire de l'ATP pendant de longues minutes, voire de longues heures. C'est le système aérobie qui fonctionne quand on fait un marathon, une longue randonnée en ski de fond ou une simple promenade à pied.

L'activité physique : la génératrice d'ATP

Il est possible d'améliorer l'efficacité des trois systèmes de production d'énergie. Pour ce faire, on doit d'abord s'alimenter sainement (chapitre 3) afin que les cellules musculaires reçoivent tous les éléments nutritifs nécessaires à leur bon fonctionnement. Pour le reste, il suffit de rester physiquement actif. Cela peut sembler contradictoire, mais il faut dépenser de l'énergie pour en avoir. En effet, lorsque les muscles travaillent régulièrement, ils consomment beaucoup d'ATP, ce qui force les « usines » productrices d'énergie à améliorer leur rendement pour faire face à la demande. Comme on le dit : la fonction crée l'organe. Malheureusement l'inverse est vrai également : les systèmes producteurs d'ATP perdent de leur efficacité s'ils sont sous-utilisés. Donc, moins on est physiquement actif, plus les efforts nous fatiguent.

Selon le type d'activité physique pratiquée, on peut développer en priorité l'un ou l'autre des systèmes, ou encore les trois à la fois (figure 7.3). Par exemple, en développant sa capacité de lever des charges de plus en plus lourdes, l'haltérophile améliore l'efficacité de son système ATP-CP. Le nageur qui participe à l'épreuve du 400 m accroît sa capacité de fournir des efforts intenses prolongés et, par le fait même, l'efficacité de son système à glycogène. Le coureur qui s'entraîne pour le marathon augmente sa capacité de fournir des efforts de longue durée et améliore donc l'efficacité de son système à oxygène. Enfin, en combinant tous ces types d'efforts, le triathlonien améliore simultanément le rendement des trois systèmes producteurs d'ATP. Rappelons que le triathlon est une épreuve d'endurance combinant natation, cyclisme et course à pied, qui exige aussi bien des efforts intenses et de courte durée que des efforts modérés et prolongés.

Nous verrons dans les prochains chapitres comment il est possible d'accroître sa production d'énergie musculaire par l'activité physique et, par le fait même, d'améliorer non seulement la capacité de travail de ses muscles et de son cœur, mais aussi celle de tout son corps.

figure 7.3 Les trois systèmes de production d'ATP en action

VOIE ANAÉROBIE

 Système ATP-CP
Énergie de démarrage ou
effort très intense de moins
de 10 secondes

Exemples : lancer du poids, athlétisme et natation (100 m),
saut en hauteur ou en longueur, haltérophilie, etc.

 Système à glycogène
(production d'acide lactique)
Effort intense de moins
de 90 secondes

Exemples : gymnastique, lutte, natation (200 m et
400 m), athlétisme (200 m, 400 m et 800 m), hockey, etc.

VOIE AÉROBIE

 **Système à oxygène**
Effort léger ou modéré
de plus de 2 minutes

Exemples : marathon, cyclisme longue distance, cross-country,
natation (800 m et plus), biathlon, aviron (2 000 m), etc.

à vos méninges

Remarque : Il peut y avoir plus d'une bonne réponse par question.

1. **Si une situation d'urgence vous oblige à quitter les lieux à toute vitesse, quelle composante de votre organisme vous permettra de le faire ?**

- a) Les granules de glycogène dans les muscles.
- b) Le système de transport de l'oxygène.
- c) L'ATP en réserve dans les muscles.
- d) La créatine phosphate en réserve dans les muscles.
- e) Aucune des composantes précédentes.

2. **Pendant combien de temps les muscles peuvent-ils fournir un effort maximal grâce à leur réserve d'ATP ?**

- a) Plus de deux minutes.
- b) Une seconde.
- c) Au moins 30 secondes.
- d) Deux ou trois secondes.
- e) Plus de 10 secondes.

3. **Comment définiriez-vous l'ATP ?**

- a) C'est une hormone à haute teneur en énergie.
- b) C'est un hydrate de carbone mis en réserve uniquement dans les muscles.
- c) C'est une protéine qui permet la contraction du muscle.
- d) C'est une molécule à base d'acides aminés à haute teneur en énergie.
- e) Aucune des réponses précédentes.

4. **Sur combien de systèmes le corps peut-il compter pour alimenter les muscles en ATP ?**

- a) Un système.
- b) Deux systèmes.
- c) Trois systèmes.
- d) Quatre systèmes.
- e) Cinq systèmes.

5. **Parmi les systèmes suivants, lequel ou lesquels fournissent de l'ATP aux muscles ?**

- a) Le système cardiovasculaire.
- b) Le système endocrinien.
- c) Le système à oxygène.
- d) Le système ATP-CP.
- e) Le système sympathique.

6. Dans lequel ou lesquels des systèmes de production d'ATP suivants le muscle se contracte-t-il sans présence d'oxygène ?

○ **a)** Le système anaérobie.

○ **b)** Le système aérobie.

○ **c)** Le système anaérobie lactique.

○ **d)** Le système aérobie alactique.

○ **e)** Le système anaérobie alactique.

7. Que se passe-t-il dans la cellule musculaire quand un exercice intense dure plus de 30 secondes ?

○ **a)** Il y a de plus en plus d'oxygène dans la cellule.

○ **b)** Il y a de plus en plus d'acide lactique dans la cellule.

○ **c)** Il y a de plus en plus de glycogène dans la cellule.

○ **d)** Il y a de moins en moins de glucose dans la cellule.

○ **e)** Il y a de plus en plus d'ATP disponible dans la cellule.

8. Complétez les phrases suivantes.

○ **a)** Le système ATP-CP représente la voie _____ sans production d'acide _____ .

○ **b)** Pour éliminer l'acide lactique, il n'y a qu'une solution : _____ l'intensité de l'effort.

○ **c)** Lorsque l'_____ arrive dans les cellules musculaires, une production d'ATP pratiquement _____ peut commencer.

9. Associez les systèmes producteurs d'ATP (liste de gauche) et les activités physiques (liste de droite).

Systèmes	Activités
1. Système ATP-CP.	**a)** Marathon.
2. Système à glycogène.	**b)** Départ au sprint.
3. Système à oxygène.	**c)** Course de 400 mètres en natation.

pour en savoir plus

lectures suggérées

- Péronnet, F., et coll., *Le marathon*, 2e éd., Montréal, Décarie Éditeur, 1991.

- Vrijens J., *L'entraînement raisonné du sportif*, Bruxelles, De Boeck Université, 1991.

sites internet à visiter

Les sources d'énergie de la contraction musculaire
http://www.infogym.com/fr/html/article.php?sid=162

ATP et métabolisme cellulaire
http://membres.lycos.fr/renejacquemet/sport/atp/atp.html

Un bilan
de votre condition physique... bonne ou mauvaise !

Objectifs

- Connaître les déterminants de la condition physique.

- Nommer et décrire les bienfaits sur l'organisme de l'endurance cardiovasculaire, de la vigueur musculaire, de la flexibilité et du contrôle de ses réserves de graisse.

- Connaître et utiliser les tests permettant d'évaluer ces déterminants.

- Déterminer vos principales capacités physiques.

- Déterminer vos besoins sur le plan de la condition physique.

Le scénario est classique : deux individus du même âge, ne souffrant d'aucune maladie particulière, montent à pied une longue côte. Lorsque B foule le sommet, frais et dispos, A est encore loin derrière et avance péniblement. De toute évidence, B est capable de produire beaucoup plus d'ATP (chapitre 7) que A sans épuiser son système cardiovasculaire ; B a du souffle, alors que A n'en a pas.

Les déterminants
de la condition physique

Et vous ? Ressemblez-vous à A ou à B ? Si vous êtes essoufflé après avoir monté un escalier, vous avez déjà une bonne idée de la réponse… Cependant, pour faire le bilan complet de votre **condition physique, c'est-à-dire votre capacité de vous adapter à l'effort physique en général**, vous devez aussi évaluer la force, l'endurance et la flexibilité de vos muscles, mesurer vos réserves de graisse et déterminer leur distribution dans la masse corporelle. Certains auteurs ajoutent à cette liste la capacité de se détendre et la posture. Notez que le chapitre 4 porte sur l'art de se détendre pour contrer le stress et que la posture fait l'objet du chapitre 9 ; par conséquent, l'évaluation de ces deux déterminants ne sera pas abordée dans le présent chapitre. L'ensemble de ces déterminants constitue ce qu'on appelle les **déterminants variables** de la condition physique (tableau 8.1). Les **déterminants invariables**, c'est-à-dire ceux sur lesquels nous n'avons aucune prise, sont l'hérédité, le sexe et l'âge.

tableau 8.1 Les déterminants variables de la condition physique

Déterminants variables	Définition
Endurance cardiovasculaire	Capacité de fournir pendant un certain temps un effort modéré sollicitant de manière dynamique l'ensemble des muscles.
Vigueur musculaire : force et endurance	Capacité d'un muscle d'être fort et endurant. Un muscle est fort quand il développe une forte tension au moment d'une contraction maximale. Un muscle est endurant lorsqu'il peut répéter ou maintenir pendant un certain temps une contraction modérée.
Réserves de graisse et leur distribution dans la masse corporelle	Les réserves de graisse constituent la masse grasse du corps, par opposition à la masse maigre, qui est constituée des muscles, des os, des organes et des viscères.
Flexibilité	Capacité de faire bouger une articulation dans toute son amplitude sans ressentir de raideur ni de douleur.

Il s'agit donc ici d'évaluer, à l'aide de tests et de mesures particuliers, les déterminants variables de votre condition physique – c'est-à-dire votre capacité de fournir des efforts exigeant du souffle, de la force musculaire, de l'endurance musculaire ou de la flexibilité – et votre capacité à maintenir vos réserves de graisse à un niveau compatible avec la santé. Une telle évaluation vous aidera à déterminer vos points forts et vos points faibles. Par exemple, les tests peuvent révéler que vous manquez d'endurance cardiovasculaire, de force et d'endurance musculaires, mais que vous êtes souple et sans surplus de gras important. Ces résultats pourraient vous amener à réfléchir avant de gravir la même pente raide que l'individu A de tout à l'heure ou de vous lancer dans un exercice qui dépasserait vos capacités physiques. Ils vous aideront aussi à faire un choix plus éclairé parmi les exercices ou les activités susceptibles de combler vos lacunes (chapitres 11, 12 et 13). Mais, surtout, le bilan de votre condition physique peut être révélateur de votre niveau de risque de contracter les maladies de l'heure (chapitre 2).

Maintenant, mettez vos chaussures de sport, enfilez un short et un t-shirt : vous allez vous tester !

Évaluez
votre endurance cardiovasculaire

L'**endurance cardiovasculaire** est le plus important des déterminants de la condition physique. On peut la définir comme la **capacité de fournir pendant un certain temps un effort modéré sollicitant, de manière dynamique, l'ensemble des muscles**. Ce type d'effort met à contribution le système à oxygène (chapitre 7) et, de ce fait même, en améliore l'efficacité, comme nous le verrons plus loin. Marcher, faire du jogging, nager, sauter à la corde, faire du ski de fond ou du vélo, pratiquer l'aéroboxe, voilà autant d'exemples d'efforts qui sollicitent l'ensemble de vos muscles. Si on les pratique à une intensité modérée à élevée pendant plusieurs minutes, ces activités deviennent des activités aérobiques modèles.

Les bienfaits de l'endurance cardiovasculaire

Améliorer l'endurance cardiovasculaire est l'une des mesures préventives les plus bénéfiques pour la santé. Selon une étude récente*, le niveau d'endurance cardiovasculaire est même l'un des meilleurs indicateurs de longévité et de bien-être existant de nos jours. En fait, une bonne endurance cardiovasculaire non seulement vous donne du souffle, mais vous protège aussi remarquablement contre les maladies cardiovasculaires, le diabète de type 2, l'hypertension, l'obésité, l'ostéoporose et certains types de cancer, comme nous l'avons vu dans le chapitre 2. Les principaux effets sur la santé d'un entraînement en endurance cardiovasculaire sont résumés dans la figure 8.1. Nous verrons dans le chapitre 11 comment on peut améliorer son endurance cardiovasculaire.

---

* P. Palatini et coll., « Exercise Capacity and Mortality », *The New England Journal of Medicine*, 2002, nº 347, p. 288 à 290.

figure 8.1 Les effets sur la santé de l'entraînement en endurance cardiovasculaire

Cerveau (zoom 8.1)

- Détente mentale immédiate
- États de bien-être plus fréquents
- Diminution du risque d'AVC*
- Meilleure oxygénation du cerveau
- Augmentation de la sérotonine et de la dopamine
- Diminution du risque de dépression
- Diminution ou élimination de l'anxiété
- Diminution des pensées suicidaires
- Meilleure concentration

Seins

- Diminution du risque de cancer du sein chez la femme

Poumons

- Diminution de l'essoufflement à l'effort
- Meilleure extraction de l'oxygène à partir de l'air inspiré
- Diminution du risque de cancer du poumon

Os

- Augmentation de la densité osseuse
- Diminution du risque d'ostéoporose

Muscles

- Diminution immédiate de la tension musculaire
- Meilleure extraction de l'oxygène par la fibre musculaire
- Production retardée d'acide lactique
- Plus grande production «aérobique» d'ATP
- Augmentation de la force des tendons
- Augmentation de la réserve de créatine

Cœur

- Meilleure oxygénation du cœur
- Diminution de la fréquence cardiaque au repos
- Diminution du risque de maladies cardiovasculaires
- Diminution du risque de crise cardiaque
- Accélération de la récupération cardiaque après l'effort
- Augmentation de la force de contraction du cœur

Artères et sang

- Augmentation du taux de bon cholestérol (HDL)
- Diminution de la pression artérielle au repos
- Diminution du risque d'athérosclérose
- Diminution du risque de formation de caillots (*thrombus*)
- Maintien à long terme de l'élasticité des parois artérielles
- Diminution du risque de diabète de type 2
- Amélioration de l'efficacité des défenses immunitaires

Réserves de graisse

- Diminution du gras sous la peau
- Diminution du gras abdominal

Côlon

- Diminution du risque de cancer du côlon

* AVC : accident vasculaire cérébral.

8.1 Les effets particuliers
de l'entraînement cardiovasculaire sur le cerveau

Les effets de l'exercice sur le cœur, les os, les muscles et certains organes comme le pancréas et le foie sont bien connus. Mais saviez-vous que l'exercice peut aussi vous monter à la tête, et plus précisément au cerveau ? Un exercice aérobique peut augmenter le débit sanguin dans le cerveau de plus de 30 % ! Un tel afflux de sang apporte son lot d'oxygène, de nutriments et d'hormones. Comme nous le verrons, le cerveau ne peut qu'en bénéficier.

Une plus grande activité des ondes alpha et des idées plus claires

En se servant d'un électroencéphalogramme (qui mesure l'activité électrique du cerveau), des chercheurs ont démontré que les exercices rythmiques (marche, jogging, natation, patin à roulettes…) augmentent l'activité des ondes alpha dans le cerveau. Ces ondes sont associées à un état de calme semblable à celui que ressentent les adeptes de la méditation ou du yoga. Les exercices rythmiques favoriseraient aussi peut-être la synchronisation des deux hémisphères du cerveau en les activant simultanément. Ainsi, pendant qu'on jogge, marche ou nage, la pensée rationnelle de l'hémisphère gauche se mêlerait à la pensée intuitive et imagée de l'hémisphère droit, ce qui aurait pour effet de nous éclaircir les idées. Souvenez-vous qu'Aristote aimait faire de longues promenades pour réfléchir. Toutefois, cet effet cérébral de l'exercice n'a pas encore été clairement démontré.

De nouvelles cellules nerveuses ?

L'exercice agirait sur la structure même du cerveau en favorisant la formation de nouvelles cellules nerveuses (neurones) et de nouvelles interconnexions entre ces cellules. Ce sont là les conclusions d'études sur des souris menées aux États-Unis au Howard Hughes Medical Institute. Les chercheurs ont aussi observé que le cerveau des souris entraînées avait 2,5 fois plus de cellules nerveuses que celui des souris sédentaires. Ces nouvelles cellules sont apparues dans l'hippocampe, une région du cerveau associée à la mémoire à court et à long terme.

Un frein à l'atrophie du cerveau

S'ils ne peuvent affirmer pour le moment que l'exercice favorise la formation de neurones chez les humains, comme on l'a observé chez les souris, les chercheurs ont découvert que l'exercice retardait l'atrophie du cerveau associée au vieillissement. Grâce à la résonance magnétique, des chercheurs ont étudié pour la première fois le cerveau de 55 volontaires âgés de 56 à 79 ans. Leurs conclusions sont stupéfiantes : le cerveau des personnes actives physiquement avait perdu beaucoup moins de matières grise et blanche que celui des personnes qui faisaient peu d'exercice. La matière grise abrite les neurones, des cellules indispensables à l'apprentissage et à la mémoire, tandis que la matière blanche peut être comparée à un gigantesque réseau Internet constitué de milliards d'interconnexions (fibres nerveuses) qui transmettent les signaux émis par les neurones dans le cerveau. Les régions du cerveau sur lesquelles l'exercice semble avoir le plus d'effet sont les cortex pariétal, frontal et temporal. Ces

ZOOM

régions sont associées aux fonctions cognitives (mémoire, apprentissage). L'étude en question, *Aerobic Fitness Reduces Brain Tissue Loss in Aging Humans*, a été publiée en février 2003 dans la revue médicale *The Journal of Gerontology: Medical Sciences*.

Un cerveau mieux oxygéné et plus alerte

Selon une étude menée auprès de 6 000 femmes âgées de plus de 65 ans et suivies pendant huit ans, les femmes les plus actives physiquement étaient celles dont les fonctions cognitives étaient les moins altérées. En revanche, les performances intellectuelles des femmes les moins actives physiquement avaient notablement diminué. Les auteurs ont mis aussi en évidence une relation « dose-effet » : plus les femmes étaient actives physiquement, moins elles avaient de chances de présenter une détérioration de leurs fonctions cognitives à la fin du suivi de huit ans. Selon plusieurs chercheurs, cet effet de l'exercice sur les fonctions cognitives pourrait résulter, du moins en partie, de l'augmentation du débit sanguin dans le cerveau, qui atteint parfois plus de 30 %. Cette augmentation accroît l'apport en oxygène frais et en éléments nutritifs dans le cerveau. En outre, une étude récente menée sur des chimpanzés adultes révèle qu'après 20 semaines d'exercices de type aérobique de nouveaux vaisseaux sanguins (capillaires) s'étaient formés dans le cerveau de ces mammifères proches de l'humain. L'injection d'une substance radioactive dans le sang des chimpanzés a permis de découvrir ces nouveaux capillaires.

Plus de dopamine, de sérotonine et d'endorphines

Ces dernières années, des recherches ont démontré que la pratique régulière de l'activité physique favorise la synthèse de la sérotonine dans le cerveau. La sérotonine est un neurotransmetteur produit par les neurones qui influence les zones cérébrales contrôlant l'humeur. Ainsi, on sait que les personnes déprimées ont un taux de sérotonine anormalement bas. D'ailleurs, il est maintenant scientifiquement établi que l'exercice réduit les symptômes de la dépression au même titre qu'un antidépresseur. On sait aussi que les enfants atteints du syndrome du trouble déficitaire de l'attention avec hyperactivité motrice souffriraient d'une déficience en dopamine, déficience que vient contrecarrer un médicament comme le Ritalin. Or, l'exercice a un effet dopaminergique, c'est-à-dire qu'il augmente le taux de dopamine dans le cerveau. De plus, comme nous l'avons vu plus haut, la sécrétion d'endorphines dans le cerveau augmente substantiellement après que le corps a passé un certain temps en état d'exercice. Cet effet expliquerait pourquoi les femmes souffrant du syndrome prémenstruel qui deviennent actives physiquement voient leurs symptômes s'atténuer considérablement. Le taux d'endorphines est lié à l'intensité et à la durée de l'exercice. Voilà pourquoi les exercices aérobiques prolongés (jogging, vélo, ski de fond, etc.) sont les plus « endorphinogènes ».

En somme, ces effets confirment que l'exercice agit sur le cerveau, à l'instar des psychotropes, en améliorant notre humeur et nos fonctions cognitives.

L'évaluation de l'endurance cardiovasculaire

La quantité maximale d'oxygène que le corps peut consommer pendant un exercice d'intensité maximale est l'indice par excellence de l'endurance cardiovasculaire d'un individu. La **mesure directe** de cet indice, soit la consommation maximale d'oxygène ou VO_2 max (zoom 8.2), est la

ZOOM 8.2 Consommation d'oxygène, métabolisme et MET

Notre organisme est accro à l'oxygène. La preuve, il en consomme sans arrêt, 24 heures sur 24 ! Et pour cause : en l'absence de ce gaz, nos cellules ne survivraient pas longtemps. Au repos, cette consommation est de l'ordre de 200 à 250 mL par minute selon qu'on est une femme ou un homme. Si on tient compte du poids corporel pour être plus précis, elle est de 3,5 mL d'O_2 par kilogramme de poids par minute (mL O_2/kg/min). Cette consommation d'oxygène, ou dépense énergétique, est ce qu'on appelle le **métabolisme de repos**. Les chercheurs lui ont donné un autre nom : le **MET** pour *metabolic equivalent*. Un MET représente donc une consommation de 3,5 mL O_2/kg/min. Si vous lisez ce texte en position assise, vous êtes justement en état de métabolisme de repos. Votre dépense calorique ou consommation d'oxygène correspond donc à 1 MET. Si vous faites du jogging, votre consommation d'oxygène peut grimper à 7 METS, c'est-à-dire sept fois celle du métabolisme de repos. Si vous joggez encore plus vite, votre consommation d'oxygène peut atteindre 10 METS, soit 10 fois celle du métabolisme de repos ! Une telle consommation fait du jogging rapide un effort d'une intensité élevée.

Grâce à la méthode MET, vous pouvez établir rapidement à quel pourcentage de votre consommation maximale d'oxygène (ou capacité aérobie maximale) vous vous situez lorsque vous faites par exemple un effort de 10 METS. Voici comment. Supposons, après avoir fait un des tests d'endurance cardiovasculaire proposés dans ce chapitre, que votre consommation maximale d'oxygène est estimée à 49 mL O_2/kg/min, soit l'équivalent de 14 METS (49 mL divisés par 3,5 mL). Votre séance de jogging rapide de 10 METS correspond donc à 70 % de votre puissance aérobie maximale (10 METS équivalent en effet à 70 % de 14 METS). Cette méthode de calcul est non seulement simple et rapide, mais elle vous permet aussi de déterminer la vitesse à laquelle vous devrez, par exemple, jogger pour atteindre une intensité correspondant à 70 % de votre consommation maximale d'oxygène. Nous verrons cela en détail dans le chapitre 11.

méthode la plus précise pour évaluer ce déterminant de la condition physique (figure 8.2). Toutefois, cette méthode exige beaucoup de temps, un équipement coûteux, la présence de plus d'un évaluateur et un effort physique maximal. On ne peut donc pas l'utiliser pour tout individu dont la santé cardiaque est douteuse. Ces tests servent surtout à évaluer des athlètes professionnels ou des sujets en bonne santé qui participent à une recherche scientifique. Le tableau 8.2 présente un classement en rang centile de la consommation maximale d'oxygène obtenue par la mesure directe chez des milliers de personnes entre 1970 et 2002. La figure 8.3 présente les valeurs de consommation maximale d'oxygène obtenues auprès d'athlètes de niveau olympique comparativement à des personnes sédentaires.

figure 8.2 **Le test de la consommation maximale d'oxygène sur tapis roulant**

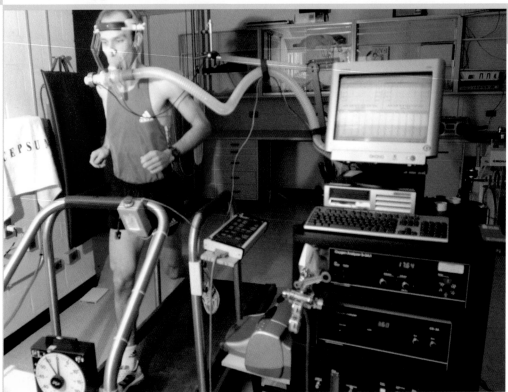

Pendant que le sujet atteint progressivement un effort cardiovasculaire d'intensité maximale, on analyse à l'aide d'appareils le contenu en oxygène et en gaz carbonique de l'air expiré. Ces données, relevées de seconde en seconde, permettent de déterminer avec précision sa consommation maximale d'oxygène, c'est-à-dire le moment où, malgré l'effort physique intense, sa consommation d'oxygène n'augmente plus.

Heureusement, des tests simples, rapides et économiques permettent d'estimer, avec un degré de précision acceptable, la consommation maximale d'oxygène d'un individu. Voici six de ces tests, reconnus pour leur bonne corrélation avec la mesure directe de la consommation maximale d'oxygène: les tests de 12 minutes de Cooper (marche, natation et vélo); le test de marche de 1,6 km; le physitest aérobie canadien modifié; et le test progressif de course en navette de 20 m (test de Léger-Boucher). Précisons que les tableaux de résultats de ces tests vous permettent d'inscrire un deuxième résultat si vous refaites le même test à la fin de la session ou lors de votre deuxième ou troisième cours d'éducation physique.

Toutefois, avant de passer l'un de ces tests ou tout autre test exigeant un effort physique inhabituel, il est impératif de prendre les précautions suivantes:

- remplissez le **questionnaire sur l'aptitude à l'activité physique** ou Q-AAP (zoom 8.3) pour vous assurer que votre état de santé vous autorise à faire ce test;
- attendez au moins 75 minutes après un repas (2 heures, si le repas est copieux) et buvez deux verres d'eau 30 minutes avant de commencer (chapitre 3);

8.2 Rang centile de la consommation maximale d'oxygène obtenue par la méthode de la mesure directe lors de tests maximaux

HOMMES					
Rang centile	19 ans et —*	20-29 (n = 2 234)	30-39 (n = 11 158)	40-49 (n = 13 109)	50-59 (n = 5 641)
90	55,9	55,1	52,1	50,6	49,0
80	53,1	52,1	50,6	49,0	44,2
70	49,7	49,0	47,4	45,8	41,0
60	48,2	47,4	44,2	44,2	39,4
50	46,9	44,2	42,6	41,0	37,8
40	44,2	42,6	41,0	39,4	36,2
30	42,6	41,0	39,4	36,2	34,6
20	41,1	37,8	36,2	34,2	31,4
10	38,4	34,6	33,0	31,4	29,9

FEMMES					
Rang centile	19 ans et —*	20-29 (n = 1 223)	30-39 (n = 3 895)	40-49 (n = 4 001)	50-59 (n = 465)
90	49,4	49,0	45,8	42,6	37,8
80	45,6	44,2	41,0	39,4	34,6
70	41,7	41,0	39,4	36,2	33,0
60	39,8	39,4	36,2	34,6	31,4
50	38,1	37,8	34,6	33,0	29,9
40	36,7	36,2	33,0	31,4	28,3
30	34,6	33,0	31,4	29,9	26,7
20	33,2	31,4	29,9	28,3	25,1
10	31,1	28,3	26,7	25,1	21,9

* Les données en rang centile de la colonne 19 ans ont été estimées à partir de plusieurs sources. Elles ne proviennent donc pas de mesures directes comme c'est le cas pour les autres catégories d'âge.

Tiré de *Aerobics Center longitudinal study* (ACLS), 1970-2002, The Cooper Institute, Dallas, Tx.

- faites un exercice d'échauffement de quelques minutes (chapitre 14) ;

- évitez les départs trop rapides ou trop lents, et essayez de maintenir une vitesse constante ;

- si l'effort devient pénible, ralentissez, quitte à reprendre votre rythme plus tard ;

- si vous vous sentez étourdi ou très essoufflé ou si vous ressentez un malaise inhabituel, arrêtez-vous ;

- après le test et selon le type d'exercice accompli, marchez, pédalez ou nagez lentement pendant une ou deux minutes, de façon à faciliter le retour du sang vers le cœur et l'élimination de l'acide lactique dans les muscles.

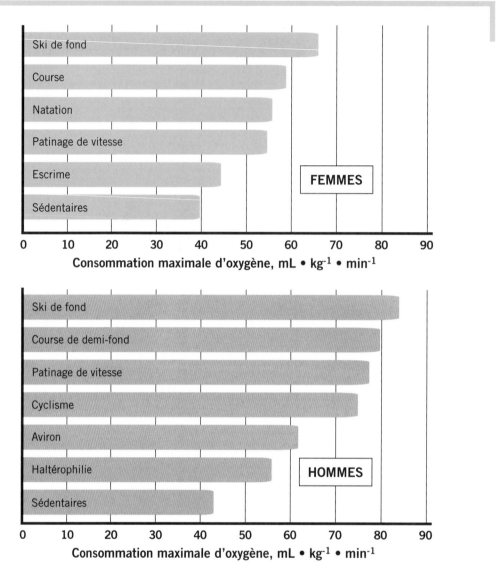

Tiré de W. McArdle, F. Katch et V. Katch, *Physiologie de l'activité physique*, Maloine/Edisem, p. 187, figure 11.9.

1. Le test de marche et course de 12 minutes de Cooper. Ce test est fréquemment utilisé par les professeurs d'éducation physique. On l'effectue à l'aide d'un chronomètre et sur un parcours plat dont la longueur en mètres est connue : piste d'athlétisme, périmètre d'un gymnase, terrain de football ou tout autre circuit dont on a préalablement mesuré la longueur.

Ce test consiste à calculer la distance qu'un individu parcourt en joggant (ou en marchant, s'il ne peut pas garder le rythme du jogging tout le long du parcours) pendant 12 minutes. Dans l'idéal,

ZOOM

8.3 Êtes-vous apte à
pratiquer l'activité physique ?

Le questionnaire sur l'aptitude à l'activité physique (Q-AAP) a été conçu pour déceler les individus, peu nombreux, pour lesquels la pratique d'une activité physique sans supervision médicale peut être inappropriée, ou les personnes qui devraient consulter un médecin pour l'élaboration de leur programme d'activité physique. *Si vous répondez «oui» à une ou à plusieurs des questions*, vous devriez consulter un médecin avant d'effectuer un test d'effort ou d'entreprendre un programme d'exercice.

Répondez consciencieusement aux sept questions suivantes.

1. Votre médecin vous a-t-il déjà dit que vous aviez des troubles cardiaques et que vous ne devriez pas suivre un programme d'exercice à moins qu'il soit approuvé par un médecin ?
   ○ Oui   ○ Non

2. L'activité physique provoque-t-elle chez vous l'apparition de douleurs à la poitrine ?
   ○ Oui   ○ Non

3. Durant le mois dernier, avez-vous ressenti des douleurs à la poitrine alors que vous n'effectuiez pas d'activité physique ?
   ○ Oui   ○ Non

4. Vous arrive-t-il de perdre connaissance ou de perdre l'équilibre à la suite d'un étourdissement ?
   ○ Oui   ○ Non

5. Souffrez-vous de troubles osseux ou articulaires qui pourraient être aggravés par l'exercice ?
   ○ Oui   ○ Non

6. Prenez-vous actuellement des médicaments pour votre pression artérielle ou pour un problème cardiaque ?
   ○ Oui   ○ Non

7. Selon vous, existe-t-il une autre raison qui vous empêcherait de faire de l'exercice ?
   ○ Oui   ○ Non

afin de trouver le bon rythme de course et de se familiariser avec la distance qu'on peut parcourir en 12 minutes, **on doit d'abord faire un essai témoin, quelques jours avant le vrai test.**

Une fois le test terminé, consultez le tableau 8.3 pour déterminer votre niveau d'endurance cardiovasculaire en fonction de la distance parcourue. Cochez la case appropriée et reportez ce résultat dans le bilan 8.1 (page 216).

Le tableau 8.4 présente les équivalences qu'on peut établir entre le résultat brut d'un test d'endurance cardiovasculaire, la prédiction de la consommation maximale d'oxygène et la valeur en METS. À titre d'exemple, on a utilisé ici le test de course de 12 minutes de Cooper. Vous pouvez faire le même exercice avec le physitest aérobie canadien modifié (p. 188) ou le test navette de 20 mètres (p. 192).

tableau 8.3 Résultats du test de marche et course de 12 minutes de Cooper

HOMMES					
Endurance cardiovasculaire*	**19 ans et –**	**20-29 ans**	**30-39 ans**	**40-49 ans**	**50-59**
Supérieure	> 3,0	> 2,85	> 2,75	> 2,65	> 2,55
Très élevée	2,8-3,0	2,7-2,85	2,6-2,75	2,5-2,65	2,4-2,55
Élevée	2,6-2,7	2,5-2,6	2,4-2,5	2,3-2,4	2,2-2,3
Moyenne	2,3-2,5	2,2-2,4	2,2-2,3	2,1-2,2	2,0-2,1
Faible	2,1-2,2	1,9-2,1	1,9-2,1	1,8-2,0	1,7-1,9
Très faible	< 2,1	< 1,9	< 1,9	< 1,8	< 1,7

FEMMES					
Endurance cardiovasculaire*	**19 ans et –**	**20-29 ans**	**30-39 ans**	**40-49 ans**	**50 ans et +**
Supérieure	> 2,5	> 2,4	> 2,3	> 2,2	> 2,1
Très élevée	2,4-2,5	2,3-2,4	2,2-2,3	2,1-2,2	2,0-2,1
Élevée	2,2-2,3	2,1-2,2	2,0-2,1	1,9-2,0	1,8-1,9
Moyenne	2,0-2,1	1,9-2,0	1,8-1,9	1,7-1,8	1,6-1,7
Faible	1,6-1,9	1,5-1,8	1,6-1,7	1,4-1,6	1,4-1,5
Très faible	< 1,6	< 1,5	< 1,5	< 1,4	< 1,4

* Les valeurs sont exprimées en kilomètres. Le symbole < signifie «inférieur à», et le symbole > «supérieur à».

K.H. Cooper, *The Aerobics Program for Total Well-being: Exercise, Diet, Emotional Balance*, New York, Bantam Books, 1985.

Votre résultat : 1re fois : _____ km ; cote : _____ ; 2e fois : _____ km ; cote : _____ .

Il vous suffit de diviser la valeur de la consommation maximale d'oxygène prédite par 3,5 pour obtenir l'équivalent en METS. Reportez ensuite ces données (VO_2 max et METS) à l'endroit approprié dans le tableau A du bilan 8.1. Elles vous serviront dans le chapitre 11 lorsque viendra le temps de déterminer l'intensité lors d'un exercice cardiovasculaire.

2. Le test de natation de 12 minutes de Cooper. La conception de ce test est identique à celle du test précédent, sauf qu'il se fait dans une piscine. Il s'agit de calculer la distance parcourue par un individu à la nage pendant 12 minutes. Le style de nage importe peu, pourvu que vous soyez à l'aise dans l'eau. En fait, c'est un test intéressant si vous êtes un bon nageur. Il est préférable de faire le test dans une piscine de 25 ou 50 m. Calculez la distance parcourue au tiers de longueur près. Par exemple, si vous terminez le test au premier tiers de la longueur d'une piscine de 25 m, ajoutez 8 m à votre total (le résultat arrondi de 25 divisé par 3). Afin de trouver un bon rythme de nage, nagez au moins une fois pendant 12 minutes en respectant un repos d'au moins 48 heures avant le test. Pendant cette période de repos, évitez tout exercice intense.

tableau 8.4 Distance parcourue, VO$_2$max et METS

À combien de fois votre métabolisme de repos votre résultat correspond-il ?

Voici la réponse à partir des résultats du test de course de 12 minutes de Cooper :

Distance (km)	Consommation maximale d'oxygène prédite[1]	Valeur en METS[2] (nombre de fois le métabolisme de repos)	Exemples d'efforts physiques correspondant à votre consommation maximale d'oxygène[3]
3,2 et +	60,2 et +	17,0 et +	**16 METS et plus :** course à 16,0 km/h et + ; vélo à 32 km/h (compétition) ; ski de fond (à vitesse maximale ou en pente ascendante).
3,1	58	16,5	
3,0	55,8	16,0	
2,9	53,5	15,0	**14-15 METS :** course à 14 km/h et plus ; patin de vitesse (compétition) ; ski de fond à 13 km/h et + (compétition) ; monter rapidement des escaliers.
2,8	51,3	14,5	
2,7	49	14,0	
2,6	47	13,5	**12-13 METS :** vélo à 25-30 km/h (compétition) ; cardio sur exerciseur (200 à 250 watts) ; course à 12-13 km/h ; boxe (entraînement) ; squash, canotage vigoureux à 9,5 km/h et plus.
2,5	44,5	13,0	
2,4	42	12,5	
2,3	40	11,5	**10-11 METS :** soccer (compétition) ; nage vigoureuse (crawl, papillon, brasse, dos crawlé) ; water-polo ; vélo à 22 à 25 km/h ; step avec marche de 25-30 cm.
2,2	39	11,0	
2,1	35,6	10,0	
2,0	33,4	9,5	**8-9 METS :** vélo récréatif à 19 à 22 km/h ; cardio modéré sur tapis-roulant ou ergocycle ; step avec marche de 15-20 cm ; jogging à 8,5 km/h ; football (compétition) ; handball européen ; hockey ; escalade ; basketball.
1,9	31	9,0	
1,8	29	8,0	
1,7	27	7,5	**6-7 METS :** vélo récréatif à 16 à 19 km/h ; ergocycle 150 watts ; musculation ; jogging léger ; escrime ; soccer récréatif ; marche sportive ou à 9 km/h ; ski récréatif.
1,6	24,5	7,0	
1,5	22	6,5	
1,4 et −	20	Moins de 6,0	**Moins de 6 METS :** vélo récréatif à 15 km/h et moins ; ergocyle 100 watts et moins ; badminton récréatif ; curling ; golf récréatif ; yoga ; stretching ; équitation ; tai-chi ; volleyball récréatif ; marche à 5 km/h et moins.

1. Calculée selon la formule suivante : (22,351 × distance en km) − 11,288.

2. Calculée en divisant le nombre de la deuxième colonne par 3,5.

3. Pour une liste exhaustive de la valeur en METS des activités physiques, consultez l'annexe 1, p. A-1.

Pour faire ce test, il faut un chronomètre et la collaboration d'un partenaire pour compter, au tiers près, le nombre de longueurs de piscine que vous ferez en 12 minutes. Une fois le test terminé, inscrivez, dans le tableau ci-dessous, le nombre de longueurs parcourues. Puis, reportez-vous au tableau 8.5 pour connaître votre niveau d'endurance cardiovasculaire.

1re fois : nombre de longueurs (_____) × 25 m = _____ m

2e fois : nombre de longueurs (_____) × 25 m = _____ m

3. Le test de bicyclette de 12 minutes de Cooper. Le Dr Kenneth H. Cooper a également mis au point un test pour les adeptes du cyclisme. Ce test consiste à parcourir à bicyclette la plus grande distance possible en 12 minutes. Pour faire ce test, vous devez avoir un chronomètre, une bicyclette en bon état équipée d'un odomètre et avoir accès de préférence à une piste cyclable ou à un parcours plat sur une route peu achalandée. Le parcours aura été préalablement marqué (à l'aide de bornes) tous les 100 ou 200 m. Afin de trouver un bon rythme, pédalez pendant 12 minutes sur la piste balisée au moins une fois avant le test. Accordez-vous un repos de 48 heures avant de faire le test. Lors du test, échauffez-vous sur votre bicyclette en moulinant pendant quelques

tableau 8.5 Résultats du test de natation de 12 minutes de Cooper

HOMMES					
Endurance cardiovasculaire*	19 ans et –	20-29 ans	30-39 ans	40-49 ans	50 ans et +
Très élevée	> 730	> 640	> 600	> 550	> 500
Élevée	640-730	550-640	500-600	460-550	410-500
Moyenne	550-640	450-550	410-500	360-460	320-410
Faible	460-550	360-450	320-410	275-360	230-320
Très faible	< 460	< 360	< 320	< 275	< 230

FEMMES					
Endurance cardiovasculaire*	19 ans et –	20-29 ans	30-39 ans	40-49 ans	50 ans et +
Très élevée	> 640	> 550	> 500	> 450	> 410
Élevée	550-640	450-550	410-500	360-450	320-410
Moyenne	450-550	360-450	320-410	275-360	230-320
Faible	360-450	275-360	230-320	180-275	140-230
Très faible	< 360	< 275	< 230	< 180	< 140

* Les valeurs sont exprimées en mètres. Le symbole < signifie « inférieur à », et le symbole > « supérieur à ».

K.H. Cooper, *The Aerobics Program for Total Well-being : Exercise, Diet, Emotional Balance*, New York, Bantam Books, 1985.

Votre résultat : 1re fois : _____ m ; cote : _____ ; 2e fois : _____ m ; cote : _____ .

minutes. Mouliner correspond à pédaler à raison de 70 à 100 tours à la minute. Puis, pédalez pendant 12 minutes, en évitant de partir trop rapidement afin de tenir le coup pendant toute la durée du test. Un partenaire ou votre professeur d'éducation physique notera la distance parcourue en 12 minutes. Reportez-vous au tableau 8.6 pour connaître votre niveau d'endurance cardiovasculaire.

4. Le test de marche de 1,6 km.   Comme son nom l'indique, le test de marche de 1,6 km (test de Rockport) se fait uniquement en marchant. Il est donc moins intense et moins exigeant pour les articulations des membres inférieurs que les tests de course. Il s'agit de chronométrer le temps qu'on met pour parcourir une distance de 1,6 km en marchant d'un pas rapide. Servez-vous de l'odomètre d'une auto ou d'un vélo pour mesurer un parcours plat de 1,6 km. Vous pouvez aussi faire le test sur une piste d'athlétisme de 400 m ; dans ce cas, faites quatre tours de piste en marchant. Avant le départ, échauffez-vous cinq minutes en étirant vos muscles et en faisant un peu de marche sur place, tout en élevant les genoux. Dès que vous êtes prêt, chronométrez-vous en marchant aussi rapidement que vous le pouvez. Quand vous avez terminé le parcours, marchez lentement durant deux ou trois minutes. Ensuite, consultez le tableau 8.7 afin de connaître votre endurance cardiovasculaire et votre capacité à faire de longues randonnées.

tableau 8.6   Résultats du test de bicyclette de 12 minutes de Cooper

HOMMES					
Endurance cardiovasculaire*	19 ans et −	20-29 ans	30-39 ans	40-49 ans	50 ans et +
Très élevée	> 9,2	> 8,8	> 8,5	> 7,9	> 7,2
Élevée	7,7-9,2	7,3-8,8	6,9-8,4	6,5-7,9	5,7-7,2
Moyenne	6,1-7,6	5,7-7,2	5,3-6,8	4,9-6,4	4,1-5,6
Faible	4,4-6,0	4,0-5,6	3,6-5,2	3,2-4,8	2,8-4,0
Très faible	< 4,4	< 4,0	< 3,6	< 3,2	< 2,8

FEMMES					
Endurance cardiovasculaire*	19 ans et −	20-29 ans	30-39 ans	40-49 ans	50 ans et +
Très élevée	> 7,6	> 7,2	> 6,9	> 6,4	> 5,6
Élevée	6,1-7,6	5,7-7,2	5,3-6,8	4,9-6,4	4,1-5,6
Moyenne	4,5-6,0	4,1-5,6	3,7-5,2	3,3-4,8	2,5-4,0
Faible	2,8-4,4	2,4-4,0	2,0-3,6	1,6-3,2	1,1-2,4
Très faible	< 2,8	< 2,4	< 2,0	< 1,6	< 1,2

* Les valeurs sont exprimées en kilomètres. Le symbole < signifie « inférieur à », et le symbole > « supérieur à ».

K.H. Cooper, *The Aerobics Program for Total Well-being : Exercise, Diet, Emotional Balance*, New York, Bantam Books, 1985.

Votre résultat : 1re fois : _____ km ; cote : _____ ; 2e fois : _____ km ; cote : _____ .

tableau 8.7 Résultats du test de marche de 1,6 km

HOMMES				
Endurance cardiovasculaire*	**18-29 ans**	**30-39 ans**	**40-49 ans**	**50 ans et +**
Très élevée	< 11:39	< 12:40	< 13:40	< 14:10
Élevée	11:39-12:59	12:40-14:00	13:40-14:40	14:10-15:20
Moyenne	13:00-14:21	14:01-15:20	14:41-15:55	15:21-16:25
Faible	14:22-15:43	15:21-16:15	15:56-16:45	16:26-17:25
Très faible	> 15:43	> 16:15	> 16:45	> 17:25

FEMMES				
Endurance cardiovasculaire*	**18-29 ans**	**30-39 ans**	**40-49 ans**	**50 ans et +**
Très élevée	< 12:34	< 13:30	< 14:30	< 15:30
Élevée	12:34-13:40	13:30-14:40	14:30-15:40	15:30-16:40
Moyenne	13:41-14:45	14:41-15:45	15:41-16:45	16:41-17:45
Faible	14:46-16:00	15:46-17:00	16:46-18:00	17:46-19:00
Très faible	> 16:00	> 17:00	> 18:00	> 19:00

* La durée est exprimée en minutes et en secondes. Le symbole < signifie « inférieur à », et le symbole > « supérieur à ».

G. Robbins, D. Powers et S. Burgers, *A Wellness Way of Life*, McGraw-Hill, New York, 4e éd., 1999, p. 108. Reproduit avec l'autorisation de The McGraw-Hill Companies.

Votre résultat : 1re fois : _____ ; cote : _____ ; 2e fois : _____ ; cote : _____ .

4. Le physitest aérobie canadien modifié.   Le physitest aérobie canadien modifié (**PACm**) consiste à monter et descendre deux marches de façon continue. La hauteur des marches correspond à celle de la plupart des marches qu'on trouve dans les maisons et les appartements.

Pour faire le test, vous avez besoin du matériel suivant :

- deux marches ergométriques, de 20,3 cm de hauteur chacune ;
- une marche ergométrique de 40,6 cm de hauteur ;
- l'extrait sonore du PACm ;
- un lecteur de cassettes ou un lecteur de disques compacts ;
- un chronomètre ou bien une montre ou une horloge munie d'une aiguille des secondes ;
- un cardiofréquencemètre (souhaitable).

Si vous n'avez pas de cardiofréquencemètre, demandez la collaboration d'un partenaire qui comptera vos pulsations cardiaques ; sinon comptez-les vous-même (figure 8.4).

figure **8.4** Comment prendre son pouls

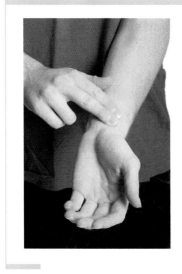

Prenez votre pouls à l'artère radiale (sur le poignet, du côté du pouce) ou à l'artère carotide (sur le cou).

Pour commencer, inscrivez votre poids (en kilogrammes) ci-dessous.

> Votre poids : _____ kg

Déterminez ensuite le palier de départ, selon votre âge. Le palier est un bloc d'effort de trois minutes à une cadence préétablie qui augmente de palier en palier.

- Femmes de 15 à 39 ans : 3e palier.
- Femmes de 40 à 49 ans : 2e palier.
- Femmes de 50 à 59 ans : 1er palier.
- Hommes de 15 à 29 ans : 4e palier.
- Hommes de 30 à 49 ans : 3e palier.
- Hommes de 50 à 59 ans : 2e palier.

Puis, montez et descendez les deux marches de 20,3 cm selon la séquence indiquée dans la figure 8.5. Si vous êtes un homme qui accède au palier 7 ou une femme qui accède au palier 8, le test se fait alors sur une seule marche de 40,6 cm. Exercez-vous à monter et descendre les marches en suivant exactement la séquence prescrite. Après avoir fait un premier palier de trois minutes tout en respectant le rythme imposé par l'extrait sonore, prenez votre fréquence cardiaque à l'aide du cardio-fréquencemètre ou demandez à un partenaire de le faire. La fréquence cardiaque doit être prise pendant 10 secondes, immédiatement après la fin de l'exercice. Arrêtez le test si votre fréquence cardiaque est égale ou supérieure à celle qui est indiquée dans le tableau selon votre groupe d'âge. Sinon, passez au palier suivant.

figure **8.5** Le PACm : montées et descentes des marches

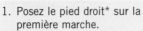

1. Posez le pied droit* sur la première marche.

2. Posez le pied gauche sur la deuxième marche.

3. Posez le pied droit sur la deuxième marche, près de l'autre pied.

4. Posez le pied droit sur la première marche.

5. Posez le pied gauche sur le sol.

6. Posez le pied droit sur le sol, près de l'autre pied.

* On peut commencer avec le pied gauche ou avec le pied droit.

Fréquence cardiaque limite en fonction de l'âge (hommes et femmes)

Âge	Nombre de battements en 10 secondes
16-24 ans	28
25-31 ans	27
32-38 ans	26
39-45 ans	25
46-52 ans	24
53-59 ans	23

Notez ci-dessous le numéro du dernier palier exécuté, votre poids en kilogrammes et votre âge.

1re fois   (date _____)   Palier : _____   Poids : _____ kg   Âge : _____

2e fois   (date _____)   Palier : _____   Poids : _____ kg   Âge : _____

Déterminez le coût énergétique du dernier palier exécuté à l'aide du tableau suivant.

Coût énergétique* du dernier palier

Palier	Femmes	Hommes
3	1,249	1,646
4	1,418	1,859
5	1,521	2,098
6	1,717	2,284
7	2,076	2,4
8	2,215	2,75

* Le coût énergétique est exprimé en litres d'oxygène par minute.

Estimez ensuite votre consommation maximale d'oxygène en mL/kg/min (VO2 max) en utilisant la formule suivante :

$$VO_2 \text{ max} = 42{,}5 + (16{,}6 \times \text{coût énergétique}) - (0{,}12 \times \text{poids en kg}) - (0{,}12 \times \text{FC finale}) - (0{,}24 \times \text{âge})$$

1re fois – Résultat

$42{,}5 + (16{,}6 \times$ _____ $) - (0{,}12 \times$ _____ kg$) - (0{,}12 \times$ _____ batt./min$) - (0{,}24 \times$ _____ ans$) =$ _____ mL O$_2$/kg/min

2e fois – Résultat

$42{,}5 + (16{,}6 \times$ _____ $) - (0{,}12 \times$ _____ kg$) - (0{,}12 \times$ _____ batt./min$) - (0{,}24 \times$ _____ ans$) =$ _____ mL O$_2$/kg/min

Par exemple, Karine, 17 ans, pesant 55 kg, a atteint le palier 6 avec une fréquence cardiaque de 174 batt./min. Selon le tableau précédent, son coût énergétique est de 1,717.

Le calcul de sa consommation maximale d'oxygène donne ce qui suit :

VO$_2$ max de Karine =
$42,5 + (16,6 \times 1,717) - (0,12 \times 55 \text{ kg}) - (0,12 \times 174 \text{ batt./min}) - (0,24 \times 17 \text{ ans}) = 38,8$ mL O$_2$/kg/min

Enfin, déterminez votre niveau d'endurance cardiovasculaire à l'aide du tableau 8.8. Dans le cas de Karine, cela donne une endurance cardiovasculaire moyenne.

5. Le test progressif de course en navette de 20 m.

Le test progressif de course en navette (test Léger-Boucher) a été mis au point par des Québécois. Il est fort pratique quand on ne dispose pas d'une grande surface. Il s'agit de courir le plus longtemps possible en faisant des allers-retours de 20 mètres. Pour faire ce test, vous avez besoin d'une cassette (ou d'un DVD) qui émet un signal sonore (bip) toutes les 30 secondes, d'un lecteur de cassettes (ou d'un lecteur de disques compacts) et de haut-parleurs d'une puissance adéquate. On peut se procurer l'extrait sonore en

tableau 8.8 Résultats du physitest aérobie canadien modifié (PACm) exprimés en mL O$_2$/kg/min

HOMMES					
Consommation maximale d'oxygène	19 ans et −	20-29 ans	30-39 ans	40-49 ans	50 ans et +
Très élevée	> 59	> 56	> 47	> 41	> 37
Élevée	58-59	52-56	46-47	40-41	36-37
Moyenne	54-57	45-51	42-45	37-39	34-35
Sous la moyenne	44-53	40-42	38-41	34-36	31-33
Faible	< 44	< 40	< 38	< 34	< 31

FEMMES					
Consommation maximale d'oxygène	19 ans et −	20-29 ans	30-39 ans	40-49 ans	50 ans et +
Très élevée	> 42	> 39	> 36	> 34	> 29
Élevée	40-42	37-39	34-37	32-35	27-29
Moyenne	37-39	35-36	31-33	27-31	25-26
Sous la moyenne	35-36	32-34	29-30	24-25	22-24
Faible	< 35	< 32	< 30	< 22	< 20

Le symbole < signifie « inférieur à », et le symbole > « supérieur à ».

Santé Canada, *Guide canadien pour l'évaluation de la condition physique et des habitudes de vie*, Ottawa, 2ᵉ éd., 1999, p. 7.33.

prenant contact avec la Fédération des kinésiologues du Québec au (514) 343-2471 ou à l'adresse électronique suivante : info@kinesiologue.com. Tracez deux lignes parallèles de 10 mètres, espacées de 1 mètre. Afin de trouver un bon rythme de course, exercez-vous quelques fois dans les jours précédant le test, mais pas la veille.

Dès que vous êtes prêt à faire le test, échauffez-vous. Courez le plus longtemps possible en faisant des allers-retours de 20 mètres. La vitesse augmente de 0,5 km/h toutes les minutes (une minute correspondant à un palier), ce qui vous oblige à augmenter votre vitesse de course. Le test prend fin quand vous ne pouvez pas terminer le palier en cours ou suivre le rythme imposé par les bips (retard de 1 à 2 mètres que vous ne pouvez pas rattraper). Attention! Un palier doit avoir été achevé pour être validé. Les résultats du test sont présentés dans le tableau 8.9.

tableau 8.9 Résultats* du test de course en navette de 20 m

Palier (min)	Vitesse maximale (km/h)	16 ans	17 ans	18 ans et +
1	8,5	27,5	25,5	23,6
2	9	30,3	28,5	26,6
3	9,5	33,2	31,4	29,6
4	10	36,0	34,3	32,6
5	10,5	38,9	37,2	35,6
6	11	41,7	40,2	38,6
7	11,5	44,6	43,1	41,6
8	12	47,4	45,0	44,6
9	12,5	50,3	48,9	47,6
10	13	53,1	51,9	50,6
11	13,5	56,0	54,8	53,6
12	14	58,8	57,7	56,6
13	14,5	61,6	60,6	59,6
14	15	64,5	63,6	62,6
15	15,5	67,3	66,5	65,6
16	16	70,2	69,4	68,6
17	16,5	73,0	72,3	71,6
18	17	75,9	75,3	74,6
19	17,5	78,7	78,2	77,6
20	18	81,6	81,1	80,6

* Les valeurs sont exprimées en mL O_2/kg/min.

L. Léger, J. Lambert, A. Goulet. G. Rowan et Y. Dinette, «Capacité aérobique des Québécois de 6 à 18 ans – Test navette de 20 mètres avec paliers de 1 minute », *Journal canadien des sciences appliquées au sport / Canadian Journal of Applied Sports Sciences*, 1984, 9 (2), p. 64-69.

Évaluez
votre vigueur musculaire

La vigueur musculaire correspond à deux qualités du muscle : sa force et son endurance.

Un muscle est fort quand il développe une forte tension au moment d'une contraction maximale. Soulever une valise très lourde, déplacer un réfrigérateur ou essayer d'ouvrir une portière d'auto coincée sont des actions qui font appel à la force musculaire. Sur le plan énergétique, la force musculaire sollicite principalement le système ATP-CP et le système à glycogène (chapitre 7).

Un muscle est endurant lorsqu'il peut répéter ou maintenir pendant un certain temps une contraction modérée. Exécuter plusieurs demi-redressements du tronc, laver les vitres d'une auto ou repeindre sa chambre sont des actions qui font appel à l'endurance musculaire. Sur le plan énergétique, ce déterminant de la condition physique fait principalement appel au système à oxygène (chapitre 7).

Les bienfaits de la vigueur musculaire

Améliorer sa vigueur musculaire est payant sur plusieurs plans :

- vigueur accrue dans les activités quotidiennes (monter un escalier, transporter des colis, bricoler, déplacer des objets lourds, etc.) ;
- amélioration de la posture et de l'équilibre (chapitre 9) ;
- hausse du métabolisme de base et, par conséquent, de la dépense calorique quotidienne ;
- renforcement des os et des tendons ;
- diminution des risques de blessures ; performance accrue dans la pratique d'un sport ou d'une activité physique ;
- meilleur soutien des viscères grâce à des muscles abdominaux plus fermes ;
- diminution des maux de dos grâce à un meilleur équilibre entre les muscles fixés au bassin et ceux qui sont fixés à la colonne vertébrale ;
- meilleure perception de sa propre image corporelle ;
- amélioration de l'estime de soi et de la sensation d'être bien dans sa peau.

Améliorer sa vigueur musculaire entraîne des changements nombreux et importants dans le muscle même :

- épaississement des fibres musculaires ;
- augmentation de l'apport en oxygène dans les muscles actifs ;
- amélioration de la réponse neuromusculaire (pour un même effort, après entraînement, plus de fibres vont se contracter) ;
- augmentation des réserves d'ATP et de CP (chapitre 7) ;
- renforcement des tendons.

Mais l'un des effets les plus visibles est l'hypertrophie du muscle, un effet opposé à celui qui est causé par le manque d'exercice, soit l'atrophie du muscle (figure 8.6).

L'évaluation de la force musculaire

Si vous avez accès à une salle de musculation, vous pouvez mesurer votre force en soulevant des charges à l'aide de poids libres ou d'appareils de musculation. C'est le test du 1 RM.

6. Le test du 1 RM selon la formule de Brzycki. On peut mesurer directement la force musculaire en trouvant la charge la plus lourde qu'on peut soulever une seule fois ou 1 RM (répétition maximale)*. Toutefois, ce test oblige, à chaque tentative, à exécuter une contraction maximale. Si vos muscles sont rouillés ou insuffisamment échauffés, ou bien si vous ne soulevez pas correctement la charge, vous risquez de vous blesser. Ce test n'est donc pas destiné à tout le monde, sans compter qu'il prend beaucoup de temps. Il existe cependant une formule permettant de prédire le poids maximal qu'on peut soulever une seule fois. Cette formule a été mise au point par le chercheur Matt Brzycki. Elle se lit comme suit :

1 RM = poids soulevé (kg)/[1,0278 – _____ (nombre de répétitions avant d'être fatigué × 0,0278)]

figure 8.6 Les effets de l'activité physique et de l'inactivité physique sur le muscle

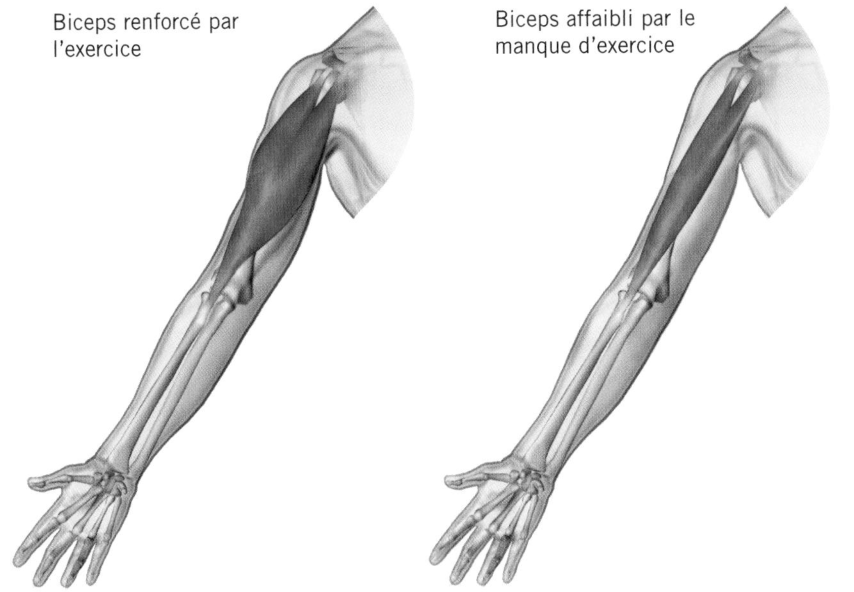

Biceps renforcé par l'exercice

Biceps affaibli par le manque d'exercice

* L'expression « répétition maximale » est une traduction littérale de l'anglais *repetition maximum*, et l'expression correcte en français est « résistance maximale ». Cependant, compte tenu de l'usage consacré dans le milieu sportif et par souci de clarté, nous avons choisi d'utiliser « répétition maximale ».

Pour appliquer cette formule, vous devez donc savoir combien de fois vous êtes capable de soulever une charge donnée. Ce nombre ne doit pas dépasser 10, et la dernière répétition doit être difficile à réaliser. Par exemple, supposons que vous avez réalisé 7 répétitions dans l'exercice du développé couché (p. 312) en utilisant un poids de 45 kg. L'estimation de votre 1 RM sera alors la suivante :

1 RM = 45 kg / [1,0278 – (7 × 0,0278)] = 54 kg

*Au lieu de vous servir de cette formule, vous pouvez aussi utiliser le **calculateur du 1 RM** qu'on trouve sur le **Compagnon Web**.*

7. Le test d'évaluation de la force musculaire à l'aide d'un dynamomètre.   Pour la plupart des gens, il est préférable de mesurer la force de préhension à l'aide d'un dynamomètre manuel. C'est un test simple et rapide qui constitue généralement un bon indicateur de la force globale d'un individu. Vous avez besoin, bien sûr, d'un dynamomètre, que vous pouvez vous procurer à un prix raisonnable dans un magasin d'appareils de conditionnement physique. Ajustez d'abord la prise du dynamomètre, de telle sorte que les phalanges moyennes (c'est-à-dire les os situés au milieu des doigts) de votre main dominante (la main droite pour un droitier) reposent sur l'extrémité mobile de la poignée de l'instrument. Quand vous êtes prêt, serrez la poignée de toutes vos forces en gardant le bras allongé et éloigné du corps (figure 8.7). Expirez lentement pendant la contraction. Durant l'épreuve, ni votre main ni le dynamomètre ne doivent toucher au corps ou à quelque objet que ce soit. Faites deux essais pour chaque main et notez chaque fois la tension enregistrée sur le cadran. Additionnez le meilleur résultat obtenu pour la main droite et pour la main gauche. Pour trouver votre niveau de force musculaire, consultez le tableau 8.10.

L'évaluation de l'endurance musculaire

Pour évaluer ce déterminant de la condition physique, il est nécessaire de fournir un effort répétitif, modéré et prolongé, ce que permettent de faire le test des demi-redressements du tronc et le test des pompes.

8. Le test des demi-redressements du tronc.   Ce n'est pas sans raison que ce test sollicite les muscles abdominaux plutôt qu'un autre groupe musculaire. En effet, si l'endurance musculaire en général est importante, celle des abdominaux l'est tout particulièrement. Plusieurs y voient une raison esthétique : des abdominaux fermes font un ventre plus plat ! C'est exact, mais le

figure 8.7   L'évaluation de la force musculaire à l'aide d'un dynamomètre

chapitre 8

Un bilan de votre condition physique... bonne ou mauvaise !

rôle essentiel de ces muscles est d'agir comme une *sangle naturelle* qui stabilise la posture, fixe le bassin et soutient les viscères. Des abdominaux faibles favorisent l'apparition de douleurs dans le bas du dos et une descente des viscères, elle-même associée à la constipation et aux hernies abdominales. Il est donc très utile de garder ces muscles en forme.

On trouve dans la documentation scientifique plusieurs tests de demi-redressements du tronc. Certains exigent du matériel (tapis, métronome, ruban adhésif, etc.), une mise en scène élaborée et le concours d'un partenaire. D'autres ne requièrent pratiquement pas de matériel et peuvent se faire seul à la maison avec un minimum de préparation. Le test des demi-redressements avec les pieds non retenus et *le décollement complet des omoplates du sol* comme point de repère en fait partie.

Pour effectuer ce test, allongez-vous sur le dos, les bras le long du corps et les genoux légèrement fléchis afin de plaquer le bas du dos sur le sol (figure 8.8). Pointez le menton vers la poitrine et redressez le tronc en faisant glisser les mains jusqu'aux rotules, ce qui permet aux omoplates de se décoller complètement du sol; expirez pendant cette phase de l'exercice. Puis, revenez au sol.

tableau 8.10 Résultats du test de force de préhension

HOMMES					
Force musculaire*	**19 ans et −**	**20-29 ans**	**30-39 ans**	**40-49 ans**	**50 ans et +**
Très élevée	> 108	> 115	> 115	> 108	> 101
Élevée	98-107	104-114	104-114	97-107	92-100
Moyenne	90-97	95-103	95-103	88-96	84-91
Faible	79-89	84-94	84-94	80-87	76-83
Très faible	< 78	< 83	< 83	< 79	< 75

FEMMES					
Force musculaire*	**19 ans et −**	**20-29 ans**	**30-39 ans**	**40-49 ans**	**50 ans et +**
Très élevée	> 68	> 70	> 71	> 69	> 61
Élevée	60-67	63-69	63-70	61-68	54-60
Moyenne	53-59	58-62	58-62	54-60	49-53
Faible	48-52	52-57	51-57	49-53	45-48
Très faible	< 47	< 51	< 50	< 48	< 44

* Force musculaire combinée de la main droite et de la main gauche.
  Les valeurs sont exprimées en kilos. Le symbole < signifie «inférieur à», et le symbole > «supérieur à».

Tiré de *Guide du conseiller en condition et habitudes de vie*, Ottawa, Santé Canada, 3e édition, 2004, p. 7-48 et 7-49.

Votre résultat : 1re fois : _____ kg ; cote : _____ ; 2e fois : _____ kg ; cote : _____ .

197

figure 8.8 Le test des demi-redressements du tronc pour évaluer l'endurance musculaire

Position de départ

Exécution du test

Faites le maximum de répétitions pendant 60 secondes. Vous pouvez ralentir la cadence ou vous arrêter quelques secondes ; c'est une évaluation et non une compétition. Lorsque vous n'arrivez plus à décoller complètement les omoplates du sol, le test est terminé. Consultez alors le tableau 8.11 pour connaître votre niveau d'endurance.

9. Le test des pompes. Il est également utile d'évaluer l'endurance des muscles du haut du corps. En effet, ces muscles jouent un rôle de premier plan dans plusieurs activités physiques et tâches de la vie courante : par exemple, déplacer des objets lourds, comme des meubles, en les poussant ; ranger des objets sur des tablettes élevées ; gravir une côte en ski de fond en poussant sur ses bâtons ; faire des smashs au tennis ou au volley-ball ; en gymnastique, exécuter un enchaînement d'exercices sur des barres parallèles ou un saut au cheval sautoir. Et l'un des meilleurs tests permettant d'évaluer l'endurance de ces muscles est le test des pompes ou test des extensions des bras.

Ce test ne requiert pas de matériel et peut se faire à la maison. **Il consiste à exécuter correctement le plus grand nombre possible de pompes sans limite de temps.** Selon votre vigueur musculaire actuelle, vous pouvez exécuter les pompes en appui soit sur les mains et les pieds (position habituelle), soit sur les mains et les genoux (position modifiée). Cette dernière position permet plus facilement de maintenir le dos droit pendant l'épreuve. À vous de choisir la position qui vous convient le mieux (figure 8.9). Le test prend fin lorsque vous n'arrivez plus à exécuter les mouvements correctement après deux essais consécutifs. Consultez ensuite le tableau 8.12 pour connaître votre endurance ; les normes masculines ont été établies à partir de la position habituelle, et les normes féminines, à partir de la position modifiée.

tableau 8.11 Résultats du test des demi-redressements du tronc

HOMMES			
Endurance musculaire*	18-29 ans	30-39 ans	40-49 ans**
Très élevée	> 74	> 59	> 49
Élevée	61-74	51-59	41-49
Moyenne	46-60	41-50	26-40
Faible	31-45	26-40	16-25
Très faible	< 31	< 26	< 16

FEMMES			
Endurance musculaire*	18-29 ans	30-39 ans	40-49 ans**
Très élevée	> 59	> 49	> 39
Élevée	51-59	41-49	31-39
Moyenne	41-50	26-40	16-30
Faible	26-40	16-25	5-15
Très faible	< 26	< 16	< 5

* Les valeurs sont exprimées en nombre de répétitions exécutées en une minute.

** Normes non disponibles pour 50 ans et +.
Le symbole < signifie « inférieur à », et le symbole > signifie « supérieur à ».

Adapté de R.A. Faulkner et coll., « A partial curl-up protocol for adults based on two procedures », *Journal canadien des sciences appliquées au sport / Canadian Journal of Applied Sports Sciences*, 1989, 14 : 135-141.

Votre résultat : 1re fois : _____ redr. assis ; cote : _____ ; 2e fois : _____ redr. assis ; cote : _____ .

Évaluez
vos réserves de graisse et leur distribution

Les **réserves de graisse** constituent ce qu'on appelle, dans le jargon de la physiologie de l'exercice, la **masse grasse** du corps, par opposition à la **masse maigre**, qui est constituée des muscles, des os, des organes et des viscères. Ce déterminant de la condition physique est, bien sûr, fonction de la morphologie déterminée par l'hérédité (voir l'article portant sur les types physiques dans le **Compagnon Web**), mais aussi de votre niveau de dépense calorique et de votre alimentation.

types physiques

Bien qu'on parle beaucoup des dangers que fait courir à la santé un excédent important de gras, notre organisme a besoin d'une certaine réserve de graisse pour bien fonctionner (chapitre 3). Les problèmes

figure **8.9** Le test des pompes

Position habituelle : en appui sur les mains (distantes de la largeur des épaules) et sur les pieds (collés ensemble), exécutez des flexions et extensions des bras. En tout temps, maintenez le dos droit et respirez normalement.

Position modifiée : même exercice que dans la position habituelle, sauf qu'on prend appui sur les genoux, et non sur les pieds.

apparaissent quand nous avons trop ou pas assez de réserve de graisse. Eh oui! le fait d'être trop maigre peut signaler la présence de troubles alimentaires tels que l'anorexie, qui menacent sérieusement la santé (chapitre 3, p. 51). Toutefois, un excédent de graisse est, de loin, la situation la plus répandue de nos jours dans la population. C'est donc dans cette optique qu'il faut envisager l'importance accordée à ce déterminant de la condition physique. En clair, nous assistons actuellement à une épidémie mondiale d'obésité!

Si un excédent de gras peut nuire à votre santé, il est tout aussi important de considérer la distribution des réserves de graisse. On sait que le **gras abdominal**, c'est-à-dire le gras en réserve dans l'abdomen, est associé à un risque accru de maladies cardiovasculaires, de diabète de type 2 et, vraisemblablement, de cancer, tandis que le gras logé dans les cuisses et les fesses est moins nuisible pour la santé. *En fait, dans la communauté scientifique, il y a une forte tendance à évaluer en priorité l'importance des réserves de graisse abdominale lorsqu'on parle de prévenir ou de traiter l'obésité.*

Les bienfaits de réserves de graisse compatibles avec la santé

Maintenir à long terme des réserves de graisse compatibles avec la santé comporte de nombreux bénéfices. D'abord, vous réduisez pratiquement à néant les risques associés à un excédent de gras ou à l'extrême maigreur. Ensuite, votre liberté de mouvement demeure intacte et vous réduisez le risque de blessures lorsque vous faites une activité physique. Enfin, votre choix d'activités physiques n'est pas restreint par un excédent de gras.

tableau 8.12 Résultats du test des pompes

HOMMES

Endurance musculaire*	19 ans et –	20-29 ans	30-39 ans	40-49 ans	50 ans et +
Très élevée	> 38	> 35	> 29	> 21	> 20
Élevée	29-38	29-35	22-29	17-21	13-20
Moyenne	23-28	22-28	17-21	13-16	10-12
Faible	18-22	17-21	12-16	10-12	7-9
Très faible	< 18	< 17	< 12	< 10	< 7

FEMMES

Endurance musculaire*	19 ans et –	20-29 ans	30-39 ans	40-49 ans	50 ans et +
Très élevée	> 32	> 29	> 26	> 23	> 20
Élevée	25-32	21-29	20-26	15-23	11-20
Moyenne	18-24	15-20	13-19	11-14	7-10
Faible	12-17	10-14	8-12	5-10	2-6
Très faible	< 12	< 10	< 8	< 5	< 2

* Les valeurs sont exprimées en nombre de répétitions exécutées sans limite de temps.
Le symbole < signifie « inférieur à », et le symbole > « supérieur à ».

Tiré de *Guide du conseiller en condition et habitudes de vie*, Ottawa, Santé Canada, 3e édition, 2004, p. 7-48 et 7-49.

Votre résultat : 1re fois : _____ pompes ; cote : _____ ; 2e fois : _____ pompes ; cote : _____ .

Mais, direz-vous, à quoi correspondent des réserves de graisse compatibles avec la santé ? C'est ce que nous allons voir maintenant.

L'évaluation des réserves de graisse et de leur distribution

Nous vous suggérons les quatre mesures suivantes pour déterminer si vos réserves de graisse sont compatibles avec votre santé : l'évaluation globale de vos réserves de graisse par la mesure des plis cutanés (test 10), l'indice de masse corporelle (test 11), le rapport taille-hanches et la mesure du tour de taille (test 12).

10. L'évaluation globale par la mesure des plis cutanés. Rigueur scientifique oblige, les chercheurs déterminent les réserves de graisse à l'aide de méthodes sophistiquées comme la tomographie, la conductivité électrique du corps et les cabines à ultrasons ou à infrarouges. Ces méthodes ne sont guère accessibles au commun des mortels. Cependant, on peut évaluer les réserves de graisse avec un degré de précision acceptable en mesurant l'épaisseur des plis cutanés à l'aide d'un

adipomètre, un petit appareil muni de pinces et calibré en millimètres. Cet appareil renseigne sur la quantité de graisse logée sous la peau. Le résultat est traduit en pourcentage de graisse dans le poids corporel total. Plus le nombre de plis mesurés est grand, plus on s'approche de la précision des tests utilisés par les scientifiques. Mais si le temps manque, la méthode à trois plis est suffisante pour savoir si, grosso modo, on est maigre, ni maigre ni gras, gras ou très gras. En effet, la marge d'erreur de cette méthode équivaut pratiquement à celle des cinq plis (0,1 % de différence). Cependant, les plis cutanés doivent être mesurés par une personne expérimentée.

On peut se procurer un adipomètre à un prix raisonnable dans un magasin spécialisé. Pour ne pas fausser les résultats, il faut se familiariser avec cet instrument en s'exerçant à le manipuler. On mesure habituellement les trois plis sur le côté droit du corps. Comme la distribution de la graisse varie selon le sexe, on ne prend pas les mesures aux mêmes endroits chez les femmes et les hommes (figure 8.10).

nomogramme

Une fois les trois mesures obtenues, additionnez-les et consultez le tableau 8.13 pour connaître votre pourcentage de graisse et sa signification. Vous pouvez aussi utiliser le nomogramme donné dans le **Compagnon Web**. Si vous êtes un homme et si votre pourcentage de graisse est supérieur à 16 %, vos réserves de graisse ont un certain volume… et même un volume certain ! Dans le cas d'une femme, le pourcentage critique débute à 22 %. Si vous êtes un homme et que votre pourcentage est inférieur à 7 % ou si vous êtes une femme et que votre pourcentage est inférieur à 10 %, vous courez peut-être les marathons ou vous êtes peut-être culturiste à temps plein !

11. L'indice de masse corporelle.

L'indice de masse corporelle (IMC) est une mesure valable de la relation entre le poids et la santé. L'IMC s'applique à presque tout le monde. Cependant, cet indice est inexact dans le cas des personnes âgées de moins de 20 ans ou de plus de 65 ans, des femmes enceintes ou allaitant, de même que dans le cas des personnes très musclées, comme les athlètes.

IMC

Vous pouvez déterminer votre IMC de trois façons : en utilisant la formule de calcul de l'IMC ci-dessous ; en utilisant le nomogramme de la figure 8.11 ou en utilisant le calculateur sur le Compagnon Web. Reportez-vous au tableau 8.14 pour savoir ce que l'indice calculé signifie pour votre santé.

Formule pour calculer son IMC : poids (kg)/ taille m² (mètres carrés). Par exemple, François mesure 1,80 m et pèse 85 kg. Son IMC sera de : 85/ (1,8 × 1,8) = 26.

12. Le rapport taille-hanches et le tour de taille.

Les deux premières mesures vous donneront une idée de vos réserves de graisse, mais elles ne vous renseigneront guère sur leur distribution. **Toutefois, la distribution des réserves de graisse est un indicateur de santé plus important que l'estimation de ces mêmes réserves.** Et l'endroit où le cumul de graisse est le plus nocif pour la santé est l'abdomen. Pour évaluer vos réserves de graisse abdominale, nous vous proposons deux mesures reconnues par la communauté scientifique comme étant les plus significatives pour la santé :

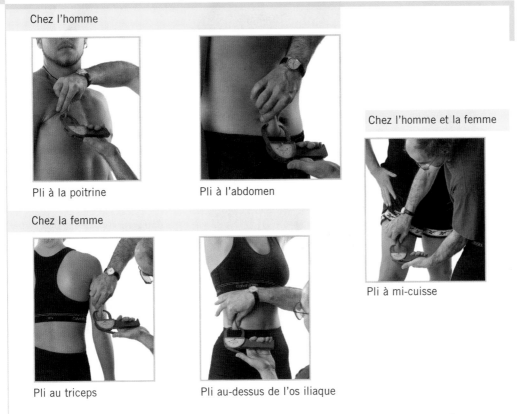

figure 8.10 La mesure de l'épaisseur des plis cutanés

Chez l'homme

Pli à la poitrine

Pli à l'abdomen

Chez l'homme et la femme

Pli à mi-cuisse

Chez la femme

Pli au triceps

Pli au-dessus de l'os iliaque

le rapport taille-hanche et la mesure du tour de taille. Le **rapport taille-hanches** (RTH) vous donnera une bonne idée de votre degré d'adiposité abdominale. De plus, cette mesure vous renseignera sur la forme de votre corps : forme de pomme ou forme de poire. La première forme est associée à un risque plus élevé de maladies cardiovasculaires, d'hypertension et de diabète de type 2 que la seconde. Voici comment établir ce rapport.

À l'aide d'un ruban gradué en centimètres, mesurez votre tour de taille en sa partie la plus mince après une expiration normale. Puis, mesurez votre tour de hanches en posant le ruban à la hauteur de la partie la plus proéminente des fesses (figure 8.12). Divisez ensuite la mesure de votre taille par celle de vos hanches pour déterminer votre **rapport taille-hanches**.

Par exemple, si votre tour de taille est de 83 cm et votre tour de hanches de 97 cm, votre RTH sera de 0,85 (83 divisé par 97). Les recherches ont démontré que le RTH est plus utile que la masse corporelle, l'indice de masse corporelle et le pourcentage de graisse pour prédire le risque de maladies cardiovasculaires ou de diabète de type 2 et, même, le taux de mortalité par tranche d'âge. Consultez le tableau 8.15 pour savoir ce que signifie votre rapport taille-hanches. Mais il y a mieux encore :

tableau 8.13 Résultats du test de l'estimation du pourcentage de graisse

HOMMES		
Total des trois plis (mm)	**Graisse (%)***	**Catégorie de personne**
< 27	< 7	Très maigre
27-41	7-12	Maigre
42-56	12,1-16	Dans la moyenne (ni maigre, ni grasse)
57-88	16,1-25	Grasse
> 88	> 25	Très grasse (obèse)

FEMMES		
Total des trois plis (mm)	**Graisse (%)***	**Catégorie de personne**
< 24	< 10	Très maigre
24-36	10-15	Maigre
37-55	15,1-22	Dans la moyenne (ni maigre, ni grasse)
56-82	22,1-30	Grasse
> 82	> 30	Très grasse (obèse)

* Si vous avez plus de 30 ans, ajoutez 0,15 % par année.

Le symbole < signifie « inférieur à », et le symbole > « supérieur à ».

tableau 8.14 Comment interpréter votre IMC

Classification	**Catégorie de l'IMC (kg/m^2)***	**Risque de développer des problèmes de santé**
Poids insuffisant	< 18,5	Accru
Poids normal	18,5-24,9	Moindre
Excès de poids	25,0-29,9	Accru
Obésité classe I	30,0-34,9	Élevé
Obésité classe II	35,0-39,9	Très élevé
Obésité classe III (extrême)	> 39,9	Extrêmement élevé

* Le symbole < signifie « inférieur à », et le symbole > « supérieur à ».

Santé Canada. *Lignes directrices canadiennes pour la classification du poids chez les adultes.*

figure 8.11 Comment déterminer votre indice de masse corporelle

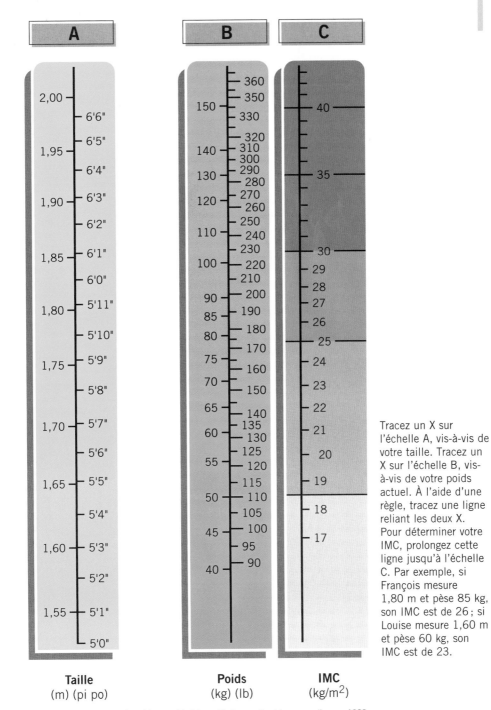

Tracez un X sur l'échelle A, vis-à-vis de votre taille. Tracez un X sur l'échelle B, vis-à-vis de votre poids actuel. À l'aide d'une règle, tracez une ligne reliant les deux X. Pour déterminer votre IMC, prolongez cette ligne jusqu'à l'échelle C. Par exemple, si François mesure 1,80 m et pèse 85 kg, son IMC est de 26 ; si Louise mesure 1,60 m et pèse 60 kg, son IMC est de 23.

A

Taille
(m) (pi po)

B

Poids
(kg) (lb)

C

IMC
(kg/m²)

Adapté de Santé Canada, *Niveaux de poids associés à la santé : lignes directrices canadiennes*, 1988.

votre seul tour de taille associé à votre indice de masse corporelle serait, selon des études récentes, **le meilleur indicateur pour prédire le risque de maladie et de mort précoce.** Reportez-vous au tableau 8.16 pour connaître le niveau de risque de maladie associé à votre tour de taille.

À présent, pour avoir une bonne idée du niveau de risque que représente pour votre santé vos réserves de graisse et, surtout, leur distribution, associez la mesure de votre tour de taille à l'indice de masse corporelle que vous avez obtenu, puis consultez le tableau 8.17.

figure 8.12 La mesure du tour de taille et du tour de hanches

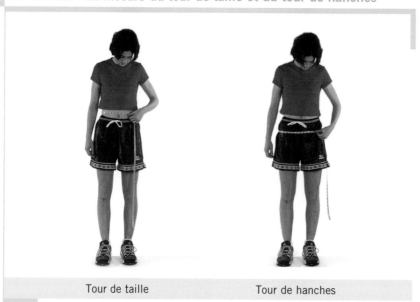

| Tour de taille | Tour de hanches |

tableau 8.15 Rapport taille-hanches (RTH) et risque de maladie

HOMMES	
RTH*	**Risque de maladie****
> 1,00	Élevé à très élevé
0,90-1,00	Modérément élevé
< 0,90	Moyen à faible
FEMMES	
RTH*	**Risque de maladie****
> 0,85	Élevé à très élevé
0,80-0,85	Modérément élevé
< 0,80	Moyen à faible

* Le symbole < signifie « inférieur à », et le symbole > « supérieur à ».

** Maladies cardiovasculaires, hypertension, diabète de type 2 et, éventuellement, certains cancers.

tableau **8.16**   Tour de taille et risque de maladie

HOMMES*		FEMMES*		Risque de maladie**
centimètres	pouces	centimètres	pouces	
> 120	> 47	> 110	> 43,5	Très élevé
100-120	39,5-47	90-109	35,5-43	Élevé
80-99	31,5-39	70-89	28,5-35	Faible
< 80	< 31,5	< 70	< 28,5	Très faible

* Le symbole < signifie «inférieur à », et le symbole > «supérieur à ».

** Maladies cardiovasculaires, hypertension, diabète de type 2 et, éventuellement, certains cancers.

Tiré de ACSM (2005), *ACSM guidelines for exercise testing and prescription*, 7e éd., Lippincott, Williams and Wilkins, 6.

tableau **8.17**   Tour de taille, IMC et risque de maladie

Classification	IMC	Risque relatif de maladies* par rapport à une personne ayant un poids et un tour de taille acceptable	
		Hommes : 102 cm ou moins (40 po ou moins)	Hommes : > 102 cm (> 40 po)
		Femmes : 88 cm ou moins (35 po ou moins)	Femmes : > 88 cm (> 35 po)
Poids insuffisant	< 18,5	–	–
Poids normal	18,5-24,9	–	–
Excès de poids	25,0-29,9	Accru	Accru
Obésité classe I	30,0-34,9	Élevé	Élevé
Obésité classe II	35,0-39,9	Très élevé	Très élevé
Obésité classe III (extrême)	> 39,9	Extrêmement élevé	Extrêmement élevé

* Diabète de type 2, hypertension et maladies cardiovasculaires.

Tiré de National Heart, Lung and Blood Institute, *Determining the possible risks associated with your BMI and WC.*

Évaluez
votre flexibilité

La **flexibilité** est la capacité de faire bouger une articulation dans toute son amplitude sans ressentir de raideur ni de douleur. Les muscles et leur enveloppe, le fascia, comptent pour 50 % dans la flexibilité articulaire ; il est donc fondamental de les étirer régulièrement. En fait, la flexibilité est un déterminant important de la condition physique. Des muscles raides sont à l'origine de bien des maux de dos, de mauvaises postures et de blessures, sportives et non sportives. Nous verrons ce point en détail dans le prochain chapitre.

Les bienfaits d'une bonne flexibilité

Une bonne flexibilité assure une grande liberté de mouvement, aide à prévenir les douleurs dans le bas du dos (chapitre 9) et diminue le risque de blessures, parce qu'un muscle souple réagit mieux en cas d'étirement brusque. Une bonne flexibilité facilite grandement l'exécution des gestes lorsque vous pratiquez une activité physique. Elle vous donne une plus grande liberté d'action, ce qui ne peut qu'améliorer la précision de vos mouvements. De plus, avoir des muscles souples accélère l'apprentissage d'un nouveau geste.

L'évaluation de la flexibilité

En principe, on devrait évaluer la flexibilité de toutes les articulations, mais les tests seraient très nombreux! De plus, les meilleurs tests de flexibilité permettent de mesurer directement l'amplitude de l'angle formé par l'articulation, ou amplitude angulaire, à l'aide d'instruments spécialisés (goniomètre, flexomètre, clinomètre). Or, ces tests sont plutôt complexes et nécessitent la présence d'un évaluateur qualifié. Nous vous suggérons plutôt les trois tests maison suivants, qui vous donneront un bon aperçu de votre flexibilité.

1. Le test du lever du bâton en position couchée.
2. Le test des mains dans le dos en position debout.
3. Le test de flexion du tronc en position assise.

Le degré de flexibilité des épaules est un bon indicateur de la liberté de mouvement du haut du corps, alors qu'un manque de flexibilité du tronc est souvent associé aux maux de dos et aux blessures causées par une déchirure musculaire (**claquage**).

Remarquez que les individus de grande taille sont légèrement avantagés dans ce genre de test, étant donné qu'on mesure la distance entre deux segments corporels, par exemple, la distance entre les doigts et les orteils dans le troisième test. Toutefois, rappelez-vous que cette évaluation sert avant tout à comparer votre degré de flexibilité *avant* un programme d'activité physique avec celui que vous obtenez *après* un tel programme. C'est le progrès réalisé qui compte!

Avant de faire un test de flexibilité, il est préférable de vous échauffer un peu. Pendant le test, vous devez étirer vos muscles *lentement, sans à-coup*, tout en expirant. Dès que vous ressentez une légère brûlure (et non une douleur!) dans la zone étirée, arrêtez le mouvement: c'est le signe que vos muscles ont atteint leur limite d'étirement, limite au-delà de laquelle vous risqueriez de vous blesser (chapitre 12).

13. Le test du lever du bâton en position couchée. Pour ce test, vous avez besoin d'un bâton (un manche à balai convient très bien). Couchez-vous à plat ventre, le menton appuyé contre le sol, les bras tendus devant vous dans le prolongement des épaules, les mains écartées à la largeur des épaules. Prenez le bâton et, *sans fléchir les poignets ni les coudes, ni décoller le menton du sol*, levez le bâton le plus haut possible (figure 8.13). Un partenaire peut évaluer la hauteur à laquelle vous levez le bâton. Consultez ensuite le tableau 8.18 pour connaître le degré de flexibilité de vos épaules.

14. **Le test des mains dans le dos en position debout.** Ce test, on ne peut plus simple, s'exécute debout et vous donne une très bonne idée du degré de flexibilité de chacune de vos épaules. Pour évaluer la flexibilité de l'épaule gauche, procédez comme suit. Amenez d'abord votre main gauche, paume tournée vers vous, derrière la nuque, en passant par-dessus votre épaule gauche ; faites ensuite remonter la main droite derrière le dos, paume retournée. Essayez alors de joindre les deux mains (figure 8.14). Pour évaluer la flexibilité de votre épaule droite, refaites le test en commençant par la main droite. Reportez-vous au tableau 8.19 pour interpréter vos résultats. Si vous

figure 8.13 Le test du lever du bâton en position couchée

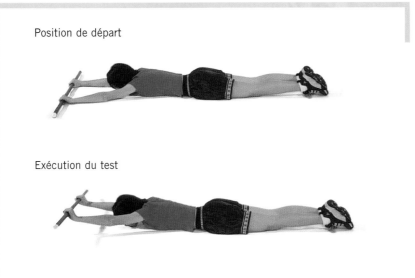

Position de départ

Exécution du test

tableau 8.18 Résultats du test du lever du bâton en position couchée

Position atteinte	1re fois	2e fois	Degré de flexibilité
Bâton levé nettement plus haut que la tête			Très élevé
Bâton levé juste au-dessus de la tête			Élevé
Bâton levé au niveau de la tête			Moyen
Bâton levé à peine au-dessus du sol			Faible
Bâton qui reste collé au sol			Très faible

constatez une grande différence entre la flexibilité de l'épaule dominante (la droite pour les droitiers) et l'autre, il serait sage d'assouplir d'abord le côté le moins flexible.

15. Le test de flexion du tronc en position assise. Pour faire ce test, asseyez-vous, les jambes tendues, les pieds appuyés contre un mur (ou un meuble) et espacés de 25 à 30 cm. Penchez le tronc lentement vers l'avant, sans plier les genoux (figure 8.15). Si vous ne pouvez pas atteindre le mur avec le bout des doigts, c'est que vos mollets et vos ischiojambiers (muscles situés à l'arrière des cuisses) sont raides. Si vous touchez le mur avec le bout des doigts ou, mieux, avec les poings, bravo! Votre tronc est plutôt flexible dans cette position (tableau 8.20).

figure 8.14 Le test des mains dans le dos en position debout

tableau 8.19 Résultats du test des mains dans le dos en position debout

A. La main droite par-dessus l'épaule droite			
Position atteinte	**1re fois**	**2e fois**	**Niveau de flexibilité**
Les paumes des mains glissent l'une sur l'autre.			Très élevé
Les bouts des doigts glissent les uns sur les autres.			Élevé
Les bouts des majeurs se touchent.			Moyen
Les doigts ne se touchent pas du tout.			Faible
Les mains sont éloignées l'une de l'autre.			Très faible

B. La main gauche par-dessus l'épaule gauche			
Position atteinte	**1re fois**	**2e fois**	**Niveau de flexibilité**
Les paumes des mains glissent l'une sur l'autre.			Très élevé
Les bouts des doigts glissent les uns sur les autres.			Élevé
Les bouts des majeurs se touchent.			Moyen
Les doigts ne se touchent pas du tout.			Faible
Les mains sont éloignées l'une de l'autre.			Très faible

figure 8.15 Le test de flexion du tronc en position assise

tableau 8.20 Résultats du test de flexion du tronc en position assise

Position atteinte	1re fois	2e fois	Niveau de flexibilité
Les paumes des mains touchent le mur.			Très élevé
Les poings touchent le mur.			Élevé
Le bout des doigts touche le mur.			Moyen
Le bout des doigts ne touche pas le mur.			Faible
Le bout des doigts n'atteint pas la cheville.			Très faible

à vos méninges

Remarque : Il peut y avoir plus d'une bonne réponse par question.

1. **En quoi consiste la condition physique ?**

○ **a)** C'est la capacité de courir le plus vite possible.

○ **b)** C'est la capacité de lever des charges lourdes sans se blesser.

○ **c)** C'est la capacité de faire des exercices aérobiques.

○ **d)** C'est la capacité de s'adapter à l'effort physique en général.

○ **e)** Aucune des réponses précédentes.

2. **Parmi les tests suivants, lequel permet d'évaluer la flexibilité des épaules ?**

○ **a)** Le test de la flexion du tronc en position assise.

○ **b)** Le test des mains dans le dos en position debout.

○ **c)** Le test des pompes.

○ **d)** Le test des demi-redressements du tronc.

○ **e)** Aucune des réponses précédentes.

3. **À quoi le Q-AAP sert-il ?**

○ **a)** À estimer notre espérance de vie en bonne santé.

○ **b)** À déterminer notre capacité vitale.

○ **c)** À déterminer notre aptitude à pratiquer l'activité physique.

○ **d)** À déterminer notre aptitude à faire un exercice en force.

○ **e)** À déterminer notre aptitude à faire un effort anaérobique.

4. **Indiquez cinq effets sur le cerveau de l'entraînement en endurance cardiovasculaire.**

- _____

- _____

- _____

- _____

- _____

5. **Un exercice aérobique peut augmenter le débit sanguin dans le cerveau de plus de :**

○ **a)** 10 %.

○ **b)** 20 %.

○ **c)** 30 %.

○ **d)** 40 %.

○ **e)** 50 %.

6. À quoi un MET équivaut-il?

○ **a)** À la dépense calorique quand on dort.

○ **b)** À la dépense calorique au repos.

○ **c)** À la consommation maximale d'oxygène d'un individu.

○ **d)** À la dette d'oxygène après l'exercice.

○ **e)** À aucune des réponses précédentes.

7. Le niveau de consommation maximale d'oxygène (CMO_2) est un indice:

○ **a)** De l'état de santé des artères du cœur.

○ **b)** De la capacité anaérobique.

○ **c)** De la capacité pulmonaire.

○ **d)** Du niveau d'endurance cardiovasculaire.

○ **e)** De la capacité à éliminer l'acide lactique.

8. Pourquoi est-il important d'évaluer les réserves de graisse abdominale?

○ **a)** Parce qu'on accumule plus facilement ce type de graisse.

○ **b)** Parce que la graisse abdominale est dangereuse pour la santé.

○ **c)** Parce que la graisse abdominale est difficile à éliminer.

○ **d)** Parce que la graisse abdominale favorise les maux de dos.

○ **e)** Aucune des réponses précédentes.

9. Indiquez deux mesures utilisées pour estimer les réserves de graisse.

• _____

• _____

10. Indiquez trois tests utilisés pour évaluer l'endurance cardiovasculaire.

• _____

• _____

• _____

11. Donnez cinq avantages d'avoir des muscles vigoureux.

• _____

• _____

• _____

• _____

• _____

12. Quels sont les quatre déterminants variables de la condition physique ?

- _____
- _____
- _____
- _____

13. Associez à chaque définition (colonne de gauche) le déterminant de la condition physique correspondant (colonne de droite).

Définitions	Déterminants
_____ 1. Capacité de faire bouger une articulation dans toute son amplitude sans ressentir de raideur ni de douleur.	**a)** Endurance musculaire.
_____ 2. Capacité de développer une forte tension au moment d'une contraction maximale.	**b)** Flexibilité.
_____ 3. Capacité de fournir pendant un certain temps un effort modéré sollicitant l'ensemble des muscles.	**c)** Force musculaire.
_____ 4. Capacité de répéter ou de maintenir pendant un certain temps une contraction modérée.	**d)** Endurance cardiovasculaire.

14. Associez chacun des tests (liste de gauche) au déterminant de la condition physique correspondant (liste de droite).

Définitions	Déterminants
_____ 1. Test du dynamomètre.	**a)** Endurance musculaire.
_____ 2. Physitest aérobie canadien modifié.	**b)** Flexibilité.
_____ 3. Test des demi-redressements du tronc.	**c)** Force musculaire.
_____ 4. Test de flexion du tronc en position assise.	**d)** Endurance cardiovasculaire.

15. Laquelle des affirmations suivantes est vraie ?

- ○ **a)** On ne peut pas améliorer sa condition physique sans l'aide d'un entraîneur personnel.
- ○ **b)** On ne peut pas améliorer sa condition physique sans aller dans un centre de conditionnement physique.
- ○ **c)** On ne peut pas améliorer sa condition physique sans faire de la musculation.
- ○ **d)** On ne peut pas améliorer sa condition physique sans bouger son corps.
- ○ **e)** On ne peut pas améliorer sa condition physique sans faire de sport.

pour en savoir plus

Lectures suggérées

- Bailey, C., *Être en forme*, Les Éditions Quebecor, Montréal, 1995.

- Bouchard, C., F. Landry, J. Brunelle et P. Godbout, *La condition physique et le bien-être*, Éditions du Pélican, Québec, 1974.

- Laferrière, S., *Plaisirs d'une vie active*, CEC, Montréal, 1997.

Sites Internet à visiter

Activité physique et santé (Dav Bergeron)
http://www.aps.lafirme.com/

Association canadienne pour la santé, l'éducation physique, le loisir et la danse
http://www.cahperd.ca/f/index.htm

Éducation physique (France)
http://perso.wanadoo.fr/bernard.lefort/index.html

La bande sportive (Yves Potvin)
http://www.bandesportive.com/

Medicine and Science in Sports (énoncés de principe)
http://www.ms-se.com/

Site sur l'éducation physique de Pierre Duchesneau
http://www.collegesherbrooke.qc.ca/~duchenpi/index.htm#education

Société canadienne de physiologie de l'exercice
http://www.csep.ca/index_fr.asp

BILAN 8.1

Vos capacités physiques et vos besoins

Maintenant que vous avez évalué les différents déterminants de votre condition physique, vous pouvez faire le bilan de vos capacités physiques et de vos besoins en matière d'activité physique. Il est très utile de déterminer ces besoins pour vous fixer des objectifs de mise en forme (chapitres 11 et 12) ou pour faire un choix éclairé d'activités physiques à pratiquer (chapitre 13).

Marche à suivre

1. Reportez les résultats de votre évaluation physique dans les tableaux A et B suivants.

2. Interprétez ces résultats en cochant la case qui correspond au niveau obtenu (très élevé à supérieur, élevé, moyen, etc.).

3. Dans la dernière colonne, cochez les aspects que vous avez déterminés pour améliorer votre condition physique. Ces aspects constituent, en fait, vos besoins à combler.

4. Répondez aux questions de la rubrique « Réflexion personnelle ».

Tableau A : Profil de votre condition physique

Endurance cardiovasculaire :

Test : _____

Résultat 1* _____ Cote 1 (encercler) :	TF	F	M	E	TE/S
Résultat 2** _____ Cote 2 (encercler) :	TF	F	M	E	TE/S

Prédiction de votre consommation maximale d'oxygène (voir p. 185 et suivantes)

1re fois : _____ mL/kg/min _____ METS

2e fois : _____ mL/kg/min _____ METS

Force de préhension :

Test : _____

Résultat 1 _____ Cote 1 :	TF	F	M	E	TE/S
Résultat 2 _____ Cote 2 :	TF	F	M	E	TE/S

Légende : S : supérieur ; TÉ : très élevé ; É : élevé ; M : moyen ; F : faible ; TF : très faible.

*   Exprimé en données brutes (par exemple 2,8 km au 12 minutes de Cooper ou 50 répétitions au test des demi-redressements).

**   Si vous refaites le test.

Tableau A (suite)

Force des bras (1 RM selon la formule de Brzychi, p. 195)

Résultat 1 _____ Cote 1 :	TF	F	M	E	TE/S
Résultat 2 _____ Cote 2 :	TF	F	M	E	TE/S

Force des jambes (1 RM selon la formule de Brzychi, p. 195)

Résultat 1 _____ Cote 1 :	TF	F	M	E	TE/S
Résultat 2 _____ Cote 2 :	TF	F	M	E	TE/S

Endurance des abdominaux (demi-redressements assis)

Test : _____

Résultat 1 _____ Cote 1 :	TF	F	M	E	TE/S
Résultat 2 _____ Cote 2 :	TF	F	M	E	TE/S

Endurance des bras et du haut du corps (pompes)

Test : _____

Résultat 1 _____ Cote 1 :	TF	F	M	E	TE/S
Résultat 2 _____ Cote 2 :	TF	F	M	E	TE/S

Autre test d'endurance musculaire

Test : _____

Résultat 1 _____ Cote 1 :	TF	F	M	E	TE/S
Résultat 2 _____ Cote 2 :	TF	F	M	E	TE/S

Premier test de la flexibilité des épaules

Résultat 1 _____ Cote 1 :	TF	F	M	E	TE/S
Résultat 2 _____ Cote 2 :	TF	F	M	E	TE/S

Tableau A (suite)

Second test de la flexibilité des épaules

Résultat 1 _____ Cote 1 : | TF | F | M | E | TE/S

Résultat 2 _____ Cote 2 : | TF | F | M | E | TE/S

Flexibilité du bas du dos et de l'arrière des jambes

Résultat 1 _____ Cote 1 : | TF | F | M | E | TE/S

Résultat 2 _____ Cote 2 : | TF | F | M | E | TE/S

Autre test de flexibilité effectué : _____

Résultat 1 _____ Cote 1 : | TF | F | M | E | TE/S

Résultat 2 _____ Cote 2 : | TF | F | M | E | TE/S

Autre test effectué : _____

Résultat 1 _____ Cote 1 : | TF | F | M | E | TE/S

Résultat 2 _____ Cote 2 : | TF | F | M | E | TE/S

Tableau B : Profil de votre composition corporelle

Mesures	Sous la moyenne		Dans la moyenne		Élevé		Très élevé	
	1re fois	2e fois	1re fois	2e fois	1re fois	2e fois	1re fois	2e fois
Pourcentage de graisse Résultat 1 : _____ % Résultat 2 : _____ %								
Tour de taille Résultat 1 : _____ cm Résultat 2 : _____ cm								

Tableau B (suite)

Mesures	Sous la moyenne		Dans la moyenne		Élevé		Très élevé	
	1re fois	2e fois	1re fois	2e fois	1re fois	2e fois	1re fois	2e fois
Rapport taille-hanches Résultat 1 : _____ Résultat 2 : _____								
IMC Résultat 1 : _____ Résultat 2 : _____								

Réflexion personnelle sur vos points forts et vos points faibles ainsi que sur vos besoins à combler à la suite de l'évaluation de votre condition physique

Quels sont vos points forts (par exemple : j'ai un niveau d'endurance cardiovasculaire élevé, j'ai de bons abdominaux) ?

_____

_____

_____

_____

_____

Selon vous, pourquoi avez-vous ces points forts ?

_____

_____

_____

_____

_____

Quels sont vos points faibles (par exemple : je manque de flexibilité au niveau des épaules, je manque d'endurance musculaire au niveau des muscles du haut du dos) ?

_____
_____
_____
_____
_____

Selon vous, pourquoi avez-vous ces points faibles ?

_____
_____
_____
_____
_____

Quelles peuvent être les conséquences à long terme de ces points faibles sur votre santé et votre bien-être ?

_____
_____
_____
_____
_____

Quels sont vos besoins à combler (par exemple : améliorer mon endurance cardio-vasculaire, augmenter ma force musculaire) ?

_____
_____
_____
_____
_____

Expliquez, sommairement, comment vous allez vous y prendre pour combler vos besoins.

_____
_____
_____
_____
_____

chapitre 9

Les bonnes postures
et les mauvaises postures

Objectifs

○ Donner les caractéristiques d'une bonne posture.

○ Distinguer les trois principales déviations de la colonne vertébrale.

○ Discerner les groupes musculaires associés à la posture lombaire.

○ Distinguer les bonnes postures des mauvaises postures.

○ Faire le bilan de vos postures et l'interpréter correctement.

Posture! Le mot lui-même semble chargé d'impératifs: «Baissez les épaules, rentrez le ventre, serrez les fesses, gardez la tête droite!» Appliquées à la lettre, ces recommandations nous feraient marcher comme des militaires en parade. Or, une bonne posture n'implique pas que nous soyons aussi raides et aussi peu naturels! Si c'était le cas, notre colonne vertébrale aurait la forme d'un pilier et non celle, gracieuse et souple, d'un S allongé.

> À partir du moment où l'homme est devenu un bipède et où il a assumé la position debout, il s'est fait un ennemi de la gravité, qu'il combat depuis ce moment.
>
> J.A. Jones

La nature nous a dotés d'une structure ondulée, qui permet de répartir sur une grande surface osseuse le poids supporté par notre dos en position debout. La colonne se compose en effet de 33 os, appelés «vertèbres» (figure 9.1). Les vertèbres du bas du dos forment le sacrum (cinq vertèbres fusionnées) et le coccyx (quatre vertèbres fusionnées). Si la colonne était droite, elle comporterait beaucoup moins de vertèbres, ce qui réduirait d'autant la surface osseuse totale. La pression sur les vertèbres inférieures, donc sur le bas du dos, serait alors telle que nous aurions tous mal au dos dès nos premiers pas!

figure **9.1** La structure ondulée de la colonne vertébrale

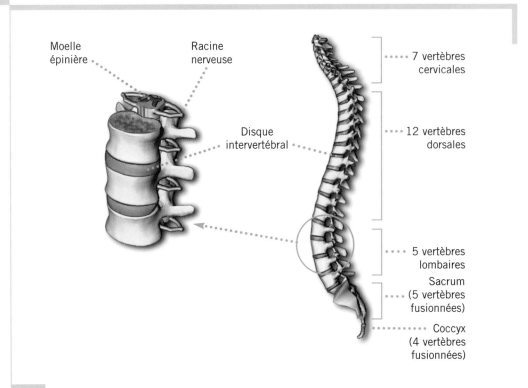

Moelle épinière

Racine nerveuse

Disque intervertébral

····· 7 vertèbres cervicales

····· 12 vertèbres dorsales

····· 5 vertèbres lombaires

Sacrum (5 vertèbres fusionnées)

······· Coccyx (4 vertèbres fusionnées)

La colonne vertébrale :
déviations et hernie discale

Au sommet de ce génial assemblage osseux qu'est la colonne vertébrale trône le crâne, parfaitement aligné au-dessus de la cage thoracique, elle-même alignée sur le bassin, où viennent s'attacher les dernières vertèbres. Une **bonne posture** maintient cet harmonieux alignement du crâne, de la cage thoracique et du bassin (figure 9.2). Toute posture qui brise cet alignement pendant un certain temps est mauvaise parce qu'elle crée des tensions parmi les quelque 40 muscles et les ligaments qui soutiennent la colonne et lui permettent de bouger. Par exemple, si vous travaillez pendant des heures devant un écran d'ordinateur placé trop haut ou trop bas, il se créera des tensions dans les muscles de votre cou. À la fin de la journée, vous aurez probablement mal au cou ou à la tête.

À la longue, les mauvaises postures entraînent des déviations vertébrales, qui sont à l'origine de nombreux maux de dos. Les trois déviations les plus importantes sont la lordose, la cyphose et la scoliose. Ces trois types de déviation réduisent l'espace entre les vertèbres, ce qui accroît le risque de compression des quelque 30 nerfs qui traversent l'épine dorsale. Par exemple, en cas de forte lordose, il arrive qu'une vertèbre lombaire et le sacrum aient tellement dévié qu'ils exercent une pression douloureuse sur les racines nerveuses situées à proximité. Examinons brièvement ces trois déviations.

figure 9.2 Quand l'alignement harmonieux de la colonne vertébrale est brisé

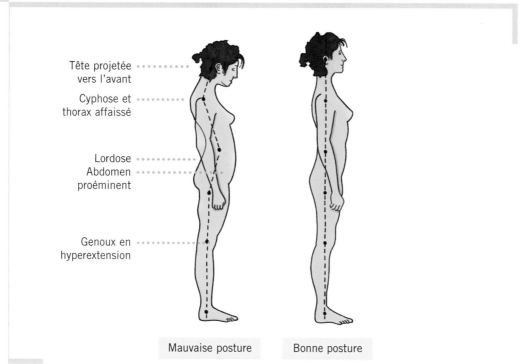

Tête projetée vers l'avant

Cyphose et thorax affaissé

Lordose
Abdomen proéminent

Genoux en hyperextension

Mauvaise posture   Bonne posture

La lordose

C'est probablement la déviation la plus répandue. La **lordose** se caractérise par un creux lombaire très prononcé et un déplacement important du bassin vers l'avant. On peut naître avec une prédisposition à la lordose, mais la plupart du temps cette déviation résulte d'un déséquilibre dans le travail des muscles destinés à maintenir le bassin dans une position correcte (figure 9.3). Avec le temps, la dépression lombaire sollicite de plus en plus les muscles dorsaux, provoquant spasmes, fatigue et douleur chronique dans le bas du dos (**lombalgie**). La lordose est aussi associée aux menstruations douloureuses et à une augmentation du risque de blessures au dos. Heureusement, il existe des exercices efficaces pour prévenir ou atténuer la douleur dans le bas du dos (p. 225-227).

figure 9.3 Les muscles associés à la posture lombaire

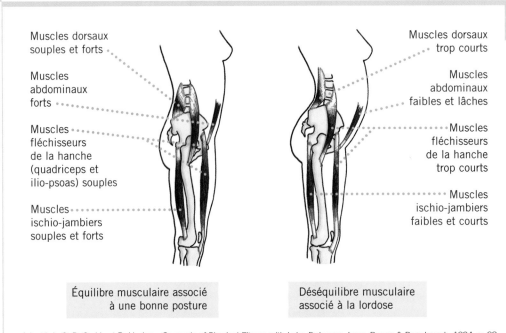

Muscles dorsaux souples et forts

Muscles abdominaux forts

Muscles fléchisseurs de la hanche (quadriceps et ilio-psoas) souples

Muscles ischio-jambiers souples et forts

Muscles dorsaux trop courts

Muscles abdominaux faibles et lâches

Muscles fléchisseurs de la hanche trop courts

Muscles ischio-jambiers faibles et courts

Équilibre musculaire associé à une bonne posture

Déséquilibre musculaire associé à la lordose

Adapté de C. B. Corbin et R. Lindsay, *Concepts of Physical Fitness with Labs*, Dubuque, Iowa, Brown & Benchmark, 1994, p. 98.

Selon les experts, environ 80 % des maux de dos sont causés par des déséquilibres entre divers groupes musculaires. Parmi ces maux, les douleurs lombaires sont de loin les plus répandues. Il faut dire que la région lombaire est la région la plus mobile de la colonne vertébrale et qu'elle supporte les deux tiers du poids corporel. En fait, 75 % des mouvements du tronc proviennent de cette région.

Voici quelques exercices qui vous aideront à soulager les douleurs dans le bas du dos. Faites-les régulièrement, trois ou quatre fois par semaine, pendant au moins deux mois. Vous serez étonné de la régression de votre lordose. Vous pouvez visionner ces exercices dans le **Compagnon Web**. Consultez également la série d'exercices portant sur les abdominaux (p. 325-327).

lordose

1. La boule sur le dos :

 boule

pour détendre et assouplir le bas du dos. Sur le dos, les mains jointes au-dessus des genoux, amenez ces derniers vers la poitrine à l'aide des mains. Tout en expirant doucement, lèvres serrées, restez dans cette position pendant six secondes. Revenez à la position de départ et détendez-vous. Refaites l'exercice trois fois.

2. La bascule du bassin :

 bascule

pour effacer le creux lombaire. Sur le dos, les genoux fléchis, les bras croisés sur la poitrine, creusez le bas du dos **(a)**. Contractez ensuite les abdominaux afin de plaquer le bas du dos au sol **(b)**. Restez dans cette position pendant six secondes en expirant lentement, lèvres serrées. Refaites l'exercice trois fois. Cet exercice tout simple est l'un des meilleurs pour combattre la douleur lombaire.

a)   b)

3. La traction de la jambe :

 traction

pour étirer les muscles du bas du dos et de l'arrière des cuisses (ischio-jambiers). Sur le dos, les genoux fléchis, les pieds posés à plat sur le sol, joignez les mains derrière la cuisse droite et tirez lentement le genou droit vers la poitrine **(a)**, puis étendez la jambe vers le plafond **(b)**. Tirez à nouveau le genou vers la poitrine : vous devez ressentir un réel étirement derrière la cuisse, mais jamais de douleur. Si vous le pouvez, restez dans cette position pendant environ 25 secondes. Respirez normalement pendant la durée de l'étirement. Revenez lentement à la position de départ. Refaites l'exercice avec l'autre jambe.

a)   b)

4. La génuflexion :

génuflexion

pour allonger les fléchisseurs de la hanche (quadriceps et ilio-psoas). En position de génu-flexion, le genou droit posé sur le sol, amenez le bassin vers l'avant jusqu'au seuil maximal d'étirement du devant de la cuisse et de la région de l'aine. Si vous le pouvez, restez dans cette position pendant environ 25 secondes. Respirez normalement pendant la durée de l'étire-ment. Revenez lentement à la position de départ. Refaites l'exercice avec l'autre jambe.

5. La chaise :

chaise

pour effacer le creux lombaire en position assise. Assis sur une chaise, effacez le creux lom-baire **(a)** en plaquant le bas du dos contre le dossier **(b)**. Pour ce faire, contractez les fessiers et les abdominaux. Restez dans cette position pendant six secondes en expirant lentement, lèvres serrées. Refaites l'exercice autant de fois que vous le voulez lorsque vous travaillez assis pendant une longue période.

a)

b)

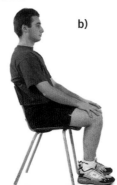

6. Le demi-redressement croisé :

demi-
redressement
croisé

pour renforcer les abdominaux. Sur le dos, les bras repliés, les mains sur les épaules **(a)**, exécutez un demi-redressement du tronc en tournant ce dernier vers la gauche **(b)**, puis revenez à la position de départ. Recommencez en tournant le tronc vers la droite. Expirez pendant le redressement. Commencez par effectuer quelques demi-redressements croisés, puis passez à 10, à 15, et ainsi de suite, jusqu'à plus de 30.

a)

b)

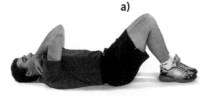

7. Le chat au dos plat :

chat

pour renforcer le muscle transverse. À quatre pattes, le dos plat, inspirez en gonflant le ventre et en maintenant le dos plat **(a)**. Puis expirez, toujours en maintenant le dos plat **(b)**. Refaites l'exercice trois fois.

a)   **b)**

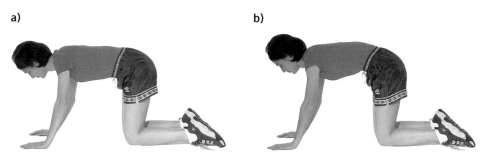

8. Le cobra :

cobra

pour rééquilibrer les tensions au niveau des disques intervertébraux et allonger les muscles de l'abdomen. Sur le ventre, en appui sur les coudes, redressez lentement le tronc tout en restant le plus détendu possible. Si vous êtes capable, tenez la position d'étirement pendant environ 25 secondes. Respirez normalement pendant la durée de l'étirement. Revenez lentement à la position de départ. Recommencez l'exercice une fois. Cet exercice peut ne pas convenir aux personnes ayant des troubles de la colonne vertébrale. Si c'est votre cas, parlez-en avec votre thérapeute avant de faire cet exercice.

La scoliose

La **scoliose** est une déviation latérale de la colonne (figure 9.4), qui se caractérise par une asymétrie plus ou moins marquée, provoquée par l'affaissement d'une seule épaule ou d'une seule hanche. Dans certains cas, la déviation est telle qu'elle cause des malaises ou des douleurs au dos, aux épaules et aux hanches. Les scolioses prononcées (déviations latérales de plus de 30 degrés) sont plutôt rares et touchent surtout les personnes ayant une prédisposition héréditaire ou une anomalie congénitale. Le traitement de ce type de scoliose est médical. Certaines habitudes posturales, par exemple porter un objet lourd toujours du même côté ou se tenir régulièrement assis le tronc incliné d'un côté, peuvent à la longue provoquer une scoliose.

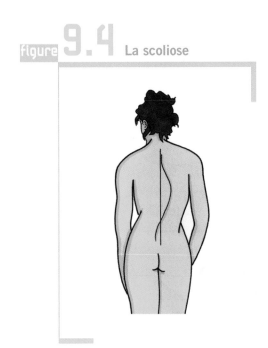

figure 9.4 La scoliose

La cyphose

La **cyphose** (figure 9.2) est une déviation qui rend voûté (c'est-à-dire qui fait courber le haut du dos) et projette la tête vers l'avant. La cyphose peut causer des maux de tête et des douleurs dans la région cervicale (cervicalgie). Dans les cas graves, une bosse apparaît dans le haut du dos ; on l'appelle communément la « bosse du lecteur » à cause de la position assise particulière qu'adopte souvent la personne qui lit. Non seulement la cyphose est inesthétique, mais elle provoque aussi une usure précoce des vertèbres pouvant causer de l'arthrose cervicale. Les clavicules et les omoplates étant rattachées à cette partie de la colonne, le dos rond entraîne aussi des douleurs dans les épaules et au milieu du dos. Les causes de la cyphose sont très variées : une table de travail trop basse, un oreiller trop gros, une mauvaise position assise, la pratique de certains instruments de musique (en particulier le violon et le piano) et même certains troubles émotionnels (peur des autres, anxiété chronique ou dépression).

La hernie discale

Les contraintes mécaniques imposées à la colonne par les mauvaises postures malmènent aussi les **disques intervertébraux**. Normalement, ces coussinets élastiques situés entre les vertèbres se compressent lorsqu'on soulève un objet lourd et se détendent aussitôt qu'on relâche la charge, un peu comme les amortisseurs d'une automobile (figure 9.5a). En revanche, lorsqu'on soulève un objet lourd posé sur le sol sans plier les jambes, le devant des vertèbres tend à se rapprocher, et l'arrière à s'éloigner (figure 9.5b). La pression vers l'arrière qui s'exerce alors sur le noyau des disques intervertébraux est considérable : elle atteint 500 kg, au lieu de 50 kg quand on est en position debout (figure 9.6). Sous une telle pression, le disque peut se fissurer. Une partie du noyau gélatineux, situé au centre du disque, sort alors par la fissure et vient s'appuyer sur la moelle épinière ou sur un nerf rachidien (habituellement le nerf sciatique) : c'est la **hernie discale** (figure 9.5b). À son tour, la hernie

<figure>

figure 9.5 Quand nos disques intervertébraux sont victimes de mauvais traitements

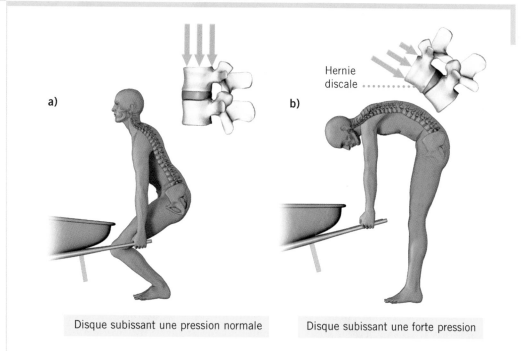

a)

b)

Hernie discale ············

Disque subissant une pression normale

Disque subissant une forte pression
</figure>

peut causer des douleurs intenses et des engourdissements le long du nerf touché, et ce, jusqu'au bout des orteils s'il s'agit du nerf sciatique.

Les disques de la région lombaire sont les plus sujets à la hernie, car ils subissent une plus grande compression que ceux de la partie supérieure de la colonne. Par conséquent, méfiez-vous des mouvements brusques de torsion, ainsi que des flexions ou des extensions profondes du tronc, qui augmentent justement ce risque.

La section suivante propose des conseils, pratiques et simples à suivre, pour éviter les postures qui malmènent les disques intervertébraux.

Les postures
qui préviennent les maux de dos

On peut prévenir la plupart des maux de dos qui ne sont pas dus à un accident. Ils ont pour cause commune un déséquilibre entre les tensions musculaires qui s'exercent au niveau de la colonne vertébrale. Ce déséquilibre, nous l'avons vu, est souvent le résultat de mauvaises postures. En corrigeant ces postures, on peut donc prévenir l'apparition d'un mal de dos. Voici quelques exemples de situations de la vie courante où vous pouvez protéger votre dos de façon réellement efficace.

En position assise

Aussi paradoxal que cela puisse paraître, la position assise, en apparence relaxante, est l'une des plus éprouvantes pour la colonne vertébrale. Dès qu'on s'assoit, la pression sur les disques intervertébraux du bas du dos augmente de près de 200 %, simplement parce qu'on vient d'éliminer le support des pieds (figure 9.6). En fait, c'est comme si on était assis sur sa colonne ! Des études ont même démontré que les chauffeurs de taxi et les représentants commerciaux qui voyagent beaucoup présentent un risque de hernie discale trois fois plus élevé que le reste de la population en général. Ce risque est encore plus élevé chez les personnes qui, en plus de travailler assises, sont exposées à des vibrations, comme les chauffeurs de camion et les pilotes d'avion.

Comme nous passons de plus en plus de temps assis, nous avons intérêt à nous asseoir convenablement – et sur une **bonne chaise**. Celle-ci doit être confortable et pourvue d'un soutien lombaire afin de soutenir les muscles du bas du dos. Si le dossier est droit, installez un coussin entre celui-ci et le creux de votre dos : il peut s'agir d'une simple serviette roulée ou d'un support lombaire facile à trouver sur le marché. Une bonne chaise de travail doit être pivotante et munie de roulettes, ce qui évite les mouvements de torsion du tronc. De plus, le dossier et le siège doivent pouvoir s'ajuster à votre taille. Réglez la hauteur du siège de façon à ce que vos pieds soient bien à plat sur le sol. Enfin, même si vous êtes assis sur une bonne chaise, bougez de temps à autre afin d'atténuer le stress imposé à la colonne. Par exemple, changez fréquemment de position, croisez et décroisez les jambes, adossez-vous et n'hésitez pas à vous lever toutes les 30 minutes pour dégourdir vos muscles.

figure 9.6 Les différentes postures et la pression sur les disques intervertébraux

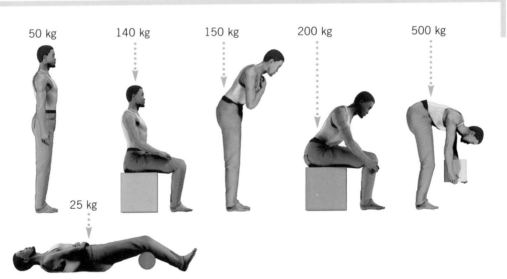

La pression indiquée correspond à celle qui est exercée sur les disques intervertébraux du bas du dos. L'illustration de droite montre la pression exercée quand on soulève un poids de 10 kg sans plier les genoux.

À l'ordinateur et devant la télévision

Si vous passez beaucoup de temps devant un écran d'ordinateur, assurez-vous que votre tête est droite et que vos yeux sont au même niveau que le haut de l'écran. Pour vous convaincre qu'il est important d'ajuster ainsi votre poste de travail, observez le dos voûté des programmeurs négligents qui ont travaillé, des années durant, les yeux rivés sur un écran trop bas. La bonne posture à adopter lorsqu'on travaille à l'ordinateur est présentée dans la figure 9.7. Par ailleurs, quand vous regardez la télévision, asseyez-vous face à l'écran : cela vous évitera d'avoir le cou en torsion pendant toute la soirée! Évitez aussi de rester affalé sur le divan, le cou en hyperflexion.

Au volant

Quand vous conduisez une automobile, ajustez le siège et le volant (s'il y a lieu) de façon à ce que vos pieds atteignent les pédales et que vos mains se posent sur le volant sans étirement des jambes ni des bras. Cependant, si vous êtes de petite taille et si votre automobile est munie de coussins gonflables, installez-vous le plus loin possible du volant pour éviter d'être blessé à la tête si le coussin venait à se déployer. Ne conduisez pas avec le dos décollé du dossier. Si le siège de votre auto n'est pas muni d'un support lombaire, ajoutez-en un.

figure 9.7 La bonne posture de travail devant son ordinateur

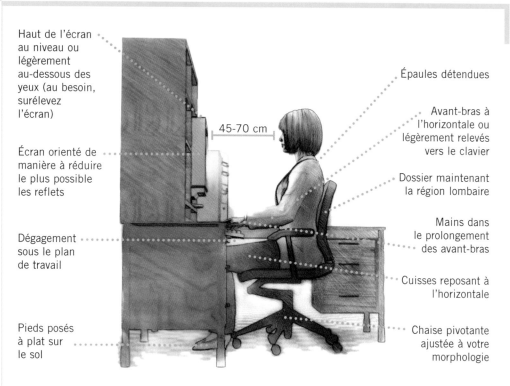

Haut de l'écran au niveau ou légèrement au-dessous des yeux (au besoin, surélevez l'écran)

Écran orienté de manière à réduire le plus possible les reflets

Dégagement sous le plan de travail

Pieds posés à plat sur le sol

45-70 cm

Épaules détendues

Avant-bras à l'horizontale ou légèrement relevés vers le clavier

Dossier maintenant la région lombaire

Mains dans le prolongement des avant-bras

Cuisses reposant à l'horizontale

Chaise pivotante ajustée à votre morphologie

En position debout

Si la nature de votre travail vous oblige à rester debout et immobile pendant de longues périodes, évitez de toujours garder les pieds sur un même plan. Cette posture favorise en effet le pivotement du bassin vers l'avant et, donc, une attitude lordotique. Posez plutôt les pieds, en alternance, sur un repose-pied de 15 à 20 cm de hauteur (figure 9.8a) ; faute de repose-pied, utilisez de gros livres, tels que des annuaires téléphoniques. Par ailleurs, dans une file d'attente, tenez-vous sur une jambe, puis sur l'autre.

Les objets lourds

Soulever un objet lourd exige un effort beaucoup plus grand que de le pousser ou de le tirer sur le sol. Si vous devez soulever un objet lourd, penchez-vous en pliant les genoux et relevez-vous en gardant le dos droit (figure 9.8b). Cette façon de faire met à contribution les quadriceps (les muscles puissants du devant de la cuisse) plutôt que les muscles du bas du dos. Une fois l'objet soulevé,

figure 9.8 Quelques positions à adopter ou à éviter

À adopter — À éviter

a) Station debout prolongée

b) Soulèvement d'un objet lourd

c) Déplacement d'un objet lourd

transportez-le en le gardant le plus près possible du corps (figure 9.8c). Quand vous sortez un objet lourd du coffre d'une automobile, commencez par l'approcher de vous en le faisant glisser, puis procédez de la même façon que pour un objet posé sur le sol. Vous pouvez visionner certaines de ces situations dans le **Compagnon Web**.

objets
lourds

Les serviettes, les sacs à main et les sacs à dos

Évitez de surcharger votre serviette, votre sac à main ou votre sac à dos de paperasse ou d'objets inutiles. Méfiez-vous des sacs fourre-tout : ils portent bien leur nom et deviennent lourds à mesure qu'on y ajoute des choses inutiles. Quand vous portez un sac, changez de main ou d'épaule de temps à autre : vos efforts seront ainsi mieux répartis sur les deux côtés, et votre posture latérale sera moins affectée. Ne portez pas votre sac à dos en bandoulière (figure 9.9a) ; portez-le plutôt sur le dos, une bretelle sur chaque épaule (figure 9.9b). Une dernière chose : le poids de votre sac à dos ne devrait pas dépasser 10 % de votre poids corporel (tableau 9.1).

Les chaussures à talons très hauts

Idéalement, c'est la chaussure qui doit s'adapter au pied, et non le pied qui doit s'adapter à la chaussure, mais il arrive que les critères esthétiques imposés par la mode aillent à l'encontre de cet idéal. C'est précisément le cas des chaussures à talons très hauts de type plate-forme. Ces chaussures, certes très appréciées par les personnes de petite taille, n'en imposent pas moins un stress considérable aux pieds et au dos. Voici pourquoi.

Premièrement. Lorsque les pieds reposent à plat sur le sol, la partie arrière des pieds (les talons) supporte les deux tiers du poids corporel, et la partie avant en supporte un tiers (figure 9.10a). C'est la structure naturelle du pied qui le veut ainsi. Mais dès qu'on porte une chaussure à talons hauts, cette répartition naturelle du poids du corps est inversée : l'avant du pied supporte une bonne partie du poids corporel (figure 9.10b). Les rares experts qui se sont intéressés à la mode des chaussures à plate-forme, notamment ceux de la Ligue suisse en rhumatologie, estiment qu'une surélévation de plus de 4 cm du talon par rapport au devant du pied entraîne une charge excessive sur les petits os (**têtes métatarsiennes**) de l'avant-pied, provoquant ainsi des douleurs osseuses et la formation de callosités douloureuses sous la partie avant du pied. Or, la hauteur des talons des chaussures à plate-forme dépasse parfois 15 cm !

Deuxièmement. Des chaussures à talons hauts font invariablement glisser le pied vers l'avant, ce qui comprime les orteils (figure 9.10b), provoque la déformation en marteau de ces derniers et favorise l'apparition de cors.

Troisièmement. Le port de chaussures à talons hauts provoque une inclinaison marquée du bassin vers l'avant, qui compense le déséquilibre postural. Résultat : le dos se cambre, et la pression supportée par certaines parties des disques intervertébraux est nettement exagérée ; des douleurs lombaires apparaissent alors (figure 9.10c).

figure 9.9 L'art de porter un sac à dos

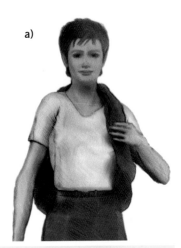

a)

La mauvaise façon de porter un sac à dos

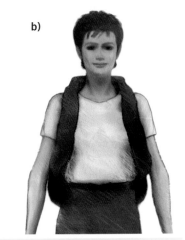

b)

La bonne façon de porter un sac à dos

tableau 9.1 Le poids maximal idéal d'un sac à dos

Votre poids (kg)	Poids du sac à dos (kg)
43	4,3
48	4,8
60	6,0
65	6,5
70	7,0
75	7,5
80	8,0

Adapté de *Plein le dos sans gros maux*, Joliette, Gouvernement du Québec, Régie régionale de la santé et des services sociaux de la Montérégie, 2002, p. 3.

Au lit

La meilleure position pour dormir est… celle que vous trouvez confortable! Toutefois, si vous souffrez de douleurs lombaires, il vaut mieux dormir sur le côté, les genoux légèrement fléchis (figure 9.11a), ou sur le dos, avec un ou plusieurs oreillers placés sous les genoux, ce qu'on appelle la **position de Fowler** (figure 9.11b). Lorsque vous lisez au lit, faites-le dans une position presque assise, genoux pliés.

a)

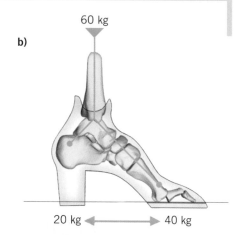

Quand le pied est à plat sur le sol, le poids du corps se porte davantage sur le talon que sur l'avant-pied.

b)

60 kg

20 kg ⟷ 40 kg

En portant des chaussures à talons hauts, on modifie la répartition du poids du corps sur les différentes parties du pied. L'avant-pied doit alors supporter un poids beaucoup plus grand qu'en temps normal et, à la longue, il devient douloureux.

c)

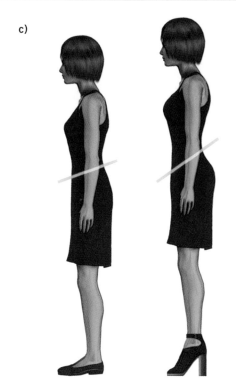

Le port de chaussures à talons hauts modifie la posture en provoquant une hyperlordose.

figure 9.11
Les positions suggérées pour dormir
quand on souffre de douleurs lombaires

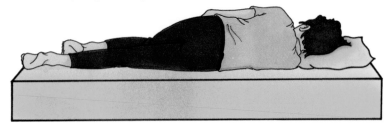

a) Sur le côté, les genoux légèrement fléchis

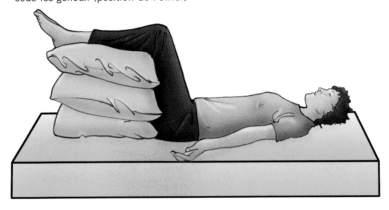

b) Sur le dos, avec un ou plusieurs oreillers placés
sous les genoux (position de Fowler)

Dans la pratique d'une activité physique ou d'un sport

L'exercice est bon pour le dos : il renforce les muscles et les tendons, maintient la solidité des vertèbres et accélère la guérison des cartilages et des disques intervertébraux. Toutefois, pratiqué dans de mauvaises conditions, l'exercice peut causer des blessures au dos, comme le constatent souvent les athlètes. Voici quelques précautions qu'il faut absolument prendre pour réduire les risques de blessures au dos :

- soigner sa préparation physique (chapitre 14) ;
- appliquer la bonne technique ;
- éviter les sports de contact ou les activités présentant un risque élevé de chute ou de collision quand on a le dos fragile ;
- ne jamais faire de l'exercice jusqu'à l'épuisement ;
- éviter les exercices vigoureux lorsqu'on a un mal de dos ;
- respecter les règles de sécurité lorsqu'on s'exerce avec des poids libres, etc.

Alors, pour profiter des bienfaits de l'exercice sans risquer de vous blesser au dos, respectez les consignes suivantes : faites des exercices d'échauffement avant de commencer une activité physique ; améliorez votre technique si elle laisse à désirer ; au besoin, portez l'équipement de protection recommandé ; pratiquez des activités compatibles avec l'état de votre dos ; cessez votre activité physique dès que vous sentez la fatigue vous envahir, surtout s'il s'agit d'un sport à risque pour le dos.

9 à vos méninges

Remarque : Il peut y avoir plus d'une bonne réponse par question.

1. **La colonne vertébrale de l'être humain n'est pas droite.
Quels sont les avantages de sa double courbure ?**

○ **a)** Il y a moins de pression sur chaque vertèbre.

○ **b)** La pression sur les vertèbres inférieures est beaucoup moins importante que si la colonne vertébrale était droite.

○ **c)** Cette forme en S diminue les risques de maux de dos.

○ **d)** Cette forme en S diminue les risques de scoliose.

○ **e)** Aucune des réponses précédentes.

2. **Parmi les groupes musculaires suivants, lesquels sont principalement associés à la lordose ?**

○ **a)** Muscles de la région des épaules.

○ **b)** Muscles des avant-bras.

○ **c)** Muscles abdominaux.

○ **d)** Muscles fléchisseurs des hanches.

○ **e)** Muscles de la région de la nuque.

3. **Quelle est la principale cause des maux de dos (environ 80 % des cas) ?**

○ **a)** Des malformations congénitales.

○ **b)** Des accidents de travail ou de la route.

○ **c)** Des déséquilibres entre groupes musculaires.

○ **d)** Une force trop grande des muscles du bas du dos.

○ **e)** Un étirement trop grand des muscles ischio-jambiers.

4. **Que peut provoquer la lordose ?**

○ **a)** Une cervicalgie.

○ **b)** Une lombalgie.

○ **c)** Un torticolis.

○ **d)** L'accentuation d'une asymétrie latérale.

○ **e)** Des maux de tête.

5. **Qu'est-ce qu'une scoliose ?**

○ **a)** Une déviation frontale de la colonne vertébrale.

○ **b)** Une déviation latérale de la colonne vertébrale.

○ **c)** Une déviation axiale de la colonne vertébrale.

○ **d)** Une déviation avant-arrière de la colonne vertébrale.

○ **e)** Aucune des réponses précédentes.

6. Quand on soulève un objet de 10 kg du sol sans plier les genoux, la pression qui s'exerce sur les disques intervertébraux du bas du dos peut atteindre jusqu'à :

- a) 50 kg.
- b) 100 kg.
- c) 200 kg.
- d) 400 kg.
- e) 500 kg.

7. Quand une hernie discale survient-elle ?

- a) Lorsque deux vertèbres se touchent.
- b) Lorsqu'une vertèbre glisse vers l'avant.
- c) Lorsqu'un nerf situé le long de la colonne vertébrale se coince.
- d) Lorsqu'une partie du noyau gélatineux du disque intervertébral sort par une fissure.
- e) Aucune des réponses précédentes.

8. Dans quelle position la pression sur les disques intervertébraux est-elle la plus faible ?

- a) En position assise.
- b) En position assise et penchée vers l'avant.
- c) En position couchée sur le ventre.
- d) En position couchée sur le dos.
- e) En position debout.

9. Une bonne chaise doit comporter :

- a) Des roulettes.
- b) Un dossier droit.
- c) Un siège moelleux.
- d) Un soutien lombaire.
- e) Tous les éléments précédents.

10. À quel problème la cyphose est-elle associée ?

- a) À un creux prononcé dans le bas du dos.
- b) À une déviation latérale de la colonne vertébrale.
- c) À une courbure du haut du dos.
- d) À un déséquilibre entre les muscles abdominaux et les muscles dorsaux.
- e) Aucun des problèmes précédents.

11. Quelle distance entre les yeux et l'écran d'un ordinateur réduit au minimum la fatigue oculaire ?

○ **a)** 10 à 20 cm.

○ **b)** 20 à 35 cm.

○ **c)** 35 à 50 cm.

○ **d)** 45 à 70 cm.

○ **e)** 70 à 95 cm.

12. Si on travaille en position debout pendant de longues périodes, qu'est-il souhaitable de faire ?

○ **a)** S'asseoir de temps en temps dans la mesure du possible.

○ **b)** Se tenir sur une jambe, puis sur l'autre, en alternance.

○ **c)** Poser les pieds en alternance sur un repose-pied.

○ **d)** Effectuer de grands cercles avec les bras.

○ **e)** Aucune des réponses précédentes.

13. Quand on soulève un objet lourd posé sur le sol, qu'est-il souhaitable de faire ?

○ **a)** Garder les jambes et le dos bien droits.

○ **b)** Plier les bras.

○ **c)** Garder la tête haute.

○ **d)** Plier d'abord les genoux.

○ **e)** Aucune des réponses précédentes.

14. Que se passe-t-il lorsqu'on porte des chaussures à talons hauts ?

○ **a)** Le poids du corps est supporté en grande partie par l'arrière du pied.

○ **b)** Le poids du corps est supporté en grande partie par l'avant du pied.

○ **c)** Le poids du corps est également réparti entre l'avant et l'arrière du pied.

○ **d)** Le poids du corps est réparti de la même façon que si on portait des chaussures normales.

○ **e)** Aucune des réponses précédentes.

15. Que peut provoquer le port de chaussures à talons hauts ?

○ **a)** Une cyphose.

○ **b)** Une scoliose.

○ **c)** Une lordose.

○ **d)** Un pivotement du bassin vers l'arrière.

○ **e)** Toutes les réponses précédentes.

16. Quelles sont les trois principales déviations possibles de la colonne vertébrale?

- _____
- _____
- _____

17. Donnez trois comportements liés à la pratique d'un sport qui peuvent être dangereux pour le dos.

- _____
- _____
- _____

18. Complétez les phrases suivantes.

○ **a)** Une bonne posture permet de maintenir un alignement harmonieux du _____, de la _____ et du _____.

○ **b)** La lordose est probablement la _____ la plus _____.

○ **c)** La région lombaire est la région la plus _____ de la colonne vertébrale et elle supporte les deux tiers du _____ corporel. En fait, _____ % des mouvements du tronc proviennent de cette région.

pour en savoir plus

Lectures suggérées

- Berlin, J.C., *50 exercices contre le mal de dos*, Paris, Flammarion, 1999.
- Brennan, R., *La méthode Alexander*, Paris, Marabout, 1992.
- Dumoulin, L., *Le corps heureux*, Montréal, Éditions de l'Homme, 2000.
- Iovino, E., *Cours de gymnastique corrective*, Paris, Éditions de Vecchi, 1996.
- Régie régionale de la santé et des services sociaux de la Montérégie, Gouvernement du Québec, *Plein le dos sans gros maux*, 2002.
- Tanner, J., *La santé de votre dos*, Montréal, ERPI, 2004.

sites Internet à visiter

Actiforme Consultants
« Le sport et l'activité physique causent-ils le mal de dos? », article écrit par Yvan Campbell.
www.actiforme.net/Cap_011.htm

Collège des médecins de famille du Canada
Une section porte sur les maux de dos.
www.cfpc.ca/French/cfpc/programs/patient%20education/low%20back%20pain/default.asp?s=1

École du dos (dans le site de l'Université du Québec en Abitibi-Témiscamingue)
uriic.uqat.uquebec.ca/

BILAN 9.1

Votre posture debout et immobile

Après la lecture de ce chapitre, vous vous demandez peut-être si votre colonne est droite ou «déviante». Les quatre petits tests suivants vous permettront de connaître l'état de votre posture debout et immobile.

Le dos appuyé contre un mur, demandez à quelqu'un de mesurer, à l'aide d'une règle graduée en centimètres, votre creux lombaire (espace entre le mur et la partie la plus creuse de votre dos) et votre creux cervical (espace entre le mur et la partie la plus creuse de votre cou). Notez que l'arrière du crâne, la région des omoplates, les fesses et les talons doivent être en contact avec le mur.

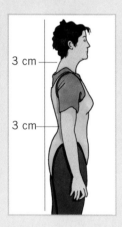

1. Bonne posture

Une bonne posture est associée à des creux lombaire et cervical de 3 à 5 cm de profondeur chacun.

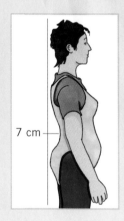

2. Lordose

Si la profondeur de votre creux lombaire est de 7 cm ou plus, vous souffrez d'une lordose. Plus le creux est prononcé, plus la lordose est forte. Dans ce cas, en plus d'appliquer les mesures préventives suggérées dans ce chapitre, vous devriez faire régulièrement des exercices destinés à réduire la lordose.

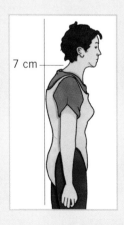

3. Cyphose

Si la profondeur de votre creux cervical est de 7 cm ou plus, vous souffrez d'une cyphose. Vos épaules sont probablement tombantes, votre tête projetée vers l'avant, et votre dos, voûté. Un thérapeute spécialisé en soins du dos (physiothérapeute, chiropraticien, ostéopathe, physiatre, orthopédiste, praticien d'une méthode posturale) pourra vous suggérer une gymnastique corrective qui réduira la cyphose. Cette gymnastique pourrait même vous faire grandir de 1 à 3 cm en quelques mois...

4. Scoliose

En tenue légère ou nu, debout devant un miroir, vérifiez si vos épaules et vos hanches sont sensiblement à la même hauteur. Si ce n'est pas le cas, vous avez une scoliose. Lorsque les différences de hauteur sont minimes, la scoliose est légère et ne pose pas de problèmes particuliers. En revanche, si l'inéga-lité des épaules ou des hanches est frappante, un thérapeute spécialisé en soins du dos pourra vous suggérer des exercices asymétriques (destinés à étirer le côté court et à renforcer le côté long) pour atténuer la déviation latérale. En cas de scoliose importante, consultez un orthopédiste.

Debout et immobile

○ Ma posture est bonne.

○ J'ai probablement une lordose.

○ J'ai probablement une cyphose.

○ J'ai probablement une scoliose.

BILAN 9.2

Vos postures dans la vie de tous les jours

Le premier bilan visait à déterminer si vous présentez une déformation de la colonne vertébrale (cyphose, lordose ou scoliose) lorsque vous êtes debout et immobile. Ce second bilan vise plutôt à évaluer les postures que vous adoptez dans la vie de tous les jours. Comment vous asseyez-vous pendant vos cours ? Comment vous installez-vous pour étudier, pour regarder la télévision ou pour jouer à l'ordinateur ? Comment vous y prenez-vous pour soulever un objet lourd posé sur le sol ? Comment transportez-vous un tel objet ? Comment transportez-vous votre sac à dos ou votre ser-viette ? En faisant l'inventaire des comportements relatifs à vos postures, vous trouverez une réponse à ces questions et à bien d'autres.

Accordez-vous **cinq points** chaque fois que vous cochez la colonne *Toujours*, **trois points** pour la colonne *Parfois* et **aucun point** pour la colonne *Jamais*.

Situations	Toujours	Parfois	Jamais
1. Si j'ai mal dans le bas du dos, je pratique un ou plusieurs des exercices présentés aux pages 225 à 227.			
2. Quand je soulève un objet lourd posé sur le sol, je plie d'abord les genoux.			
3. Quand j'utilise un sac à dos, je le porte dans le dos, une bretelle sur chaque épaule.			
4. Quand je conduis une auto, j'ajuste le siège et le volant afin d'être bien assis et d'avoir facilement accès aux pédales.			
5. Quand je dois me tenir debout et immobile pendant une longue période, pour soulager le bas de mon dos, je me tiens sur une jambe, puis sur l'autre, en alternance, ou bien je pose, en alternance aussi, les pieds sur un repose-pieds.			
6. Quand je transporte un objet, je le tiens près de mon corps et non pas éloigné de ce dernier.			
7. J'évite de porter des chaussures à talons très hauts, du moins pendant de longues périodes.			
8. Quand je pratique un sport ou une activité physique, j'essaie de bien me préparer sur le plan physique (chapitre 14).			
9. Si je fais de la musculation, je veille à protéger mon dos.			
10. Quand je travaille à l'ordinateur, je respecte, en général, la posture assise suggérée dans la figure 9.7 (p. 231).			
11. Si j'ai mal au dos, je connais une bonne position pour bien dormir.			
12. Si je fais un travail rémunéré dangereux pour le dos, je prends les mesures nécessaires pour diminuer le niveau de risque.			
TOTAL			

Ce que votre résultat signifie...

45 points et plus. Le risque de blessures au dos, sauf en cas d'accident, est minime. Vous prenez un soin jaloux de votre dos et vous vous en occupez au moindre signe.

Entre 30 et 44 points. Le risque de blessures au dos ou de douleurs dorsales est réel. Réviser certaines de vos postures pourrait profiter grandement à votre dos. Pensez, en particulier, aux postures que vous n'adoptez pratiquement jamais.

Moins de 30 points. Considérez-vous comme une personne à risque en ce qui a trait à la santé de votre dos. Posez-vous la question suivante : « Suis-je prêt à adopter de meilleures postures pour protéger mon dos ? » La réponse vous appartient.

Le temps
de passer à l'action

Vous connaissez maintenant vos principales capacités physiques et vous avez fait le relevé de vos principaux besoins. Le temps de passer à l'action est donc arrivé! Dans cette troisième partie, vous serez convié à pratiquer une ou plusieurs activités physiques selon une approche qui améliore la santé. Cette approche respecte les règles propres aux activités physique : les règles de sécurité (comment vous assurer que votre pratique ne vous cause ni blessure, ni fatigue excessive, ni ennui de santé); les règles d'efficacité et de confort (comment maintenir ou améliorer vos capacités physiques d'une manière efficace et agréable, tout en gardant votre motivation). Au terme de cette troisième partie, vous serez fin prêt pour passer à l'action.

Améliorer
sa condition physique

chapitre 10

Objectifs

- Nommer et expliquer brièvement les cinq principes de la mise en forme.

- Reconnaître les sept grandes familles d'exercices.

- Comprendre en quoi consiste l'approche informelle.

- Faire le bilan de votre dépense énergétique hebdomadaire.

Vous souvenez-vous de A, qui montait péniblement une côte abrupte pendant que B montait la même côte sans effort ? La bonne nouvelle pour A, c'est que son cas n'est pas désespéré : dans ce chapitre, il va découvrir des règles simples et efficaces pour se remettre en forme. Ces règles consistent pour l'essentiel à appliquer les principes de base de l'entraînement physique : la spécificité, la surcharge, la progression, l'individualité et le maintien (tableau 10.1). En suivant ces principes dans sa pratique de l'activité physique, A est certain d'améliorer son endurance cardiovasculaire dans un délai raisonnable. Faites comme lui ! N'hésitez pas, surtout si le bilan de votre condition physique vous donne le cafard…

tableau 10.1 Les cinq principes de base de l'entraînement

Principes	Définitions
La spécificité	L'adaptation du corps à une activité physique est spécifique à cette activité.
La surcharge (fréquence, durée et intensité de l'effort)	Pour améliorer sa capacité d'adaptation à l'effort physique, il faut faire plus d'effort physique qu'à l'habitude.
La progression	Pour continuer à améliorer sa capacité d'adaptation à l'effort physique, il faut ajuster *régulièrement* la surcharge, en l'augmentant *progressivement* afin de ne pas surmener l'organisme.
L'individualité	La réponse du corps à l'activité physique varie selon les personnes, même si elles appliquent une surcharge identique.
Le maintien	On peut maintenir sa condition physique améliorée même si on diminue la fréquence et la durée des exercices, pour autant que l'on conserve la même intensité d'effort.

La spécificité

L'adaptation du corps à une activité physique est spécifique à cette activité : voilà en quoi consiste le **principe de la spécificité**. Autrement dit, à exercice donné correspond une adaptation donnée. Par exemple, si vous voulez améliorer votre capacité de faire des longueurs de piscine, vous devez nager et non patiner ! De même, si vous voulez fortifier vos bras, le jogging est inutile : il faut plutôt soulever des poids libres. Appliquer le principe de la spécificité suppose aussi de choisir, parmi l'une des sept grandes **familles d'exercices** (figure 10.1), un type d'exercice compatible avec l'objectif visé. Pour réussir sa métamorphose, A, dont l'endurance cardiovasculaire est presque nulle, devra donc choisir des activités de type aérobique. Vous devez vous aussi choisir vos activités en fonction de vos objectifs (tableau 10.2).

figure 10.1 Les grandes familles d'exercices

familles

L'**exercice aérobique** est un exercice d'intensité modérée qui sollicite les grandes masses musculaires et le système à oxygène.

L'**exercice anaérobique** est un exercice d'intensité élevée à maximale qui sollicite les grandes masses musculaires et le système ATP-CP ou le système à glycogène.

Dans l'**exercice dynamique* concentrique**, les fibres des muscles sollicités *raccourcissent* pendant l'effort.

Dans l'**exercice dynamique* excentrique**, les fibres des muscles sollicités *allongent* pendant l'effort.

Dans l'**exercice isométrique****, la contraction musculaire est statique, c'est-à-dire qu'elle n'entraîne aucun mouvement apparent.

L'**exercice d'étirement** vise à allonger graduellement les fibres des muscles.

L'**exercice pliométrique** déclenche une contraction excentrique suivie rapidement d'une contraction concentrique explosive.

*   Aussi appelé «exercice isotonique».

** Aussi appelé «exercice statique».

tableau # 10.2 Appliquez le principe de la spécificité selon vos objectifs

Si je veux améliorer...	Je choisis des...
mon endurance cardiovasculaire	exercices aérobiques ou une combinaison d'exercices aérobiques et anaérobiques (travail par intervalle)
ma vigueur musculaire (force, puissance ou endurance)	exercices dynamiques ou isométriques ou pliométriques
ma flexibilité	exercices d'étirement
ma composition corporelle (réserves de graisses)	exercices aérobiques ou dynamiques
ma capacité à me détendre	exercices dynamiques ou aérobiques ou d'étirement
ma posture	exercices dynamiques ou isométriques ou d'étirement

La surcharge

Pour améliorer sa capacité d'adaptation à l'effort physique, il faut faire plus d'effort physique qu'à l'habitude : par exemple, il faut passer de la marche au jogging, jouer au badminton pendant 60 minutes au lieu de 45 minutes ou étirer ses muscles quatre fois par semaine au lieu de deux. C'est ce qu'on appelle le **principe de la surcharge**. On crée même une surcharge lorsqu'on passe de la position assise à la position debout! Quand on augmente la charge, le corps travaille plus fort. Mais, en même temps, il s'adapte au surplus de travail, de sorte que l'effort intense qui nous faisait suer et souffrir devient un effort modéré après un mois. L'application du principe de la surcharge exige de déterminer l'intensité, la durée et la fréquence de la pratique d'une activité physique. Le choix de la surcharge dépend de l'objectif visé. En choisissant l'exercice ou l'activité physique selon le principe de la surcharge, vous appliquez du même coup le principe de la spécificité. Comme vous le voyez, les principes de l'entraînement ou de la mise en forme sont interdépendants, indissociables. Après avoir choisi votre activité, vous devez en déterminer l'**intensité**, la **durée** et la **fréquence** de pratique. Nous verrons cela en détail dans les prochains chapitres. Des exemples d'application du principe de la surcharge sont présentés dans le tableau 10.3.

La progression
ou l'ajustement de la surcharge

Quelle que soit sa nature, la surcharge appliquée dans votre programme d'activité physique ne doit pas être très prononcée au départ, afin de ne pas surmener vos muscles ou votre cœur et de... ne pas vous décourager. C'est ce qu'on appelle le **principe de la progression**. Toutefois, après un certain temps, la surcharge de départ, par exemple 10 minutes de jogging ou 10 levées d'une charge de 30 kg, devient trop peu exigeante. C'est la preuve tangible que le corps augmente sa capacité d'effort en s'adaptant. Pour poursuivre sur cette lancée, il faut ajuster *régulièrement* la surcharge, en

tableau 10.3 Quelques exemples d'application du principe de la surcharge

Cas témoins	Types d'activité (spécificité)	Application du principe de la surcharge		
		Intensité	Durée	Fréquence
Jean, âgé de 18 ans, veut améliorer son endurance cardiovasculaire.	Exercice aérobique: vélo stationnaire.	Modérée à élevée.	Au moins 30 minutes.	Au moins trois fois par semaine.
Sandra, âgée de 17 ans, veut augmenter sa force musculaire.	Exercice dynamique: musculation.	Élevée: 2 séries de 10 levées maximales d'une certaine charge.	Le temps nécessaire pour faire les 2 séries de 10 répétitions pour chacun des exercices sélectionnés.	Au moins trois fois par semaine.
Derek, âgé de 19 ans, veut diminuer ses réserves de graisse.	Effort aérobique: jogging.	Modérée.	Au moins 45 minutes.	Au moins quatre fois par semaine.
Karine, âgée de 23 ans, veut améliorer sa flexibilité au niveau du bas du dos.	Exercices d'étirement spécifiques au bas du dos.	Jusqu'à la limite d'étirement du muscle sans ressentir de douleur.	De 20 à 30 secondes par exercice d'étirement répété 2 fois.	Tous les jours.

l'augmentant *progressivement*. On passera donc à 12 minutes de jogging ou à 10 levées d'une charge de 35 kg. Cet ajustement est essentiel pour maintenir l'efficacité de la surcharge. Une fois l'objectif atteint, on pourra se contenter d'une surcharge d'entretien, comme nous le verrons plus loin. Un exemple d'application du principe de la progression est présenté dans la figure 10.2.

L'individualité

La réponse du corps à l'activité physique varie selon les individus et dépend de facteurs comme l'hérédité, l'alimentation, la motivation, le mode de vie et l'influence de l'environnement. C'est ce qu'on appelle le **principe de l'individualité**. Si un groupe de personnes du même sexe et du même âge suit le même programme d'activité physique, cela produira des effets semblables chez chacune d'elles, mais la courbe d'amélioration variera d'une personne à l'autre. C'est un principe à ne pas oublier si on veut se comparer aux autres !

Le maintien

Le **principe du maintien** est plutôt séduisant: il nous permet d'en faire moins tout en maintenant nos acquis. Mais attention ! On peut réduire la fréquence et la durée de l'effort, mais pas son intensité.

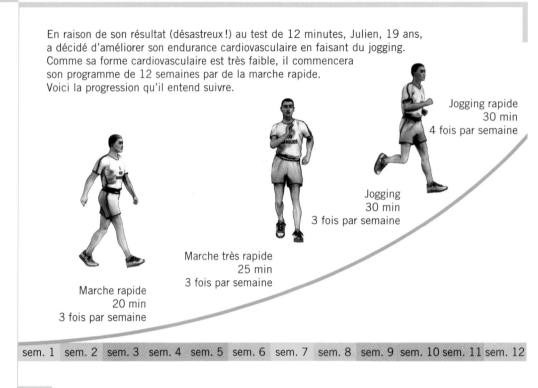

figure 10.2 Le cas de Julien : un exemple d'application du principe de la progression

En raison de son résultat (désastreux !) au test de 12 minutes, Julien, 19 ans, a décidé d'améliorer son endurance cardiovasculaire en faisant du jogging. Comme sa forme cardiovasculaire est très faible, il commencera son programme de 12 semaines par de la marche rapide. Voici la progression qu'il entend suivre.

Jogging rapide
30 min
4 fois par semaine

Jogging
30 min
3 fois par semaine

Marche très rapide
25 min
3 fois par semaine

Marche rapide
20 min
3 fois par semaine

sem. 1 | sem. 2 | sem. 3 | sem. 4 | sem. 5 | sem. 6 | sem. 7 | sem. 8 | sem. 9 | sem. 10 | sem. 11 | sem. 12

Supposons que A ait atteint la forme cardiaque voulue après 8 semaines d'exercices aérobiques, à raison de 4 séances de 30 minutes de jogging par semaine. S'il veut conserver cette forme, il peut par exemple réduire son volume total d'activité physique à 2 séances de 20 minutes par semaine, à condition de maintenir le même pouls à l'effort.

Dans le cas de la vigueur musculaire, on peut réduire le nombre et la durée des séances d'exercice, ainsi que le nombre de séries (blocs de répétitions), mais pas le **nombre de répétitions** (nombre d'exécutions consécutives du mouvement) ni la charge à soulever. Quant à la souplesse, on peut la conserver même en réduisant les séances d'étirements à une seule par semaine, pourvu que la durée des étirements reste la même.

Une approche
moins structurée peut aussi être efficace

Les principes de l'entraînement conviennent aussi à une pratique moins structurée de l'activité physique. Cela peut être le cas, par exemple, si vous ne voulez pas, pour diverses raisons, suivre un programme précis d'activité physique. Que pouvez-vous alors faire pour profiter des effets bénéfiques de l'exercice sur votre santé?

Le directeur du Service de santé publique des États-Unis (Surgeon General of the United States), la plus haute autorité en la matière dans ce pays et l'une des plus respectées sur la planète, s'est prononcé sur la question: il suffit de faire 30 minutes d'activité physique modérée par jour, soit l'équivalent d'une dépense énergétique moyenne de 1 000 calories par semaine pour une personne pesant 70 kg. Il n'est pas nécessaire de faire ces 30 minutes en une seule fois. Vous pouvez fractionner l'effort en 3 séances d'environ 10 minutes. **Toutefois, il s'agit là de la quantité minimale d'exercice** permettant d'obtenir une certaine protection contre les maladies de l'heure (maladies coronariennes, hypertension, cancer, diabète de type 2). **Selon des données récentes, la dose recommandée pour obtenir une protection maximale serait une dépense énergétique supérieure à 2 000 calories (pour une personne de 70 kg) ou 420 minutes d'exercice d'intensité modérée à élevée par semaine, soit l'équivalent d'une heure d'exercice vigoureux par jour.**

Avec une approche non structurée, le principe de la spécificité a un large champ d'application, puisqu'on peut faire appel à plusieurs types d'activité physique: les tâches domestiques (laver des vitres, repasser des vêtements, laver un plancher, peindre un mur, marcher pour se rendre au dépanneur, etc.), le bricolage, le jardinage, les sports, les exercices de conditionnement physique, etc. En précisant la durée (30 à 60 minutes), l'intensité (modérée à élevée) et la fréquence (quotidienne), on respecte le principe de la surcharge.

Une activité modérée correspond à un effort qui essouffle un peu ou qui augmente le pouls au repos de 40 à 50 battements par minute. Une activité provoquant une dépense de quatre à huit calories par minute peut également être qualifiée de modérée (figure 10.3). Le bilan 10.1, à la fin de ce chapitre, vous donne l'occasion de faire le relevé détaillé de votre dépense énergétique au cours d'une semaine type. Cet «exercice» pourrait s'avérer riche de renseignements, tout en vous aidant à répondre à la question classique: est-ce que je fais suffisamment d'exercice?

Si vous n'aimez pas compter vos calories, vous pouvez toujours compter… vos pas! En effet, selon les données du Cooper Aerobics Research Institute, une personne sédentaire doit ajouter, en moyenne, 5 000 pas chaque jour pour atteindre l'équivalent de 30 minutes d'activité modérée. Un **podomètre** peut compter vos pas sans même que vous y prêtiez attention. Ce petit appareil qu'on porte autour de la taille (figure 10.4) est vendu dans les magasins d'articles de sport. Vous pourriez l'acheter à plusieurs, puisqu'il suffit de le porter une semaine pour déterminer si on marche suffisamment, selon la recommandation du directeur du Service de santé publique des États-Unis.

figure 10.3 Comment dépenser 500, 1 000 ou 1 500 calories par semaine

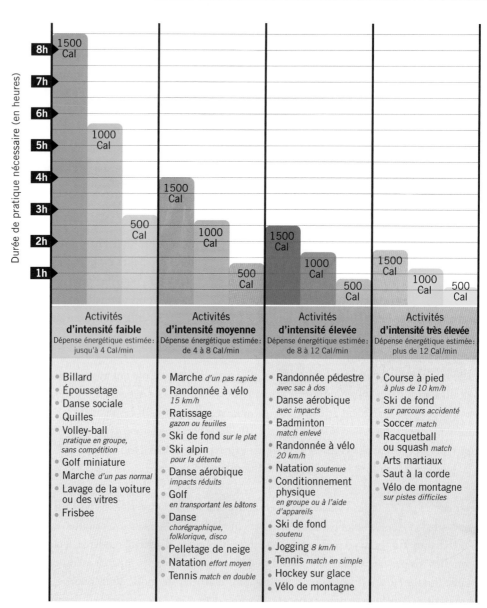

Durée de pratique nécessaire (en heures)

Activités **d'intensité faible** Dépense énergétique estimée: jusqu'à 4 Cal/min	Activités **d'intensité moyenne** Dépense énergétique estimée: de 4 à 8 Cal/min	Activités **d'intensité élevée** Dépense énergétique estimée: de 8 à 12 Cal/min	Activités **d'intensité très élevée** Dépense énergétique estimée: plus de 12 Cal/min
• Billard	• Marche *d'un pas rapide*	• Randonnée pédestre *avec sac à dos*	• Course à pied *à plus de 10 km/h*
• Époussetage	• Randonnée à vélo *15 km/h*	• Danse aérobique *avec impacts*	• Ski de fond *sur parcours accidenté*
• Danse sociale	• Ratissage *gazon ou feuilles*	• Badminton *match enlevé*	• Soccer *match*
• Quilles	• Ski de fond *sur le plat*	• Randonnée à vélo *20 km/h*	• Racquetball *ou squash match*
• Volley-ball *pratique en groupe, sans compétition*	• Ski alpin *pour la détente*	• Natation *soutenue*	• Arts martiaux
• Golf miniature	• Danse aérobique *impacts réduits*	• Conditionnement physique *en groupe ou à l'aide d'appareils*	• Saut à la corde
• Marche *d'un pas normal*	• Golf *en transportant les bâtons*	• Ski de fond *soutenu*	• Vélo de montagne *sur pistes difficiles*
• Lavage de la voiture ou des vitres	• Danse *chorégraphique, folklorique, disco*	• Jogging *8 km/h*	
• Frisbee	• Pelletage de neige	• Tennis *match en simple*	
	• Natation *effort moyen*	• Hockey sur glace	
	• Tennis *match en double*	• Vélo de montagne	

Adapté de Kino-Québec, *Quantité d'activité physique requise pour en retirer des bénéfices pour la santé, Synthèse de l'avis du Comité scientifique de Kino-Québec et applications*, Québec, gouvernement du Québec, ministère de l'Éducation, 1999, p. 14.

Que vous comptiez des calories ou des pas, le principe de la progression peut s'appliquer. Par exemple, vous pouvez débuter en faisant 15 minutes d'activité physique modérée par jour au lieu de 30 minutes, puis augmenter graduellement la durée. Enfin, le principe du maintien peut aussi être respecté si vous réduisez le temps et la fréquence de vos activités physiques, tout en augmentant l'intensité de l'effort. Par exemple, plutôt que de faire 30 minutes d'activité modérée par jour, vous pouvez vous limiter à 15 minutes d'activité plus vigoureuse, 3 fois par semaine.

Il ne vous reste plus qu'à choisir l'approche qui vous convient: formelle ou informelle. La lecture des prochains chapitres vous aidera à faire un choix éclairé.

Figure 10.4   Un podomètre pour calculer ses pas

à vos méninges

Remarque : Il peut y avoir plus d'une bonne réponse par question.

1. Associez chaque définition (liste de gauche) à la famille d'exercices correspondante (liste de droite).

Définitions	Familles d'exercices
_____ **1.** Exercice d'intensité modérée qui sollicite les grandes masses musculaires et le système à oxygène.	**a)** Exercice pliométrique.
_____ **2.** Exercice d'intensité élevée à très élevée qui sollicite les grandes masses musculaires et le système ATP-CP ou le système à glycogène.	**b)** Exercice d'étirement.
	c) Exercice aérobique.
	d) Exercice anaérobique.
_____ **3.** Lorsqu'on fait cet exercice, les fibres des muscles sollicités raccourcissent pendant l'effort.	**e)** Exercice dynamique concentrique.
_____ **4.** Lorsqu'on fait cet exercice, les fibres des muscles sollicités allongent pendant l'effort.	**f)** Exercice dynamique excentrique.
_____ **5.** Lorsqu'on fait cet exercice, la contraction musculaire est statique, c'est-à-dire qu'elle n'entraîne aucun mouvement apparent.	**g)** Exercice isométrique.
_____ **6.** Lorsqu'on fait cet exercice, il se produit un allongement graduel des muscles.	
_____ **7.** Lorsqu'on fait cet exercice, il se produit une détente qui déclenche une contraction excentrique suivie d'une contraction concentrique.	

2. Associez chacun des principes de l'entraînement (liste de gauche) à sa définition (liste de droite).

Principes de l'entraînement	Définitions
_____ **1.** Surcharge.	**a)** Il faut augmenter le volume d'exercice petit à petit.
_____ **2.** Spécificité.	**b)** On peut maintenir sa forme en faisant moins d'exercice.
_____ **3.** Progression.	**c)** La réponse du corps à l'activité physique varie selon les individus.
_____ **4.** Individualité.	**d)** Pour améliorer sa capacité d'adaptation à l'effort physique, il faut faire plus d'effort physique qu'à l'habitude.
_____ **5.** Maintien.	**e)** L'adaptation du corps à une activité physique est spécifique à cette activité.

3. Dans la liste ci-dessous, déterminez le ou les éléments qui constituent un principe de l'entraînement.

○ **a)** Endurance cardiovasculaire.
○ **b)** Effort pliométrique.
○ **c)** Surcharge.
○ **d)** Pourcentage de graisse.
○ **e)** Progression.

4. Dans la liste ci-dessous, déterminez les trois variables du principe de surcharge.

○ **a)** Fréquence.
○ **b)** Type d'exercice.
○ **c)** Durée.
○ **d)** Température ambiante.
○ **e)** Intensité.

5. Soit le programme suivant : 45 minutes d'exercices aérobiques d'intensité légère à modérée, 4 ou 5 fois par semaine. Quel déterminant de la condition physique ce programme permet-il d'améliorer ?

○ **a)** La force musculaire.
○ **b)** L'endurance musculaire.
○ **c)** La capacité anaérobique.
○ **d)** La posture.
○ **e)** Les réserves de graisse et leur distribution.

6. Pour profiter des bienfaits de l'exercice sur la santé, combien de calories faut-il dépenser au minimum par semaine ?

○ **a)** Au moins 500.
○ **b)** Au moins 1 000.
○ **c)** Au moins 1 500.
○ **d)** Au moins 2 000.
○ **e)** Au moins 2 500.

7. Chez une personne pesant 70 kg, trente minutes d'activité physique d'intensité modérée par jour équivalent à une dépense de combien de calories ?

○ **a)** Environ 500.
○ **b)** Environ 1 000.
○ **c)** Environ 1 500.
○ **d)** Environ 2 000.
○ **e)** Environ 2 500.

8. **Pour obtenir une protection maximale contre les maladies de l'heure, il faut, chaque semaine :**

- **a)** dépenser 1 000 calories ou faire 210 minutes d'exercices modérés.
- **b)** dépenser 2 000 calories ou faire 420 minutes d'exercices modérés.
- **c)** dépenser au moins 2 000 calories ou faire au moins 420 minutes d'exercices modérés à vigoureux.
- **d)** dépenser au moins 3 000 calories ou faire 450 minutes d'exercices vigoureux.
- **e)** dépenser 4 000 calories ou faire 500 minutes d'exercices vigoureux.

pour en **savoir plus**

lectures suggérées

- Bouchard, C., et coll., *La condition physique et le bien-être*, Québec, Éditions du Pélican, 1974.

- Chevalier, R., Y. Bergeron et S. Laferrière, *Le conditionnement physique*, Montréal, Éditions de l'Homme, 1977.

- Comité scientifique de Kino-Québec, *Quantité d'activité physique requise pour en tirer des bénéfices pour la santé*, gouvernement du Québec, 1999.

- Laferrière, S., *Plaisirs d'une vie active*, Montréal, CEC, 1997.

- Willmore, J.H., et D.L. Costill, *Physiologie du sport et de l'exercice*, Paris, De Boeck Université, 2002.

sites Internet à visiter

American Heart Association (activité physique)
http://www.americanheart.org/presenter.jhtml?identifier=4563

Kino-Québec (publications téléchargeables)
http://www.kino-quebec.qc.ca

The Surgeon General
http://www.surgeongeneral.gov/beinghealthy/

BILAN 10.1

Le bilan de votre dépense énergétique hebdomadaire

Ce chapitre vous a montré comment tirer profit de la pratique régulière de l'activité physique et de ses retombées positives sur la santé : il faut dépenser au moins 1 000 calories par semaine, en plus de l'énergie associée à un mode de vie sédentaire. Toutefois, pour obtenir un effet plus marqué sur votre santé, il faut viser une dépense d'au moins 2 000 calories par semaine. Le but de ce bilan est de vous permettre d'estimer votre dépense énergétique au cours d'une semaine type, afin de la situer par rapport à l'objectif de 2 000 calories et plus. Les résultats seront donc révélateurs de votre niveau d'activité physique.

Marche à suivre

1. Pesez-vous, car vous aurez besoin de votre poids pour établir votre dépense énergétique.

2. Chaque jour, pendant une semaine, compilez dans la fiche descriptive qui suit les calories que vous brûlez. Pour connaître la dépense calorique découlant des activités physiques que vous faites, consultez l'annexe 1 ou utilisez le **calculateur énergétique sur le Compagnon Web**. Si vous utilisez l'annexe 1, notez la dépense calorique de l'activité indiquée dans la colonne de droite. Par exemple, si vous avez fait 50 minutes de badminton (niveau intermédiaire) lundi, vous avez dépensé 0,117 Cal/kg/min. Si vous pesez 70 kg, vous avez donc dépensé 8,2 Cal/min ($70 \times 0{,}117$). Au bout de 50 minutes, vous avez brûlé environ 410 calories ($8{,}2 \times 50$).

   calculateur

3. À la fin de la semaine, faites le total des calories dépensées.

4. Remplissez la fiche descriptive de la dépense énergétique hebdomadaire :

   Colonne 1 : multipliez la valeur en Cal/kg/min de l'activité pratiquée par votre poids en kilos ;

   Colonne 2 : indiquez le résultat de la colonne 1 ;

   Colonne 3 : indiquez la durée (au moins 10 minutes) pendant laquelle vous avez pratiqué l'activité en question ;

   Colonne 4 : multipliez le résultat de la colonne 2 par celui de la colonne 3 pour obtenir votre dépense énergétique.

Voici un exemple de compilation de la dépense énergétique

Andréa, 62 kg, a joué lundi après-midi au soccer (partie officielle) pendant une heure. Dans la soirée, elle a fait 30 minutes d'un entraînement léger en musculation. Elle a calculé ainsi sa dépense calorique pour la journée de lundi.

Activités	(1) Cal/kg/min × poids (kg)	=	(2) Cal/min	×	(3) Durée/min	=	(4) Dépense calorique
LUNDI							
Matin :							
1. _____	_____		_____		_____		_____
2. _____	_____		_____		_____		_____
Après-midi :							
1. soccer	0,183 × 62		11,3		60		680
2. _____	_____		_____		_____		_____
Soir :							
1. musculation	0,05 × 62		3,1		30		93
2. _____	_____		_____		_____		_____
							773 (680 + 93)

FICHE DESCRIPTIVE DE VOTRE DÉPENSE ÉNERGÉTIQUE PAR SEMAINE

Votre poids : _____ kg

Activités	(1) Cal/kg/min × poids (kg)	=	(2) Cal/min	×	(3) Durée/min	=	(4) Dépense calorique
LUNDI							
Matin :							
1. _____	_____		_____		_____		_____
2. _____	_____		_____		_____		_____
Après-midi :							
1. _____	_____		_____		_____		_____
2. _____	_____		_____		_____		_____
Soir :							
1. _____	_____		_____		_____		_____
2. _____	_____		_____		_____		_____
							_____
MARDI							
Matin :							
1. _____	_____		_____		_____		_____
2. _____	_____		_____		_____		_____
Après-midi :							
1. _____	_____		_____		_____		_____
2. _____	_____		_____		_____		_____
Soir :							
1. _____	_____		_____		_____		_____
2. _____	_____		_____		_____		_____
							_____

Activités	(1) Cal/kg/min × poids (kg)	=	(2) Cal/min	×	(3) Durée/min	=	(4) Dépense calorique
MERCREDI							
Matin :							
1. _____	_____		_____		_____		_____
2. _____	_____		_____		_____		_____
Après-midi :							
1. _____	_____		_____		_____		_____
2. _____	_____		_____		_____		_____
Soir :							
1. _____	_____		_____		_____		_____
2. _____	_____		_____		_____		_____
							_____
JEUDI							
Matin :							
1. _____	_____		_____		_____		_____
2. _____	_____		_____		_____		_____
Après-midi :							
1. _____	_____		_____		_____		_____
2. _____	_____		_____		_____		_____
Soir :							
1. _____	_____		_____		_____		_____
2. _____	_____		_____		_____		_____
							_____

Activités	(1) Cal/kg/min × poids (kg)	=	(2) Cal/min	×	(3) Durée/min	=	(4) Dépense calorique
VENDREDI							
Matin :							
1. _____	_____		_____		_____		_____
2. _____	_____		_____		_____		_____
Après-midi :							
1. _____	_____		_____		_____		_____
2. _____	_____		_____		_____		_____
Soir :							
1. _____	_____		_____		_____		_____
2. _____	_____		_____		_____		_____
							_____
SAMEDI							
Matin :							
1. _____	_____		_____		_____		_____
2. _____	_____		_____		_____		_____
Après-midi :							
1. _____	_____		_____		_____		_____
2. _____	_____		_____		_____		_____
Soir :							
1. _____	_____		_____		_____		_____
2. _____	_____		_____		_____		_____
							_____

Activités	(1) Cal/kg/min × poids (kg)	=	(2) Cal/min	×	(3) Durée/min	=	(4) Dépense calorique
DIMANCHE							
Matin :							
1. _____	_____		_____		_____		_____
2. _____	_____		_____		_____		_____
Après-midi :							
1. _____	_____		_____		_____		_____
2. _____	_____		_____		_____		_____
Soir :							
1. _____	_____		_____		_____		_____
2. _____	_____		_____		_____		_____
							_____

Dépense énergétique de la semaine
(somme des résultats de la colonne 4) :

Avez-vous atteint une dépense hebdomadaire de 2 000 calories et plus ?

○ Oui

○ Non

Expliquez votre réponse.

_____

_____

_____

Si vous n'avez pas atteint la cible de 2 000 calories, que comptez-vous faire pour accroître votre dépense énergétique ?

_____

_____

_____

_____

_____

chapitre 11

Améliorer
son «cardio» et
contrôler
ses réserves de graisse

Objectifs

- Établir les principales étapes d'un programme personnel de mise en forme cardiovasculaire ou de réduction des réserves de graisse.

- Élaborer son programme personnel de mise en forme cardiovasculaire ou de réduction des réserves de graisse.

Vous prenez de la vitesse et de l'assurance sur la route qui mène à une vie physiquement active. Vous avez à présent entre les mains tous les outils nécessaires pour concevoir un programme efficace d'activités physiques. Après avoir évalué votre condition physique (chapitre 8), vous connaissez en effet vos besoins à combler, ainsi que les principes de l'entraînement (chapitre 10).

Vous allez commencer cette démarche par les deux déterminants de la condition physique qui influent le plus sur notre santé (chapitre 8) : (1) l'endurance cardiovasculaire ; (2) les réserves de graisse et leur distribution. Voyons en détail comment procéder.

Fixez-vous
un objectif réaliste

Visez ce que vous pouvez atteindre et non l'inatteignable. Vous devez vous fixer un objectif réaliste qui vous permettra d'obtenir un **résultat concret dans un délai raisonnable**. Pour déterminer cet objectif, reportez-vous aux résultats obtenus lors de l'évaluation de votre endurance cardiovasculaire et de l'évaluation de vos réserves de graisse (bilan 8.1, p. 218). Votre niveau d'endurance est-il faible ? Vos réserves de graisse sont-elles trop élevées ? Les trois exemples suivants vous aideront à formuler un objectif réaliste à court terme.

Jonathan (17 ans)

Il a obtenu 36 mL O_2/kg/min, ce qui correspond à la cote très faible au test de course de 12 minutes de Cooper. Il se fixe comme objectif d'améliorer son endurance cardiovasculaire pour atteindre au moins le niveau moyen en huit semaines.

Lise (19 ans)

Elle a obtenu 40 mL O_2/kg/min, ce qui correspond au niveau élevé au physitest aérobie canadien modifié (PACm). Elle se fixe comme objectif d'améliorer son niveau d'endurance cardiovasculaire pour atteindre le niveau très élevé en quatre semaines.

Ludovic (22 ans)

Non seulement il a obtenu 32,6 mL O_2/kg/min au test progressif de course en navette, ce qui est faible, mais il a aussi appris que ses réserves de graisse étaient élevées (20 %) et que son tour de taille de 98 cm augmentait son risque d'avoir une maladie cardiovasculaire ou le diabète de type 2. Déterminé à changer les choses, il se fixe comme objectif d'augmenter sa dépense énergétique hebdomadaire à 2 000 calories par rapport au maigre relevé de 500 calories établi dans le bilan 10.1 (p. 259). Il espère réduire ainsi dans un premier temps son tour de taille de 98 à moins de 93 cm. Pour atteindre dans un délai raisonnable son objectif de maigrir, il est conscient qu'il devra aussi améliorer ses habitudes alimentaires. Il coupera en particulier dans les aliments riches en mauvais gras, car il en consomme trop selon le relevé alimentaire établi dans le bilan 3.2 (p. 88).

Appliquez correctement
les principes de l'entraînement

Nous avons expliqué dans le chapitre 10 en quoi consistent les principes de l'entraînement. Il s'agit maintenant de les appliquer soit pour améliorer son endurance cardiovasculaire, soit pour réduire ses réserves de graisse, soit pour modifier ces deux déterminants de la condition physique. Les moyens concrets pour y arriver sont présentés dans le tableau 11.1.

Revenons à nos trois nouveaux adeptes de l'entraînement, Jonathan, Lise et Ludovic, et voyons comment, en fonction de leurs objectifs respectifs, ils appliquent ces principes.

Jonathan

Objectif: passer d'un niveau d'endurance cardiovasculaire très faible à un niveau moyen en huit semaines.

Jonathan fera du jogging 4 fois par semaine, à raison de 25 minutes par séance, pendant 8 semaines. Il appliquera, en partie, la progression suggérée dans le tableau 11.6. Une fois son objectif atteint, il réduira son programme à 3 séances par semaine, à raison de 20 minutes par séance, en maintenant la même fréquence cardiaque cible (FCC).

Lise

Objectif: passer d'un niveau d'endurance cardiovasculaire élevé à un niveau très élevé en quatre semaines.

Lise fera du patin à roues alignées 4 fois par semaine, à raison de 30 minutes par séance, pendant 4 semaines. L'intensité de ces séances de patinage sera élevée. Elle n'a pas vraiment à appliquer le principe de progression, puisqu'elle patine depuis déjà deux ans. Elle est déjà rompue au patinage! Une fois son objectif atteint, elle réduira son entraînement à 3 séances de 25 minutes par semaine, tout en maintenant la même intensité.

Ludovic

Objectif: accroître sa dépense énergétique de 500 à 2 000 calories par semaine afin de réduire son tour de taille d'au moins 5 cm.

Ludovic a accès à une piscine publique à cinq minutes de chez lui. Comme il a beaucoup nagé il y a quelques années, il a décidé de nager (lentement les premières fois) 5 jours par semaine, à raison de 25 minutes par séance, pendant le temps nécessaire pour ramener ses réserves de graisse à un niveau acceptable. Il appliquera, en partie, la progression suggérée dans le tableau 11.8. Chaque semaine, il mesurera son tour de taille afin de vérifier le degré d'atteinte de son objectif. Dans son cas, le principe du maintien ne s'applique pas, puisque Ludovic vise à maintenir par la suite sa dépense énergétique hebdomadaire à un niveau élevé (2 000 calories de plus), tout en ayant amélioré ses habitudes alimentaires.

tableau **11.1** Les principes de l'entraînement, l'endurance cardiovasculaire et les réserves de graisse

Principes de l'entraînement	Améliorer son endurance cardiovasculaire	Réduire ses réserves de graisse
La spécificité (type d'exercices)	Choisir une ou plusieurs activités aérobiques : jogging, corde à sauter, step, marche sportive, natation, danse aérobique, patin à roues alignées, aéroboxe, vélo, ski de fond, triathlon, etc. Dans un deuxième temps, une fois qu'on a un meilleur « cardio », on peut ajouter des exercices anaérobiques pour de l'entraînement par intervalles.	Choisir une ou plusieurs activités qui augmenteront sensiblement votre dépense énergétique quotidienne ou hebdomadaire. Il s'agit bien souvent d'activités qui sont, elles aussi, aérobiques. La musculation est également un entraînement d'appoint bénéfique : elle favorise un gain de masse musculaire, qui stimule le métabolisme de base comme on l'a vu au chapitre 2.
La surcharge **a) L'intensité**	Modérée à élevée (p. 251).	Modérée.
b) La durée	Minimale : 20 min par séance*. Idéale : 30 min et plus par séance.	Minimale : 30 min par séance. Idéale : de 45 à 60 min par séance.
c) La fréquence	Minimale : trois fois par semaine. Idéale : quatre ou cinq fois par semaine.	Minimale : cinq fois par semaine. Idéale : tous les jours.
La progression	Elle se fait en fonction de votre niveau de condition physique. Si vous n'êtes pas en forme, l'application du principe de surcharge sera plus lente que si vous êtes, par exemple, moyennement en forme. Consultez les exemples de programmes progressifs de mise en forme cardiovasculaire et de réduction des réserves de graisse (p. 276 et suivantes).	
L'individualité	Selon ce principe, la réponse du corps à l'activité physique varie d'une personne à l'autre. Comparez donc surtout vos progrès par rapport à votre point de départ.	
Le maintien	Une fois votre objectif atteint, vous pouvez réduire la fréquence et la durée de vos séances de « cardio », mais pas l'intensité de vos efforts aérobiques.	La recherche n'est pas claire à ce sujet, mais en toute logique, une fois votre objectif atteint, vous devriez idéalement maintenir le même niveau de dépense énergétique par semaine pour éviter un retour de l'embonpoint.

* Cette durée minimale correspond aux recommandations de plusieurs groupes d'experts, notamment l'American College of Sports Medicine, la Société canadienne de physiologie de l'exercice et le Comité scientifique de Kino-Québec.

Déterminez l'intensité
de vos efforts

La question de l'intensité de l'effort est capitale quand on sollicite son système cardiovasculaire en faisant de l'exercice. C'est à la fois une question de sécurité (ne pas imposer une surcharge de travail à son cœur) et d'efficacité (faire travailler son cœur suffisamment pour qu'il soit plus fort). Quelle est donc l'intensité de l'effort cardiovasculaire qui est à la fois sans danger et efficace ? Voici la réponse des experts : pour la plupart des personnes apparemment en bonne santé, un effort aérobique dont l'intensité varie entre 55 et 85 % de la consommation maximale d'oxygène (VO_2 max) constitue une surcharge suffisante pour améliorer sans risque l'endurance cardiovasculaire. Cette surcharge est appelée **zone d'entraînement aérobique**. Hélas ! pour respecter ces pourcentages, il faudrait connaître sa consommation maximale d'oxygène, puis courir, nager ou pédaler avec un analyseur de gaz fixé au dos, ce qui serait plutôt encombrant ! Heureusement, il existe des méthodes plus simples pour déterminer sa zone d'entraînement aérobique. Les voici :

1. La méthode de la fréquence cardiaque cible

Une des méthodes les plus simples pour déterminer sa zone d'entraînement aérobique consiste à **élever la fréquence de ses pulsations jusqu'à sa plage de fréquence cardiaque cible (FCC)**. On établit cette dernière en calculant une fourchette de pourcentages à partir de sa fréquence cardiaque maximale. Les experts recommandent une fourchette comprise entre 65 et 90 % de la fréquence cardiaque maximale. Ces pourcentages correspondent respectivement, grosso modo, à 55 % et à 85 % de la consommation maximale d'oxygène (tableau 11.2). Si vous n'êtes pas en forme, utilisez une fourchette comprise entre 65 et 75 % de la fréquence cardiaque maximale ; si vous êtes moyennement en forme, une fourchette comprise entre 75 et 85 % ; si vous êtes en forme, une fourchette comprise entre 85 et 90 %. Toutefois, **nous recommandons aux personnes sédentaires âgées de moins de 25 ans et en bonne santé d'utiliser la fourchette des personnes moyennement en forme (75 à 85 %) pour obtenir un gain notable de l'endurance cardiovasculaire dans un délai raisonnable.**

Vous trouverez dans l'annexe 2 une autre méthode pour calculer votre FCC, soit la méthode de Karvonen. Cette méthode est un peu plus précise car elle tient compte du pouls au repos, un indicateur de l'endurance cardiovasculaire. Mais elle est aussi plus complexe, à moins que vous utilisiez

tableau 11.2 Correspondance entre le VO_2* max et la FCC**

Pourcentage du VO_2 max	Pourcentage de la FCC
55 - 65 %	65 - 75 %
65 - 75 %	75 - 85 %
75 - 85 %	85 - 90 %

* VO_2 max : consommation maximale d'oxygène

** FCC : fréquence cardiaque cible

le calculateur Karvonen. Pour éviter les calculs liés à la méthode Karvonen, l'American College of Sports Medicine (ACSM), organisme-phare dans le domaine du conditionnement physique, propose un facteur de correction (1,15). Ce facteur permet de corriger la sous-évaluation de la FCC selon la méthode du pourcentage de la fréquence cardiaque maximale. Pour déterminer une FCC plus précise encore, vous pouvez donc utiliser la méthode de calcul de Karvonen (annexe 2) **ou** le facteur de correction de l'ACSM.

Karvonen

Ces précisions étant faites, il vous reste à estimer votre **fréquence cardiaque maximale**. Là encore, il existe une formule simple pour l'établir, soit : 220 moins votre âge, multiplié par les pourcentages de la fourchette de fréquences cardiaques.

$$(220 - \text{âge}) \times 65\ \% = \text{FCC minimale}$$
$$(220 - \text{âge}) \times 90\ \% = \text{FCC maximale}$$

Cependant, pour les personnes qui s'entraînent en faisant des longueurs de piscine, le calcul de la fréquence cardiaque maximale sera quelque peu différent. En effet, des recherches ont montré que la **fréquence cardiaque maximale des nageurs** entraînés, tout comme celle des débutants, est d'environ 13 battements plus basse que celle obtenue par les joggeurs. Par conséquent, si on s'entraîne en faisant des longueurs de piscine comme le fait Ludovic, il est souhaitable de soustraire quelque 13 battements du pouls maximal avant de faire les calculs. Par exemple, la FCC minimale d'un étudiant de 18 ans qui veut améliorer son endurance cardiovasculaire en nageant se calculera ainsi : 220 - 13 = 207 - 18 ans = 189 × 75 % = 142 battements / min. S'il fait du jogging, sa FCC minimale sera plutôt de : 220 - 18 ans = 202 × 75 % = 152 battements / min.

À présent, pour déterminer votre FCC selon la méthode du pourcentage de la fréquence cardiaque maximale, consultez la figure 11.1. Dans le cas de nos trois jeunes adeptes de l'entraînement, Jonathan, Lise et Ludovic, on obtient les FCC suivantes.

Jonathan (pas en forme, mais en bonne santé)

Fréquence cardiaque maximale : 220 - 17 = 203.
Limite inférieure de la fourchette : 203 × 75 % = 152 battements/min.
Limite supérieure de la fourchette : 203 × 85 % = 173 battements/min.
Sa FCC se situe donc entre 152 et 173 battements/min.

Lise (en forme)

Fréquence cardiaque maximale : 220 - 19 = 201.
Limite inférieure de la fourchette : 201 × 85 % = 171 battements/min.
Limite supérieure de la fourchette : 201 × 90 % = 181 battements/min.
Sa FCC se situe donc entre 171 et 181 battements/min.

Ludovic (pas en forme, mais en bonne santé)

Fréquence cardiaque maximale : 220 - 22 = 198 - 13 (à cause de la natation) = 185.

Limite inférieure de la fourchette : 185 × 75 % = 139 battements/min.

Limite supérieure de la fourchette : 185 × 85 % = 157 battements/min.

Sa FCC se situe donc entre 139 et 157 battements/min.

figure 11.1 La fréquence cardiaque cible en fonction de l'âge et de la condition physique (méthode du pourcentage de la fréquence cardiaque maximale)*

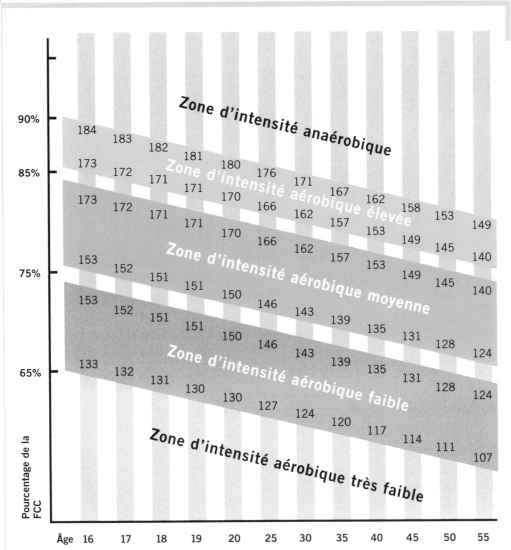

* Si vous vous entraînez en faisant des longueurs dans une piscine, utilisez la formule suivante pour établir votre FCC :

203 - votre âge × fourchette de pourcentage appropriée.

2. La méthode MET

Rappelons qu'un **MET** (chapitre 8) équivaut à la dépense d'énergie de l'organisme au repos, par exemple lorsqu'on est assis en train de lire. Cette dépense représente une consommation de 3,5 mL d'O_2 par kg de poids corporel par minute. Supposons que vous avez fait le test de course de 12 minutes de Cooper et que vous avez obtenu une consommation maximale d'oxygène estimée à 47 mL/kg/min. Pour connaître votre capacité aérobique maximale en METS, il suffit de diviser 47 par 3,5 (vous pouvez aussi utiliser le tableau 8.4), ce qui donne environ 13,5 METS. Comme les experts recommandent une zone d'entraînement aérobie dont l'intensité varie entre 55 et 85 % de la consommation maximale d'oxygène (VO_2 max), il est facile d'établir cette zone à l'aide de la méthode MET, soit en utilisant le calculateur, soit en procédant ainsi :

zone MET

1. Choisir à partir du tableau 11.2 la fourchette de pourcentages appropriée à son niveau d'endurance cardiovasculaire actuel :
   - pas en forme : 55 à 65 % de son VO_2 max ou de son équivalent en METS ;
   - moyennement en forme : 65 à 75 % de son VO_2 max ou de son équivalent en METS ;
   - en forme : 75 à 85 % de son VO_2 max ou de son équivalent en METS.

   Dans votre cas, avec 47 mL O_2/kg/min ou 13,5 METS, vous êtes moyennement en forme, ce qui vous permet de travailler à une intensité se situant entre 65 et 75 % de votre VO_2 max. Traduit en METS, cela correspond à une dépense de 9 à 10 METS (respectivement 13,5 × 65 % et 13,5 × 75 %).

2. Ensuite, sélectionner, à partir de la liste de l'annexe 1, une ou plusieurs activités entraînant une dépense énergétique correspondant à l'intensité minimale et maximale. La valeur en METS de quelques activités aérobiques typiques est présentée dans le tableau 11.3. Dans votre cas, vous choisirez des activités entraînant une dépense soutenue de 9 à 10 METS : vélo à 19-23 km/h, step avec banc de 15 à 20 cm, jogging à 8,5-9,5 km/h, crawl à vitesse modérée, ski de fond sur le plat à une vitesse de 8-13 km/h, etc. De plus, cette méthode vous permet de traduire vos valeurs en METS en vitesse de marche ou de course (zoom 11.1).

Voyons maintenant les résultats obtenus par Jonathan, Lise et Ludovic avec la méthode MET. Nous avons fait les calculs pour eux.

Jonathan (pas en forme)

VO_2 max obtenu : 36 mL O_2/kg/min, soit l'équivalent de 10,3 METS.

Fourchette de pourcentages appliquée dans son cas : 55 à 65 % du VO_2 max.

Sa zone d'entraînement aérobie est donc la suivante : grosso modo de 6 METS (55 %) à 7 METS (65 %).

Activités de 6 à 7 METS : ski de fond sur le plat à 5 km/h, natation (lente), marche très rapide à 8 km/h avec fort balancé des bras, jogging léger, vélo sur le plat à 16-19 km/h.

Lise (en forme)

VO_2 max obtenu : 40 mL O_2/kg/min, soit l'équivalent de 11,5 METS.

Fourchette de pourcentages appliquée dans son cas : 75 à 85 % du VO_2 max.

Sa zone d'entraînement aérobie est donc la suivante : de 8,5 METS (75 %) à 10 METS (85 %).

Activités de 8,5 à 10 METS : vélo sur le plat à 19-24 km/h, rameur stationnaire à 200 watts, step avec banc de 15-20 cm, natation (rapide), jogging à 8-9 km/h.

Ludovic (pas en forme et trop gras)

VO_2 max obtenu : 32,6 mL O_2/kg/min, soit l'équivalent de 9 METS.

Fourchette de pourcentages appliquée dans son cas : 55 à 65 % du VO_2 max.

Sa zone d'entraînement aérobie est donc la suivante : de 5 METS (55 %) à 6 METS (65 %).

Activités de 5 à 6 METS : natation (lente), vélo sur le plat à 16-19 km/h, vélo stationnaire à 100 watts, jogging très léger, marche rapide sur le plat à 6,5 km/h.

ZOOM

11.1 Comment transformer les METS
en vitesse de marche ou de course

MET
vitesse

Vous connaissez votre zone de travail aérobie en METS ? Sachez que vous pouvez traduire ces valeurs en vitesse de marche ou de jogging en utilisant le calculateur ou encore l'une ou l'autre des formules suivantes :

Formule pour la marche : $(VO_2 - 3,5)/0,1$ = vitesse de marche en mètres/min.

Formule pour le jogging : $(VO_2 - 3,5)/0,2$ = vitesse de jogging en mètres/min.

À titre d'exemple, prenons le cas de Jonathan. Il veut améliorer son cardio en faisant du jogging 4 fois par semaine, à raison de 25 minutes par séance. À quelle vitesse devrait-il jogger pour respecter sa zone d'entraînement aérobie ? Sa zone correspond à un effort cardiovasculaire de 6 à 7 METS (page 272). Voici comment Jonathan peut traduire ces données en vitesse de jogging :

1. Il détermine d'abord la vitesse de jogging minimale qui correspond à 6 METS.

   a) 6 METS équivalent à un VO_2 de 21 mL/kg/min ($6 \times 3,5$).

   b) Formule pour le jogging : $(VO_2 - 3,5)/0,2$, soit $(21 - 3,5)/0,2 = 90$ m/min.

   c) 1 km/h = 16 m/min (1 000 mètres/60 min).

   d) *La vitesse minimale sera donc 5,6 km/h (90/16).*

2. Il détermine la vitesse de jogging maximale qui correspond à 7 METS.

   a) 7 METS équivalent à un VO_2 de 24,5 mL/kg/min ($7 \times 3,5$).

   b) Formule pour le jogging : $(VO_2 - 3,5)/0,2$, soit $(24,5 - 3,5)/0,2 = 105$ m/min.

   c) 1 km/h = 16 m/min (1 000 mètres/60 min),

   d) *La vitesse maximale sera donc 6,6 km/h (105/16).*

En conclusion, Jonathan devra jogger à une vitesse de 5,6 à 6,6 km/h, ce qui représente du jogging léger. Après deux ou trois semaines, Jonathan sera en mesure d'élever sa vitesse à plus de 7 km/h.

tableau **11.3** Valeur en METS et en calories
de quelques activités aérobiques populaires

Activités aérobiques	Valeur en METS	Valeur en calories/min*
Marche lente	2,5	2,9
Marche ordinaire	3,5	4,0
Marche rapide à 5,5 km/h	4,0	4,5
Marche rapide en montant une côte	6,0	7,0
Marche très rapide sur le plat à 8 km/h	7,5	8,7
Marche ascendante en montagne	8,0	9,3
Jogging léger	6,0	7,0
Jogging sur place	8,0	9,3
Jogging ordinaire à 8 km/h	8,0	9,3
Jogging à 8,5 km/h	9,0	10,5
Jogging type cross-country	9,0	10,5
Jogging à 9,5 km/h	10,0	11,5
Course à 11 km/h	11,0	13,0
Course rapide à 12,5 km/h	12,5	14,5
Course rapide à 13 km/h	13,5	15,7
Course très rapide à 14,5 km/h	15,0	17,5
Course ultrarapide à 17,5 km/h	18,0	21,0
Vélo à moins de 16 km/h	4,0 - 5,0	4,5 - 5,5
Vélo à 16 - 19 km/h pour le loisir (par exemple se rendre au cégep)	6,0	7,0
Vélo à 19 - 22,5 km/h	8,0	9,3
Vélo à 22,5 - 25,5 km/h	10,0	11,5
Vélo à 25,5 - 30,5 km/h	12,0	14,0
Vélo à plus 32 km/h (course)	16,0	18,5
Ski de fond sur le plat à 4,5 km/h	7,0	8,2
Ski de fond sur le plat à 6,5 - 8 km/h	8,0	9,3
Ski de fond sur le plat à 8 - 13 km/h	9,0	10,5
Ski de fond sur le plat à plus de 13 km/h (course)	10 - 14	10,5 - 16,3
Ski de fond ascendant en montagne	15 - 17	17,5 - 20,0
Natation (aquaforme partie peu profonde)	4,0	4,5
Natation (nage dans un lac ou une rivière)	6,0	7,0
Natation (crawl à vitesse lente à modérée)	7,0	8,2
Natation (crawl à vitesse modérée à rapide)	11,0	13,0

* Pour une personne pesant 70 kg. Si vous pesez davantage, la dépense calorique sera plus élevée et si vous pesez moins, elle sera plus basse.

3. La méthode de l'échelle de perception de l'effort

Si vous n'aimez pas vous arrêter pendant l'effort pour prendre votre pouls, la méthode de l'échelle de perception de l'effort (EPE) vous conviendra peut-être mieux. Cette méthode repose sur votre perception de l'intensité d'un effort. Il existe même une échelle de fatigue, l'échelle de Borg, qui permet d'estimer l'intensité d'un effort en lui attribuant une cote entre 6 et 20 (tableau 11.4). Plus l'activité s'intensifie, plus le nombre attribué est élevé. Une EPE entre 11 et 16 équivaut, grosso modo, à une intensité se situant entre 65 et 90 % de votre fréquence cardiaque cible (FCC). Avec de la pratique, vous serez capable d'associer EPE et FCC, surtout à l'occasion d'un effort intense. Voyons ce que cela donne dans le cas de nos trois novices en entraînement.

Jonathan

Il pratiquera son jogging à une EPE se situant entre 12 et 14.

Lise

Elle pratiquera son patin à roues alignées à une EPE se situant entre 14 et 16.

Ludovic

Il pratiquera sa marche rapide à une EPE se situant entre 12 et 14.

Quelques exemples
de progression dans l'effort

Avant de mettre la dernière main à votre programme personnel de mise en forme, rien ne vaut des exemples concrets de progression dans l'effort. Cinq exemples d'application du principe de la progression, dans autant d'activités différentes, sont proposés dans les tableaux 11.5 à 11.9. Ces tableaux vous permettront de constater, de semaine en semaine, l'application de ce principe. Examinez bien les programmes proposés ; vous en trouverez certainement un qui vous ira comme un gant !

Une précision toutefois ; les exemples qui suivent s'adressent surtout aux personnes qui mènent une vie sédentaire depuis quelque temps et qui sont donc « rouillées » sur le plan musculaire, articulaire et, aussi, cardiovasculaire. Si vous êtes physiquement actif, vous pouvez commencer un programme particulier à la semaine correspondant à votre forme physique actuelle. Par exemple, vous pouvez commencer à la semaine 3 ou 4, au lieu de la semaine 1. À vous de sélectionner la dose d'exercice qui améliorera progressivement votre condition physique.

tableau 11.4 L'échelle de fatigue de Borg

Pour déterminer l'intensité d'une activité physique, vous pouvez utiliser l'échelle de fatigue de Borg. Elle permet d'estimer l'intensité d'un effort en lui attribuant une cote de 6 à 20. Plus l'activité est intense, plus la cote est élevée.

Cote	Perception de l'intensité de l'effort	Lien avec une séance type d'activité physique
6		
7	Extrêmement légère	
8		Échauffement et retour au calme
9	Très légère	
10		
11	Moyenne	
12		
13	Un peu difficile	Zone d'entraînement aérobique
14		
15	Pénible	
16		
17	Très pénible	
18		Zone d'entraînement anaérobique
19	Extrêmement pénible	
20		

tableau 11.5 Programme progressif de marche rapide

Semaine	Durée (min)	Vitesse de marche	Intensité de l'effort	FCC	Nombre séances par semaine
1	20	Rapide (> 5 km/h)	Moyenne	60-65 %	2
2	20	Rapide	Moyenne	60-65 %	3
3	25	Rapide à très rapide (6-7 km/h)	Moyenne à élevée	65-75 %	3
4	25	Rapide à très rapide (6-7 km/h)	Moyenne à élevée	65-75 %	4
5	30	Très rapide (> 7 km/h)	Élevée	75-85 %	4
6	30	Très rapide (> 7 km/h)	Élevée	75-85 %	4

11.6 Programme progressif de jogging*

Semaine	Durée (min)	Vitesse de jogging	Intensité de l'effort	FCC	Nombre de séances par semaine
1	20	Lente (< 8 km/h)	Moyenne	65-75 %	2
2	20	Lente (< 8 km/h)	Moyenne	65-75 %	3
3	25	Moyenne (8-10 km/h)	Moyenne à élevée	75-85 %	3
4	25	Moyenne à rapide (10-11 km/h)	Moyenne à élevée	75-85 %	4
5	30	Rapide (> 11 km/h)	Élevée	85-90 %	4
6	30	Rapide (> 11 km/h)	Élevée	85-90 %	4

* Pour un passage progressif de la marche au jogging, revoyez l'exemple de progression présenté dans le chapitre 10 (p. 252).

11.7 Programme progressif de vélo sur route

Semaine	Durée (min)	Intensité de l'effort	FCC	Nombre de séances par semaine
1	25	Faible	60-65 %	2
2	25	Moyenne	65-75 %	2
3	30	Moyenne	65-75 %	3
4	35	Élevée	75-85 %	4
5	40	Élevée	75-85 %	4
6	45	Élevée à très élevée	85-90 %	4

tableau 11.8 Programme progressif de natation

Semaine	Nombre de longueurs de piscine (ratio travail-repos)	Durée (min)	Intensité de l'effort	FCC***	Nombre de séances par semaine
1	3-R-3*	15**	Faible	60-65 %	2
2	3-R-3	20**	Moyenne	65-75 %	2
3	4-R-4	20**	Moyenne	65-75 %	3
4	6-R-6	25**	Moyenne à élevée	75-85 %	4
5	8-R-8	30**	Moyenne à élevée	75-85 %	4
6	10-R-10	35**	Élevée à très élevée	85-90 %	4

*   3-R-3 : signifie 3 longueurs, repos de 30 secondes, 3 longueurs, repos de 30 secondes, ainsi de suite.

**   Dont une minute de repos entre les séries d'effort continu.

***   FCC applicable pour la natation (voir note figure 11.1).

tableau 11.9 Programme progressif de patin à roues alignées

Semaine	Durée (min)	Vitesse de patinage	Intensité de l'effort	FCC	Nombre de séances par semaine
1	20	Lente	Faible	60-65 %	2
2	20	Moyenne	Moyenne	65-75 %	3
3	25	Moyenne	Moyenne	65-75 %	3
4	25	Moyenne à rapide	Moyenne à élevée	75-85 %	4
5	30	Moyenne à rapide	Moyenne à élevée	75-85 %	4
6	35	Rapide	Élevée à très élevée	85-90 %	4

Maigrir par l'exercice,
c'est maigrir en bonne santé

L'exercice est un moyen très efficace pour contrôler son poids corporel, et en particulier ses réserves de graisse. En prime, l'exercice raffermit le corps et renforce les os. Encore faut-il appliquer la bonne formule ! Voici ce qu'il faut retenir quand on veut utiliser l'exercice pour contrôler de son poids corporel.

1. L'approche « exercices aérobiques d'intensité modérée » est la méthode à privilégier. Cette approche est **réaliste**. Si vous voulez maigrir et si vous n'êtes pas en forme, vous aurez plus de facilité à faire des exercices aérobiques modérés que des exercices vigoureux. En bout de piste, vous risquerez moins de tout lâcher après quelques séances.

Cette approche est également **plus sûre**. En effet, même si vous n'êtes pas en forme, vous pouvez faire, en toute sécurité, des exercices aérobiques d'intensité modérée et par la suite d'intensité modérée à élevée, sans courir le risque de vous blesser ou de nuire à votre santé. Au contraire, une personne en mauvaise condition physique qui se met subitement à faire des exercices intenses augmente ce risque de façon significative.

Cette approche **permet de faire de l'exercice tous les jours** parce que, justement, l'effort n'est pas intense. Si vous faisiez un effort intense, vous seriez au contraire tenu de vous accorder de temps en temps des jours de repos pour permettre à vos muscles de récupérer.

Lors d'un exercice aérobique modéré, un pourcentage élevé des calories dépensées par les muscles provient des réserves de graisse. Et plus l'exercice modéré se prolonge, plus les muscles actifs utilisent les graisses comme source d'énergie. Par exemple, après une heure d'aérobie, la contribution des graisses peut atteindre 40 % du total des calories dépensées, après 90 minutes, presque 50 % et après quatre heures, plus de 60 % (figure 11.2). On fait donc d'une pierre deux coups : on augmente sa dépense énergétique, tout en puisant dans une large mesure dans ses réserves de graisse.

Plus on fait de l'exercice aérobique, plus on utilise les graisses comme source d'énergie. En effet, à dépense énergétique égale, les athlètes qui pratiquent des activités d'endurance, comme le marathon, le cyclisme ou le biathlon, utilisent plus de graisses que les gens moyennement en forme. C'est là un des effets intéressants de l'entraînement physique : l'organisme privilégie de plus en plus les graisses comme carburant, réservant ainsi les glucides (dont les réserves dans l'organisme sont limitées, ne l'oublions pas) pour les efforts intenses.

On peut faire de l'exercice plus longtemps. Par définition, un exercice aérobique modéré provoque une moins grande fatigue musculaire et cardiovasculaire qu'un exercice intense et donc anaérobique. On est donc plus enclin à prolonger l'effort si celui-ci est modéré.

2. L'approche « exercices d'intensité élevée à très élevée » est un bon choix si vous êtes en bonne condition physique, notamment sur le plan cardio-vasculaire. Tout d'abord, ces exercices vous feront dépenser autant, sinon plus de calories que des exercices modérés, mais en moins de temps (zoom 11.2). Par exemple, si vous joggez à bonne allure pendant 20 minutes et si vous pesez 70 kilos, vous dépenserez environ 180 calories. Pour dépenser le même nombre de calories en marchant d'un pas rapide, il vous faudra au moins 35 minutes.

Ensuite, vous aurez une plus grande « dette d'énergie » envers votre organisme après avoir fait un exercice vigoureux qu'après un exercice modéré. Par conséquent, votre métabolisme demeurera élevé pendant un certain temps afin de rembourser cette dette. Selon la durée et le degré d'intensité de

figure **11.2** La contribution des graisses lors d'un exercice prolongé

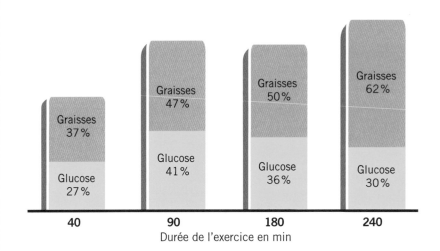

Durée de l'exercice en min

Adapté de *Physiologie de l'activité physique*, 4e éd., W. McArdle, F. Katch et V. Katch, adaptation française de Marcel Nadeau, Paris, Maloine Edisem, 2001, p. 24, figure 1.11.

ZOOM

11.2 Une solution intéressante :
le travail par intervalles

Après quelques semaines d'un régime d'exercices aérobiques d'intensité modérée, vous pourriez intégrer dans votre séance d'activité physique des périodes brèves d'exercices un peu plus intenses qui élèvent la fréquence cardiaque à son maximum ou tout près. C'est ce qu'on appelle l'entraînement par intervalles. Concrètement, un tel entraînement pourrait ressembler à ceci : 4 minutes de marche rapide (échauffement), puis 5 minutes de jogging léger à 7-8 km/h (intensité modérée), puis 30 secondes de jogging plus rapide à 11-12 km/h (intensité élevée à très élevée), puis 3 minutes de jogging léger, puis 60 secondes de jogging plus rapide, suivi de 3 minutes de jogging léger. Si vous en avez le temps et la détermination, vous pourriez répéter cette séquence une deuxième,

voire une troisième fois. Au terme de cette séance de travail par intervalles, vous aurez combiné des exercices modérés avec des exercices plus intenses, et vous aurez ainsi dépensé plus de calories que si vous aviez fait uniquement des exercices d'intensité modérée. Si vous vous entraînez sur un exerciseur cardiovasculaire (tapis motorisé, simulateur d'escalier, machine elliptique, vélo stationnaire, etc.) doté d'une console permettant de choisir entre plusieurs types de programmes d'entraînement, choisissez le mode « entraînement par intervalles ». En somme, quand on veut maigrir en faisant de l'exercice, ce qui compte c'est le nombre total de calories dépensées, bien plus que la manière de les dépenser.

l'exercice, le métabolisme pourra demeurer élevé pendant plusieurs heures. Bref, vous continuerez à brûler des calories, même après avoir terminé un exercice intense. Cette dépense calorique post-exercice, souvent « oubliée » dans le calcul des calories perdues, est tout de même importante, surtout si elle se répète trois ou quatre fois par semaine.

Enfin, les exercices vigoureux augmentent plus la masse musculaire que les exercices modérés (comparez le physique d'un sprinteur à celui d'un marathonien). Il en résulte deux bénéfices : vous maintenez votre métabolisme de base à un niveau élevé (plus la masse maigre est importante, plus le métabolisme de base est élevé), et vous vous protégez contre la fonte musculaire qui survient souvent avec l'âge.

3. **Le combo cardio-muscu est très efficace pour maigrir.**   On l'a vu, les exercices aérobiques d'intensité modérée à élevée sont associés à une forte dépense calorique. Si vous combinez à ces exercices un programme de musculation, vous accélérez la fonte de vos réserves adipeuses excédentaires. En effet, la musculation favorise un gain de masse musculaire, gain qui élève le métabolisme de base. Dans le chapitre 12, vous trouverez toutes les informations nécessaires pour concevoir un bon programme de musculation.

4. **La dépense énergétique de l'exercice est cumulative.**   Certains gourous des régimes amaigrissants prétendent qu'il faut faire des « tonnes » d'exercice pour perdre du poids : cette idée est à jeter à la poubelle. En réalité, l'effet anti-kilos de l'exercice est cumulatif. Il est ridicule de dire que, pour perdre 0,45 kg (1 lb), il faut jouer au tennis pendant 9 heures, au golf pendant 22 heures ou au volley-ball pendant 32 heures ! En effet, si vous marchez d'un pas rapide 50 minutes par jour pendant 10 jours, vous dépenserez presque 3 500 calories, soit l'équivalent de… 0,45 kg. L'effet de l'exercice sur votre bilan énergétique (rapport entre l'entrée de calories et la sortie de calories) est donc cumulatif, et non instantané.

5. **Maigrir par l'exercice protège les réserves d'eau.**   Bien sûr, l'exercice nous fait transpirer et, donc, perdre de l'eau, qu'on remplace habituellement dans l'heure qui suit en buvant… de l'eau. Ce ne sont pas à ces réserves d'eau que nous faisons allusion ici, mais à celles qui se combinent au glycogène, une forme de glucose en réserve dans les muscles. Cette eau emprisonnée dans les muscles est libérée chaque fois que les cellules musculaires utilisent du glycogène comme source d'énergie. Plus précisément, pour chaque gramme de glycogène utilisé, vous perdez 2,7 grammes d'eau. Quand vous suivez une diète, surtout si elle est pauvre en glucides, votre organisme en vient rapidement à utiliser le glycogène des muscles comme source d'énergie. Cela a pour effet de libérer de grandes quantités d'eau et de vous donner l'agréable – mais illusoire – impression de maigrir. En fait, dans les premiers jours d'une diète, la perte de poids est en grande partie due à cette eau libérée par l'utilisation du glycogène. En maigrissant par l'exercice, surtout s'il est léger et prolongé, vos muscles ne brûlent presque pas de glycogène, et vous ne perdez donc pas beaucoup d'eau intra-musculaire. Voilà une autre bonne raison de troquer une fois pour toutes le régime hypocalorique contre l'exercice.

Préparez-vous
physiquement et mentalement

Pour augmenter vos chances d'atteindre votre objectif, vous devez être bien préparé sur le plan physique et sur le plan mental. Sans préparation, cela ne vaut pas la peine de vous lancer dans un tel projet. Nous reviendrons en détail sur cette préparation dans le chapitre 14. Voici déjà, sous la forme d'une **liste de vérification**, les éléments clés à inclure dans votre préparation physique et mentale à l'exercice.

- S'échauffer avant de lancer le moteur.
- Terminer sa séance par un retour au calme.
- Porter des chaussures de sport et des vêtements adéquats.
- Avoir une connaissance de base de la prévention et du traitement des blessures et des malaises liés à la pratique de l'activité physique.
- Savoir quoi manger, et quand, au fur et à mesure qu'on devient physiquement plus actif.
- Savoir comment éviter la déshydratation.
- Savoir adapter sa pratique de l'activité physique à son état de santé.
- Connaître et appliquer les conseils de base pour garder sa motivation.

Précisez combien de temps,
où, quand et avec qui

Ces décisions témoignent du sérieux avec lequel vous concevez votre programme personnel de mise en forme. Si vous ne passez pas par cette étape, vous risquez d'être comme un bateau sans gouvernail, qui change de cap au gré du vent. Prenez en charge votre programme: soyez clair, net et précis, comme le sont nos trois jeunes adeptes de l'entraînement, Jonathan, Lise et Ludovic.

Jonathan

Durée du programme: 8 semaines, du 9 septembre au 3 novembre.
Où: sur le campus du cégep qu'il fréquente.
Quand: le mardi et le jeudi, de 12 h à 12 h 45.
Avec qui: avec son copain Jean-Jacques, qui est aussi peu en forme que lui et qui suivra le même programme.

Lise

Durée du programme: 4 semaines, du 20 mai au 15 juin.
Où: sur les pistes cyclables de la ville où elle habite.
Quand: le lundi, le mercredi et le vendredi, de 12 h à 12 h 45, et le jeudi, de 17 h à 17 h45.
Avec qui: avec deux amis, Luc et Marina.

Ludovic

Durée du programme : jusqu'à ce qu'il ait réduit ses réserves de graisse à un niveau acceptable.
Où : piscine publique de son quartier.
Quand : cinq jours pas semaine.
Avec qui : seul.

Concevez maintenant
votre programme personnel

Voilà, vous y êtes presque ! Vous connaissez à présent les étapes qui vous aideront à élaborer votre programme de mise en forme. Un tel programme comporte trois volets : la conception, la réalisation et l'évaluation.

La conception de votre programme.   Vous devez fixer votre objectif en fonction d'un besoin à combler ou d'un aspect à améliorer. Dans le présent chapitre, nous avons abordé les deux déterminants les plus importants de la condition physique : l'endurance cardiovasculaire et les réserves de graisse. Avez-vous des besoins à combler à cet égard ? À l'étape de la conception, vous devez préciser comment vous allez appliquer les principes de l'entraînement (p. 248).

La réalisation de votre programme.   Cette étape consiste à déterminer les conditions qui vous permettront de passer concrètement à l'action. Il s'agit, en fait, de répondre à des questions d'ordre pratique : combien de temps, où, quand et avec qui vais-je pratiquer mon activité physique ?

L'évaluation de votre programme.   Cette étape vous permet de faire le point sur votre constance. Si vous n'êtes pas assidu, essayez de déterminer pourquoi. Votre programme est-il mal conçu ? Votre emploi du temps est-il plus chargé maintenant qu'il y a trois semaines ? Avez-vous été malade ? Ou peut-être avez-vous oublié, dans le train-train quotidien, que la pratique régulière d'une activité physique était l'une de vos priorités ? Qu'importe l'explication de votre manque d'assiduité, ne vous découragez surtout pas : recommencez ! Si votre motivation est profonde, vous finirez par devenir assidu.

à vos méninges

Remarque : Il peut y avoir plus d'une bonne réponse par question.

1. **Parmi les activités physiques suivantes, laquelle ou lesquelles correspondent au principe de la spécificité quand on vise à améliorer son endurance cardiovasculaire ?**

- ○ **a)** La musculation.
- ○ **b)** Le ski alpin.
- ○ **c)** Les exercices exécutés à l'aide d'un gros ballon.
- ○ **d)** Les exercices aérobiques.
- ○ **e)** Les exercices anaérobiques.

2. **Pour améliorer son endurance cardiovasculaire, quelle doit être l'intensité minimale de l'activité pratiquée ?**

- ○ **a)** Très faible.
- ○ **b)** Faible.
- ○ **c)** Modérée.
- ○ **d)** Élevée.
- ○ **e)** Très élevée.

3. **Pour diminuer ses réserves de graisse, combien de fois par semaine devrait-on faire de l'exercice dans l'idéal ?**

- ○ **a)** Deux fois.
- ○ **b)** Trois fois.
- ○ **c)** Quatre fois.
- ○ **d)** Cinq fois.
- ○ **e)** Tous les jours.

4. **Que faut-il faire pour maintenir le niveau d'endurance cardiovasculaire acquis ?**

- ○ **a)** Diminuer l'intensité de l'effort, mais pas la fréquence ni la durée des séances.
- ○ **b)** Diminuer l'intensité et la fréquence de l'effort, mais pas la durée des séances.
- ○ **c)** Diminuer l'intensité et la durée de l'effort, mais pas la fréquence des séances.
- ○ **d)** Diminuer la fréquence et la durée des séances, mais pas l'intensité de l'effort.
- ○ **e)** Toutes les réponses précédentes.

5. **Pour améliorer son endurance cardiovasculaire, quelle est l'intensité de l'effort adéquate (en pourcentage de la consommation maximale d'oxygène) ?**

- ○ **a)** De 30 à 65 %.
- ○ **b)** De 40 à 75 %.
- ○ **c)** De 55 à 85 %.
- ○ **d)** De 60 à 95 %.
- ○ **e)** Aucune des réponses précédentes.

6. Parmi les méthodes suivantes, laquelle ou lesquelles peut-on utiliser pour déterminer une zone d'effort aérobique qui soit à la fois efficace et sans danger ?

○ **a)** Élever la fréquence de ses pulsations jusqu'à sa plage de fréquence cardiaque cible (FCC).

○ **b)** Élever la fréquence de ses pulsations jusqu'à ce qu'elle atteigne 35 battements de plus que sa fréquence cardiaque au repos.

○ **c)** Prendre son pouls avant et après l'effort.

○ **d)** Prendre son pouls pendant l'effort.

○ **e)** Toutes les méthodes précédentes.

7. Quelle source d'énergie utilise-t-on à mesure qu'on augmente l'intensité de l'exercice aérobique ?

○ **a)** Les graisses.

○ **b)** Les glucides.

○ **c)** Les protéines.

○ **d)** Les graisses et les sucres.

○ **e)** Les protéines et les lipides.

8. Complétez les phrases suivantes.

a) L'objectif choisi doit vous garantir un _____ concret dans un délai

_____ .

b) L'exercice _____ et l'exercice prolongé font plus appel aux

_____ qu'aux glucides comme carburant.

c) La dépense énergétique de l'exercice est _____ .

d) Les éléments clés à inclure dans votre préparation physique et mentale à l'exercice sont les suivants :

- s'échauffer avant de _____ le moteur ;

- terminer sa séance par un _____ au _____ ;

- porter des _____ de sport et des vêtements adéquats ;

- avoir une connaissance de base de la _____ et du traitement des blessures et des malaises liés à la pratique de l'activité physique ;

- savoir _____ manger, et quand, au fur et à mesure qu'on devient physiquement plus actif ;

- savoir comment éviter la _____ ;

- savoir adapter sa pratique de l'activité physique à son _____ de

_____ ;

- connaître et appliquer les conseils de base pour garder sa _____ .

pour en savoir plus

lectures suggérées

- Anctil, P., D. Bégin et P. Montuoro, *Le marathon pour tous*, Montréal, Éditions de l'Homme, 1990.

- Bailey, C., *Être en forme*, Montréal, Éditions Quebecor, 1995.

- Bergeron, Y., R. Chevalier et S. Laferrière, *Le conditionnement physique*, Montréal, Éditions de l'Homme, 1979.

- Brisson, G., G. Péronnet, G. Thibault et M. Ledoux, *Le marathon*, Montréal, Décarie éditeur, 2e éd., 1991.

- Costill, D.L., J.H. Duester, G. Newsholme, T. Leech et J.H. Wilmore, *La course à pied*, Paris, De Boeck Université, 1999.

- Laidet, L., et J. Savoldelli, *Le guide pratique du cardio-training*, Paris, Amphora, 1998.

sites internet à visiter

Exercise and weight loss (exercice et perte de poids)
http://www.exrx.net/FatLoss/WeightLoss.html

Kino-Québec (publications téléchargeables)
http://www.kino-quebec.qc.ca/

Appropriate Intervention Strategies for Weight Loss and Prevention of Weight Regain for Adults (AMCM)
http://www.ms-se.com/pt/pt-core/template-journal/msse/media/1201.pdf

Les bilans 11.2 et 11.3 vous aideront à concevoir un programme personnel d'endurance cardio-vasculaire ou de réduction de vos réserves de graisse. Vous aurez donc à déterminer l'intensité de la surcharge que vous appliquerez. Dans ce cas-ci, on parle de zone d'entraînement aérobique. On l'a vu, il y a trois façons de déterminer cette zone : la méthode FCC (fréquence cardiaque cible), la méthode METS et la méthode EPE (échelle de perception de l'effort). Le bilan 11.1 vous permet de déterminer cette zone selon l'une ou l'autre de ces méthodes. Les données recueillies vous serviront ensuite dans les bilans 11.2 et 11.3. À votre calculette!

BILAN 11.1

Votre zone d'entraînement aérobique

1. Précisez votre niveau d'endurance cardiovasculaire actuel.

Résultat brut (selon le test que vous avez passé) : _____

Cote : _____

Votre capacité aérobique maximale (si vous la connaissez) :

en mL/kg/min : _____

en METS (à diviser par 3,5) : _____

2. Déterminez votre zone d'entraînement aérobie selon l'une ou l'autre des trois méthodes suivantes.

MÉTHODE DE LA FCC

a) Déterminez votre fréquence cardiaque maximale (FCM).

220 - _____ (votre âge) = _____ batt./min

b) Déterminez votre fourchette de pourcentage en fonction de votre niveau d'endurance cardiovasculaire.

65 à 75 % (pas en forme)* _____

75 à 85 % (moyennement en forme) _____

85 à 90 % (en forme) _____

c) Calculez votre FCC minimale et votre FCC maximale en fonction de votre fourchette de pourcentage (ou utilisez le calculateur).

_____ (FCM) × _____ % = _____ FCC minimale

_____ (FCM) × _____ % = _____ FCC maximale

* Si vous êtes en bonne santé et que vous êtes âgé de moins de 25 ans, utilisez la plage de 75 à 85 %.

d) Calculez votre FCC corrigée (si nécessaire) en utilisant le facteur de correction de l'ACSM ou la méthode de Karvonen (ou utilisez le calculateur) :

FCC selon le facteur de correction de l'ASCM :

_____ (FCC minimale) × 1,15 = _____ batt./min

_____ (FCC maximale) × 1,15 = _____ batt./min

FCC selon la méthode de Karvonen (voir l'annexe 2 ou le calculateur) :

FCC minimale Karvonen _____ batt./min

FCC maximale Karvonen _____ batt./min

MÉTHODE METS

a) Déterminez votre capacité aérobie maximale en METS.

_____ (VO_2 max. en mL/kg/min)/3,5 = _____ METS

b) Déterminez votre fourchette de pourcentage en fonction de votre niveau d'endurance cardio-vasculaire.

55 à 65 % de votre VO_2 max. (pas en forme)* _____

65 à 75 % de votre VO_2 max. (moyennement en forme) _____

75 à 85 % de votre VO_2 max. (en forme) _____

c) Déterminez votre zone d'entraînement aérobique en METS en fonction de votre fourchette de pourcentage (ou utilisez le calculateur).

_____ (capacité aérobique maximale en METS) × _____ % = _____ METS (valeur minimale)

_____ (capacité aérobique maximale en METS) × _____ % = _____ METS (valeur maximale)

d) À l'aide du tableau 11.3 ou de l'annexe 1, déterminez une ou plusieurs activités de nature aérobique qui correspondent à votre zone d'entraînement aérobique calculée en METS.

_____

_____

_____

MÉTHODE EPE

Servez-vous de l'échelle de perception de l'effort (tableau 11.4) pour déterminer votre zone d'entraînement aérobique.

Cote minimale (entre 6 et 20) _____

Cote maximale (entre 6 et 20) _____

* Si vous êtes en bonne santé et que vous êtes âgé de moins de 25 ans, utilisez la plage de 65 à 75 %.

BILAN 11.2

Votre programme personnel d'endurance cardiovasculaire

En fonction des besoins déterminés grâce à l'évaluation de votre endurance cardiovasculaire, remplissez, s'il y a lieu, le tableau qui suit.

Avez-vous besoin d'améliorer ou de maintenir votre niveau d'endurance cardiovasculaire ?

◯ Améliorer   ◯ Maintenir

Mon objectif : _____

Conception de mon programme	Conditions de réalisation de l'activité choisie
J'applique les principes suivants de l'entraînement.	
La spécificité : _____	Date du début : _____
La surcharge : _____	Date de la fin : _____
a) Intensité (FCC ou METS ou EPE)* : _____	Où : _____
b) Durée : _____	Quand : _____
c) Fréquence : _____	Avec qui : _____
La progression : voir le bilan 11.4	
Le maintien : _____	

Pour entrer vos données au jour le jour pendant toute la durée du programme, établir votre progression dans l'effort pendant au moins six semaines et évaluer votre constance dans la réalisation de votre programme, reportez-vous à *L'Équipier*.

* Si vous nagez, retranchez 10 % à la FCC calculée.

BILAN 11.3

Votre programme personnel de réduction de vos réserves de graisse

En fonction des besoins déterminés grâce à l'évaluation de vos réserves de graisse et de leur distribution, remplissez, s'il y a lieu, le tableau qui suit.

Résultats de l'évaluation de mes réserves de graisse et de leur distribution :

Plis cutanés : _____ %   Tour de taille : _____ cm

IMC : _____   RTH : _____

Avez-vous besoin de réduire vos réserves de graisse ou de les maintenir à leur niveau actuel ?

○ Réduire   ○ Maintenir

Mon objectif : _____

Conception de mon programme	Conditions de réalisation de l'activité choisie

J'applique les principes suivants de l'entraînement.
 	
La spécificité : _____
 	
La surcharge : _____
 	
  a) Intensité : _____
 	
  b) Durée : _____
 	
  c) Fréquence : _____
 	
La progression : voir le bilan 11.4
 	
Le maintien : _____
	Date du début : _____
	
	Date de la fin : _____
	
	Où : _____
	
	Quand : _____
	
	Avec qui : _____

Pour entrer vos données au jour le jour pendant toute la durée du programme, établir votre progression dans l'effort pendant au moins six semaines et évaluer votre constance dans la réalisation de votre programme, reportez-vous à *L'Équipier*.

Développer
sa flexibilité
et sa vigueur musculaire

chapitre 12

Objectifs

- Établir les principales étapes menant à l'élaboration d'un programme personnel de développement de la vigueur musculaire et de la flexibilité.

- Connaître les différentes méthodes pour développer votre vigueur musculaire.

- Connaître les différentes méthodes pour développer votre flexibilité.

- Élaborer votre programme personnel de développement de la vigueur musculaire et de la flexibilité.

Toujours en route vers une vie physiquement active, vous allez à présent concevoir un programme personnel visant à développer deux autres déterminants clés de la condition physique : la vigueur musculaire et la flexibilité. La démarche suivie est la même que celle proposée dans le chapitre 11 : seules changent les modalités d'application. Vous allez donc déterminer un ou plusieurs objectifs en fonction des besoins que vous aurez établis grâce à l'évaluation de votre vigueur musculaire (force et endurance) et de votre flexibilité (bilan 8.1, p. 216). Vous appliquerez ensuite les principes de l'entraînement au développement de ces qualités musculaires. Enfin, vous préciserez les conditions de réalisation (durée du programme, lieu, moment) des activités choisies pour atteindre votre objectif ou vos objectifs. Les bilans présentés à la fin de ce chapitre vous aideront à concrétiser cette démarche.

Les éléments clés de votre préparation physique et mentale (p. 282) restent les mêmes que ceux déterminés dans le chapitre précédent, peu importe la nature de votre programme personnel de mise en forme. Avant d'aller plus loin, expliquons certaines notions propres au développement de la vigueur musculaire et de la flexibilité.

Comment développer
sa musculature

La fonction première du muscle squelettique est de permettre le mouvement. L'inactivité physique favorise donc son atrophie (chapitre 2, p. 22), alors que l'activité physique rend au contraire le muscle plus fort, plus endurant ou, encore, plus souple. Qui plus est, si cette activité physique prend la forme d'un programme d'entraînement bien conçu, le développement du muscle peut être spectaculaire. Par exemple, il est possible d'augmenter sa force ou sa souplesse musculaire de plus de 40 % en quelques semaines d'entraînement. On a même observé des gains de force de plus de 70 % en six mois ! Pour atteindre le but fixé, il faut respecter certaines conditions, ce qui nous amène à aborder les différentes façons de développer sa musculature.

Pour des muscles plus souples

On a vu dans le chapitre 8 les avantages qu'il y a à avoir des muscles souples. Rappelons-les brièvement. Une bonne flexibilité :

- assure une grande liberté de mouvement ;
- aide à prévenir les douleurs dans le bas du dos (chapitre 9) et réduit le risque de blessures, parce qu'un muscle souple réagit mieux en cas d'étirement brusque ;
- facilite grandement l'exécution des gestes lorsqu'on pratique une activité physique ;

- améliore la précision des mouvements ;
- accélère l'apprentissage d'un nouveau mouvement.

Mais comment fait-on pour rendre un muscle plus souple ? C'est simple : il suffit de l'étirer régulièrement. On peut le faire de diverses façons : en prenant un élan (**étirement balistique**), sans prendre d'élan (**étirement statique**) ou en contractant le muscle avant de l'étirer (**étirement FNP** ou facilitation neuromusculaire proprioceptive). Ces trois façons d'étirer un muscle sont illustrées dans la figure 12.1. Comme nous le verrons, chacune a ses avantages et ses inconvénients.

figure 12.1 Les trois façons d'étirer un muscle

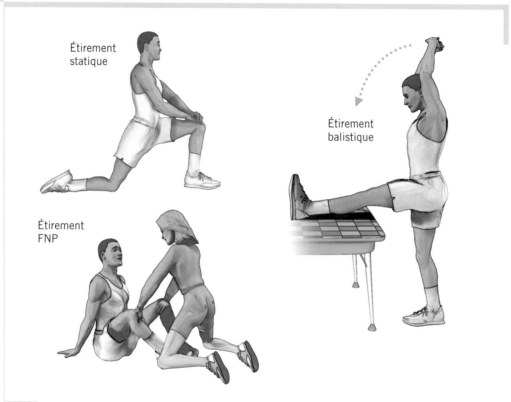

Étirement statique

Étirement balistique

Étirement FNP

Les exercices d'étirement balistique (avec prise d'élan). Ces étirements, qu'on appelle aussi « mouvements de ressort », consistent à imiter les gestes qu'on retrouve dans les activités sportives ou dans la vie quotidienne. Par exemple, pour augmenter l'amplitude de votre coup de pied au soccer, entraînez-vous à faire des balancés de la jambe qui miment le coup de pied, et le tour est joué ! Toutefois, ce type d'étirement avec prise d'élan comporte un risque plus élevé de blessure s'il est pratiqué par des personnes sédentaires. Un mauvais contrôle de la vitesse de mouvement peut amener une articulation au-delà de son amplitude normale de mouvement et causer ainsi une blessure musculaire ou ligamentaire. En fait, ce sont surtout les personnes entraînées, qui ont donc déjà un bon degré de flexibilité, qui utilisent l'étirement balistique.

Les exercices d'étirement statique (sans prise d'élan). Il s'agit ici d'étirer un muscle lentement, sans à-coup, jusqu'à une position qui provoque un léger inconfort, sans plus. On maintient ensuite cette position pendant un certain temps, de préférence entre 20 et 40 secondes. L'étirement ne doit surtout pas provoquer de douleur (figure 12.2). Autrement, le muscle se protège en se contractant (**réflexe myotatique**), ce qui va à l'encontre de l'effet recherché.

Les exercices d'étirement statique précédé d'une contraction (méthode FNP ou facilitation neuromusculaire proprioceptive). Des études ont montré qu'on obtient un plus grand relâchement de la fibre musculaire si on la contracte d'abord. Ces étirements s'appuient sur ce principe. Voici un exemple d'étirement FNP. Commencez par étirer le muscle que vous voulez assouplir. Puis, contractez-le fortement pendant 5 ou 6 secondes (un partenaire peut créer une résistance en bloquant le membre pendant la contraction). Enfin, relâchez le muscle et enchaînez avec un étirement passif. Cette technique, efficace pour assouplir le muscle, exige cependant plus de temps ainsi que la présence d'un partenaire.

figure 12.2 Étirer ses muscles sans douleur

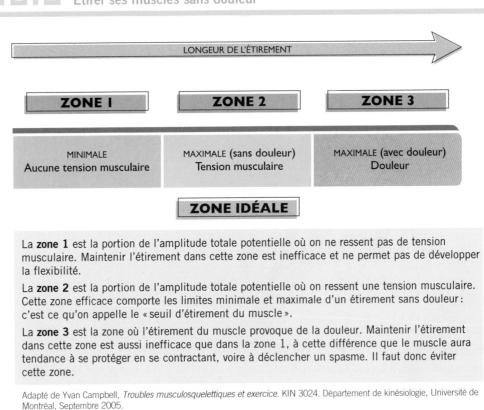

La **zone 1** est la portion de l'amplitude totale potentielle où on ne ressent pas de tension musculaire. Maintenir l'étirement dans cette zone est inefficace et ne permet pas de développer la flexibilité.

La **zone 2** est la portion de l'amplitude totale potentielle où on ressent une tension musculaire. Cette zone efficace comporte les limites minimale et maximale d'un étirement sans douleur : c'est ce qu'on appelle le « seuil d'étirement du muscle ».

La **zone 3** est la zone où l'étirement du muscle provoque de la douleur. Maintenir l'étirement dans cette zone est aussi inefficace que dans la zone 1, à cette différence que le muscle aura tendance à se protéger en se contractant, voire à déclencher un spasme. Il faut donc éviter cette zone.

Adapté de Yvan Campbell, *Troubles musculosquelettiques et exercice.* KIN 3024. Département de kinésiologie, Université de Montréal, Septembre 2005.

Pour des muscles vigoureux

Rappelons brièvement les avantages qu'il y a à avoir des muscles vigoureux (chapitre 8). Une bonne vigueur musculaire :

- donne de l'énergie dans les activités quotidiennes (monter un escalier, transporter des colis, bricoler, déplacer des objets lourds, etc.) ;
- améliore la posture et l'équilibre (chapitre 9) ;
- élève le métabolisme de base et, par conséquent, la dépense calorique quotidienne ;
- renforce les os et les tendons ;
- réduit les risques de blessures et améliore la performance dans la pratique d'un sport ou d'une activité physique ;
- favorise un meilleur soutien des viscères grâce à des muscles abdominaux plus fermes ;
- diminue les maux de dos grâce à un meilleur équilibre entre les muscles fixés au bassin et ceux qui sont fixés à la colonne vertébrale ;
- améliore la perception de son image corporelle ;
- améliore l'estime de soi et la sensation d'être bien dans sa peau.
- change pour le mieux le muscle lui-même : épaississement des fibres musculaires ; augmentation de l'apport en oxygène dans les muscles actifs ; amélioration de la réponse neuromusculaire (pour un même effort, après entraînement, plus de fibres vont se contracter) ; augmentation des réserves d'ATP et de CP (chapitre 7) ; renforcement des tendons.

Pour rendre un muscle plus vigoureux, il faut lui opposer une résistance lorsqu'il se contracte. Cette résistance peut être créée de plusieurs façons :

- par le poids du corps (par exemple quand on fait une traction à la barre) ;
- par une partie du poids du corps (par exemple quand on fait des demi-redressements du tronc) ;
- par des muscles en contraction qui s'opposent entre eux (par exemple quand on presse les paumes des mains l'une contre l'autre) ;
- par un objet extérieur qui offre une résistance (par exemple des poids libres, des appareils de musculation, des bandes élastiques, de gros ballons d'exercice ou tout autre exerciseur).

Avec le temps, les entraîneurs et les chercheurs ont mis au point différents types de résistance au mouvement, qui sont devenus autant de méthodes d'entraînement musculaire. Ainsi, on trouve aujourd'hui la méthode à base d'**exercices isométriques ou statiques** (le muscle se contracte et la résistance est immobile), la méthode à base d'**exercices isotoniques ou dynamiques** (le muscle se contracte et la résistance est mobile) et la méthode à base d'**exercices isocinétiques** (le muscle se contracte et la résistance se déplace à une vitesse constante). Ajoutons qu'il existe aussi, depuis une quarantaine d'années, une méthode fondée sur l'**électrostimulation** du muscle (le muscle se contracte sous l'effet de faibles impulsions électriques transmises à l'aide d'un appareil spécialisé). Voyons maintenant le pour et le contre de chacune de ces méthodes.

La méthode à base d'exercices isométriques. Cette méthode permet un gain de force localisé à l'angle où s'effectue la contraction isométrique. Par exemple, l'exercice 47 (p. 328) renforce les biceps surtout au niveau où l'avant-bras est bloqué. Par ailleurs, les exercices isométriques sont utiles lorsqu'on ne peut pas bouger un membre dans toute son amplitude à la suite d'une blessure ou lorsqu'on souhaite renforcer ses muscles ailleurs que dans un centre d'entraînement (au travail, en classe, dans le salon, au lit, etc.) sans avoir à changer de vêtements. Nous présentons plus loin (p. 328 et 329) quelques exercices isométriques.

La méthode à base d'exercices isotoniques.

C'est de loin la plus répandue des méthodes de développement musculaire. Elle est très efficace pour améliorer la force ou l'endurance d'un muscle dans toute l'amplitude du mouvement et non seulement à un angle déterminé, comme dans le cas des exercices isométriques. Pour développer rapidement sa force musculaire, on utilise habituellement des poids libres ou des appareils de musculation. L'exercice de renforcement musculaire classique consiste à déplacer un certain poids une ou plusieurs fois (**répétitions**), ce qui constitue une **série** qu'on peut aussi reprendre plusieurs fois. Le poids à déplacer est généralement exprimé en pourcentage du poids le plus lourd qu'on peut déplacer une seule fois (répétition maximale ou **RM**). D'après la recherche, le nombre idéal de répétitions maximales à effectuer pour obtenir un gain de force se situe entre 7 et 12, ce qui représente de 60 à 80 % de votre 1 RM. Pour atteindre un degré de force maximale, il faut déplacer le poids entre 1 et 6 fois, ce qui représente de 85 à 100 % de votre 1 RM. Cette charge de travail, très élevée, n'est pas recommandée pour les débutants. On peut estimer son 1 RM à partir d'une formule reposant sur un effort qui n'est pas maximal (chapitre 8, p. 195) ou encore en utilisant le **calculateur du 1 RM**.

1 RM

Autrement, on procède par essais et erreurs afin de trouver le poids qu'on soulèvera entre 7 et 12 fois. Par exemple, si vous travaillez à 10 RM pour renforcer vos biceps, cela signifie qu'à la dixième répétition vous êtes content d'arrêter... parce que vos biceps seront fatigués! Pour améliorer l'endurance musculaire, on travaille habituellement entre 15 et 25 RM. Nous verrons plus loin comment utiliser ces informations pour concevoir un programme personnel de développement musculaire.

Mentionnons qu'il existe un autre type d'exercice dynamique, exécuté avec un rebond: l'**exercice pliométrique** (figure 10.1, p. 249). Quand vous exécutez un saut vertical ou quand vous sautez de part et d'autre d'un banc d'exercice, vous faites de la « pliométrie ». Comme les exercices pliométriques sollicitent intensément les tendons, il est souhaitable d'avoir des muscles déjà bien entraînés avant de suivre cette méthode.

La méthode à base d'exercices isocinétiques.

Cette méthode est très efficace pour développer la force musculaire. Toutefois, sa pratique suppose que vous ayez accès à des appareils spéciaux (et coûteux !) qui permettent une vitesse d'exécution constante. En somme, ce mode d'entraînement n'est pas accessible à tout le monde.

La méthode par électrostimulation du muscle.

Il s'agit d'une méthode relativement récente. À l'aide d'électrodes placées sur un muscle, un électrostimulateur envoie à ce dernier des séries d'impulsions électriques. Le muscle se contracte alors plusieurs fois par seconde, selon le rythme imposé par l'appareil: ce n'est donc pas le cerveau qui commande la contraction du muscle. On se sert de l'électrostimulation à des fins thérapeutiques, notamment pour empêcher l'atrophie d'un membre au repos forcé à la suite de blessures, pour soulager la douleur, pour combattre les spasmes ou encore pour réduire l'inflammation. Les athlètes utilisent aussi cette méthode pour s'entraîner. Dans ce cas, les électrostimulateurs utilisés sont puissants et ils doivent être manipulés par des entraîneurs compétents. Il faut savoir que les petits électrostimulateurs vendus dans le commerce sont inefficaces parce qu'ils sont de trop faible puissance. Un gadget inutile, donc !

Tel objectif, tel programme

Vous êtes maintenant plus familiarisé avec les différentes méthodes d'entraînement musculaire. Revenons à l'élaboration de votre programme personnel. Pour commencer, déterminez votre objectif ou vos objectifs à partir des besoins déterminés à l'aide du bilan 8.1 (p. 216). Que révèle votre bilan ? Que vous êtes suffisamment fort ou, au contraire, trop faible pour faire face à une situation d'urgence ou pratiquer une activité qui exige une force musculaire minimale ? Que vous manquez d'endurance au niveau des abdominaux ou des bras ? Ou encore que vous manquez de flexibilité au niveau des épaules ? Mais vous connaissez déjà les réponses à ces questions… Il ne vous reste plus qu'à préciser votre objectif ou vos objectifs dans les bilans du présent chapitre, comme l'ont fait Maryse, Georges et Sabrina.

Maryse (18 ans)

Elle a obtenu la cote faible au test du dynamomètre. Elle se fixe comme objectif d'améliorer sa force musculaire pour atteindre le niveau élevé en six semaines.

Georges (21 ans)

Il a obtenu la cote faible au test de flexibilité du bas du dos et des ischio-jambiers. Il se fixe comme objectif d'améliorer sa flexibilité dans ces deux régions pour atteindre le niveau élevé en huit semaines.

Sabrina (17 ans)

Elle a obtenu la cote faible au test des demi-redressements du tronc. Elle se fixe comme objectif d'atteindre le niveau moyen en quatre semaines.

Pour atteindre leurs objectifs, Maryse, Georges et Sabrina devront appliquer à la vigueur musculaire et à la flexibilité les principes de l'entraînement tels qu'ils sont présentés dans le tableau 12.1. Les pratiques décrites dans ce tableau sont non seulement très répandues dans les cégeps, mais elles sont aussi reconnues par les spécialistes de la musculation pour leur grande efficacité. Il s'agit de la méthode à base d'exercices isotoniques (ou dynamiques) et de la méthode à base d'exercices d'étirement statique. La correspondance entre l'intensité de l'effort exprimée en pourcentage du 1 RM et en nombre de répétitions est indiquée dans le tableau 12.2.

Quant au tableau 12.3, il expose dans le détail trois programmes types d'amélioration de la vigueur musculaire, tous exécutés à l'aide de poids libres ou d'appareils de musculation (zoom 12.1). Le **programme 1** vise à développer l'endurance musculaire localisée et peut intéresser aussi bien le débutant que l'expert en musculation. Le **programme 2**, bien adapté aux débutants en musculation, vise un gain de force et de masse musculaires. Enfin, le **programme 3**, consacré à l'atteinte de la force maximale, intéressera surtout les personnes qui doivent déployer beaucoup de force et de puissance dans leur pratique sportive. Si vous visez plus d'un objectif, vous pouvez bien sûr combiner plusieurs programmes. Par exemple, le lundi et le mercredi, vous suivez le programme 1, et le jeudi et le vendredi, vous combinez le programme 3 avec le programme d'étirement statique.

Lorsque vous remplirez les bilans du présent chapitre, référez-vous aux tableaux 12.1 et 12.3 pour décrire dans le détail comment vous appliquez les principes de l'entraînement. Dans l'intervalle, voyons comment Maryse, Georges et Sabrina ont utilisé ces informations.

tableau 12.1 Les principes de l'entraînement appliqués au développement musculaire chez les non-initiés

Principes de l'entraînement	Programmes		
	Développement de l'endurance musculaire	Développement de la force musculaire	Développement de la flexibilité
La spécificité	Exercices dynamiques à mains libres* ou à l'aide de poids à déplacer.	Exercices dynamiques à l'aide de poids à déplacer.	Exercices d'étirement statique.
La surcharge a) L'intensité exprimée en : • pourcentage du 1 RM**	De 70 à 50 % et moins du 1 RM.	De 100 à 70 % du 1 RM.	Jusqu'au seuil d'étirement du muscle.
• nombre de répétitions	De 13 à 30 répétitions et plus.	De 1 à 12 répétitions.	Maintien de l'étirement au moins 20 secondes, répété 2 ou 3 fois.
b) La durée	Temps nécessaire pour faire le nombre prévu de répétitions et de séries.	Temps nécessaire pour faire le nombre prévu de répétitions et de séries.	
c) La fréquence	De 2 à 5 fois par semaine.	De 2 à 5 fois par semaine.	De 2 à 5 fois par semaine.
La progression	Pendant les premières séances, limitez l'intensité et la durée des exercices : pour la vigueur musculaire (force et endurance), commencez avec des charges plus légères que celles normalement prévues dans le programme ; pour la flexibilité, maintenez l'étirement pendant moins de 20 secondes.		
Le maintien	Une fois votre objectif atteint, vous pouvez réduire la fréquence et la durée de vos séances, mais pas l'intensité de vos efforts.		

* Ainsi que leur nom l'indique, les exercices à mains libres ne requièrent aucun accessoire. On utilise le poids du corps ou d'une partie de ce dernier comme résistance à déplacer (exemples : demi-redressements du tronc, pompes).

** Rappelons que le 1 RM représente la charge maximale que vous pouvez déplacer en une seule fois.

Ces données concernent surtout les débutants en musculation ; elles sont tirées de l'avis scientifique de l'American College of Sports Medicine, « Progression models in resistance training for healthy adults », *Medicine & Science in Sports & Exercise*, vol. 34, n° 2, p. 364-380, 2002.

tableau 12.2 L'intensité de l'effort exprimée en pourcentage du 1 RM et en nombre de répétitions.

Intensité de l'effort en pourcentage du 1 RM	Intensité de l'effort en nombre de répétitions
50 % du 1 RM	29-30 répétitions
60 % du 1 RM	20-21 répétitions
65 % du 1 RM	14-15 répétitions
70 % du 1 RM	12-13 répétitions
75 % du 1 RM	10-11 répétitions
80 % du 1 RM	8-9 répétitions
85 % du 1 RM	6-7 répétitions
90 % du 1 RM	4-5 répétitions
95 % du 1 RM	2-3 répétitions
100 % du 1 RM	1 répétition

tableau 12.3 Trois programmes types d'amélioration de la vigueur musculaire

Principes de la surcharge	Programmes		
	1 **Gain d'endurance musculaire**	**2** **Gain de force et de masse musculaire**	**3** **Atteinte de la force maximale***
L'intensité	De 70 à 50 % et moins du 1 RM.	De 85 à 70 % du 1 RM.	De 100 à 85 % du 1 RM.
Les répétitions	De 13 à 30 RM** (et +).	De 7 à 12 RM**.	De 1 à 6 RM**.
La progression (augmentation du poids à déplacer)	Dès qu'on peut faire l'exercice avec 2 ou 3 répétitions de plus que dans la zone prescrite lors de 2 séances consécutives d'entraînement.	Dès qu'on peut faire l'exercice avec 1 ou 2 répétitions de plus que dans la zone prescrite lors de 2 séances consécutives d'entraînement.	Dès qu'on peut faire l'exercice avec 1 répétition de plus que dans la zone prescrite lors de 2 séances consécutives d'entraînement.
Les séries	2 et plus.	2 et plus.	5 et plus.
La période de repos recommandée entre les séries	1 ou 2 minutes.	De 1 à 3 minutes.	De 2 à 4 minutes, au besoin.
La fréquence	De 2 à 7 fois par semaine***.		
La période de repos recommandée entre les séances	Pour les débutants, 48 heures. Pour les habitués, 24 à 48 heures.		

* Ce programme n'est pas recommandé aux débutants.

** L'intensité la plus élevée correspond au petit nombre de répétitions, et l'intensité la moins élevée, au grand nombre de répétitions.

*** Si vous appliquez un de ces programmes tous les jours, vous devrez faire travailler les masses musculaires en alternance. Par exemple, le lundi, vous travaillez le haut du corps ; le mardi, le bas du corps ; le mercredi, le haut du corps, et ainsi de suite.

Ces données concernent surtout les débutants en musculation ; elles sont tirées de l'avis scientifique de l'American College of Sports Medicine, « Progression models in resistance training for healthy adults », *Medicine & Science in Sports & Exercise*, vol. 34, n° 2, p. 364-380, 2002.

Maryse

À raison de 3 fois par semaine pendant 6 semaines, elle fera 2 séries de 10 RM à partir d'une séquence de 10 exercices portant sur les bras, le haut du dos, la poitrine, le ventre, les cuisses et les jambes.

Georges

À raison de 3 fois par semaine pendant 8 semaines, il fera 2 séries d'exercices d'étirement statique parmi les exercices suivants : l'exercice utilisé pour le test de flexibilité du bas du dos et des ischio-jambiers (flexion du tronc en position assise), l'exercice de traction de la jambe, l'exercice de la boule sur le dos (p. 225). Pour chaque exercice, Georges maintiendra l'étirement pendant 25 secondes.

Sabrina

Elle fera les exercices 38, 39 et 41 (p. 325-326) du répertoire d'exercices, à raison de 4 fois par semaine pendant 4 semaines. Pendant les premières séances, elle s'arrêtera bien avant que ses muscles soient fatigués. Après 4 ou 5 séances, elle fera le plus grand nombre possible de répétitions en 60 secondes.

Avant de mettre au point votre programme personnel, lisez les conseils qui suivent : ils vous aideront à exécuter les exercices de façon encore plus sûre et efficace. Puis jetez un coup d'œil au **Répertoire d'exercices de musculation et de flexibilité** (p. 303 à 336) : vous y trouverez certainement les exercices dont vous avez besoin pour développer (ou maintenir) votre vigueur musculaire et votre flexibilité.

Quelques conseils particuliers pour la musculation

Comme nous l'avons dit précédemment, les éléments clés et les habitudes à adopter, tant sur le plan physique que mental (réchauffement, retour au calme, hydratation, etc.), sont sensiblement les mêmes qu'on fasse du cardio, de la musculation ou des exercices d'étirement. La question est traitée en détail dans le chapitre 14. Mais il y a quelques règles particulières à suivre lorsqu'on fait des exercices dynamiques, dans lesquels on déplace des poids.

1. Adaptez le programme de musculation à votre vigueur musculaire. Si vos muscles manquent d'endurance et de force, commencez avec des charges légères et progressez d'abord lentement.

2. Utilisez la technique de périodisation. Cette technique est particulièrement appropriée si vous vous entraînez à longueur d'année : elle consiste simplement à varier les exercices et les combinaisons de RM et de séries ; l'alternance permet d'éviter la fatigue musculaire, voire le surentraînement. Par exemple, vous pouvez faire 2 séries de 10 RM pendant un mois, puis passer à 3 séries de 15 RM pendant le mois suivant, et ainsi de suite. Vous pouvez aussi varier le menu pendant une même semaine. Par exemple, le lundi et le mercredi, vous travaillez les muscles du haut du corps, et le mardi et le jeudi, ceux du bas du corps.

ZOOM

12.1 Que choisir :
poids libres ou appareils de musculation ?

Vous pouvez faire de la musculation à l'aide de poids libres ou d'appareils de musculation. De plus, rien ne vous interdit de combiner les deux types d'équipement. Mais chacun a ses avantages et ses inconvénients.

Les poids libres

Leur principal avantage est leur grande maniabilité. Les poids libres, appelés aussi « charges libres », comprennent les haltères classiques et les barres à disques. Ils vous permettent d'exécuter tous les mouvements qu'autorise une articulation, contrairement aux appareils de musculation, aussi perfectionnés soient-ils. Ils permettent donc d'exécuter des mouvements qui ressemblent à ceux de la pratique sportive. C'est sans doute pour cette raison que les personnes qui visent un développement musculaire intégral préfèrent les poids libres aux appareils, même les plus sophistiqués. Vous devez cependant savoir qu'il est essentiel d'exécuter les mouvements correctement avec les poids libres et de toujours s'assurer que les disques de métal des barres sont bien retenus par les collets de serrage. Sinon, gare aux blessures ! De plus, certains exercices exécutés à l'aide de poids libres requièrent la présence d'un surveillant (un entraîneur privé ou un partenaire entraîné).

Les appareils de musculation

Leur principal avantage est la sécurité du mouvement. En effet, c'est l'appareil (et non l'utilisateur) qui assure le déplacement de la charge à l'aide d'un mécanisme. En permettant une grande stabilité du tronc, ces appareils protègent le bas du dos. En revanche, ils coûtent cher, prennent beaucoup de place et exigent un entretien régulier. Mais on peut profiter de ces appareils sans débourser un sou par le biais de son cours d'éducation physique ou à un coût raisonnable en s'abonnant à un centre de conditionnement physique doté d'une salle de musculation.

Adapté de M. Brzycki, « Strenght testing — Predicting a one-rep max from reps-to-fatigue », *Journal of Physical Education, Recreation and Dance*, 1993, 64(1), p. 88-90.

---

3. Visez un développement harmonieux et équilibré de votre musculature.   Pour y arriver, vous devez inclure des exercices pour les muscles qui s'opposent dans leur action (muscles agonistes et antagonistes), pour les muscles controlatéraux (gauches et droits), de même que pour les muscles du haut du corps et ceux du bas du corps. Rappelons que le **muscle agoniste** est celui qui se contracte, tandis que le **muscle antagoniste** se détend et s'allonge pour permettre la contraction du muscle agoniste. Par exemple, si vous contractez le biceps, le triceps se relâche pour permettre la flexion du bras.

4. Établissez votre séquence d'exercices de façon à garder votre énergie.   En effet, l'ordre des exercices est fondamental. Commencez toujours une séance par les exercices qui sollicitent les grands muscles (quadriceps, fessiers, pectoraux, etc.) ou plusieurs articulations (développé couché, papillon, etc.). Vous risquez de manquer d'énergie bien avant la fin de votre séance si vous commencez au contraire par des exercices qui sollicitent des petits muscles (triceps, mollets, pronateurs de l'avant-bras, etc.) ou une seule articulation (flexion du bras, extension du poignet). Il est également recommandé de terminer une séance par des exercices qui aident à stabiliser la posture, comme des exercices sollicitant les abdominaux et les dorsaux. À titre d'exemple, voici une séquence type qui respecte cette règle : torse (haut du dos, épaules et poitrine) ; hanches et cuisses ; bras (triceps et biceps) ; avant-bras ; jambes (mollets) ; cou ; abdominaux.

5. Adoptez une position qui stabilise votre corps. De cette façon, vous isolez les muscles sollicités. Vous devez vous tenir solidement sur vos pieds, et votre tronc doit être immobile pendant l'exécution d'un mouvement (à moins, évidemment, que votre tronc ne soit lui-même sollicité par l'exercice).

6. Expirez pendant la phase la plus intense de l'effort. C'est au moment où vous soulevez ou déplacez le poids que vous devez expirer : vous évitez ainsi de bloquer votre respiration, ce qui pourrait vous étourdir (zoom 12.2).

7. Exécutez lentement l'aller-retour de chaque mouvement. Cette règle permet au muscle de travailler plus intensément. De plus, en évitant d'exécuter des mouvements rapides, vous diminuez d'autant le risque de blessure. Toutefois, en fonction de l'objectif visé, la vitesse d'exécution pourra être rapide si vous êtes un habitué de la musculation.

8. Arrêtez-vous dès que vous ressentez une douleur. Par mesure de prudence, vous devez interrompre un exercice dès que vous ressentez une douleur pendant son exécution. Si la douleur s'estompe, vous pouvez continuer, mais en réduisant la charge à soulever ou l'intensité de l'exercice. Toutefois, sachez qu'au début d'un tel programme, les courbatures qui apparaissent parfois le lendemain sont tout à fait… normales !

9. Terminez toujours une séance par des étirements. Vous maintiendrez ainsi un bon équilibre entre force et souplesse. Certes, vous voulez que vos muscles se raffermissent, mais vous ne voulez quand même pas devenir raide comme une barre d'acier ! Consultez la partie du **Répertoire d'exercices de musculation et de flexibilité** consacrée aux étirements (p. 330).

10. Mangez bien. L'exercice et la bonne alimentation sont indissociables. Dans le chapitre 3, vous trouverez des conseils sur la nutrition de la personne physiquement active. Consultez aussi le zoom 3.5, page 73, consacré aux suppléments de protéines.

Répertoire d'exercices
de musculation et de flexibilité

Ce répertoire présente des séries d'exercices de base, utilisés pour améliorer la vigueur des principaux groupes musculaires et la flexibilité en général. Certains exercices s'exécutent à l'aide d'appareils de musculation, d'autres à l'aide de divers accessoires (poids libres, bande élastique, gros ballon d'exercice, chaise, etc.) ou même en utilisant un mur; d'autres, enfin, se font simplement à mains libres. Le choix est donc varié et peut convenir à tous les goûts. Si certains de ces exercices sont nouveaux pour vous, assurez-vous de la présence d'une personne compétente lorsque vous les exécuterez. Cela vaut particulièrement pour les exercices de musculation à l'aide d'appareils ou de poids libres.

Pour chaque exercice du répertoire, les muscles principalement sollicités sont indiqués; les nombres entre parenthèses renvoient aux deux *planches anatomiques* (figures 12.3 et 12.4) afin de vous aider à bien localiser ces muscles. Une série d'exercices revus et corrigés sont présentés à la toute fin du répertoire : nous y soulignons ce qu'il ne faut pas faire (il s'agit d'erreurs fréquentes) et ce qu'il faut faire.

Voici un mini-plan du répertoire d'exercices.

A.   Exercices effectués à l'aide d'appareils ou de poids libres
B.   Exercices effectués à l'aide de bandes élastiques
C.   Exercices effectués à l'aide d'un gros ballon
D.   Exercices effectués à mains libres
E.   Exercices isométriques
F.   Exercices de flexibilité (étirements)
G.   Exercices revus et corrigés

figure **12.3** Planche anatomique des muscles de la face antérieure

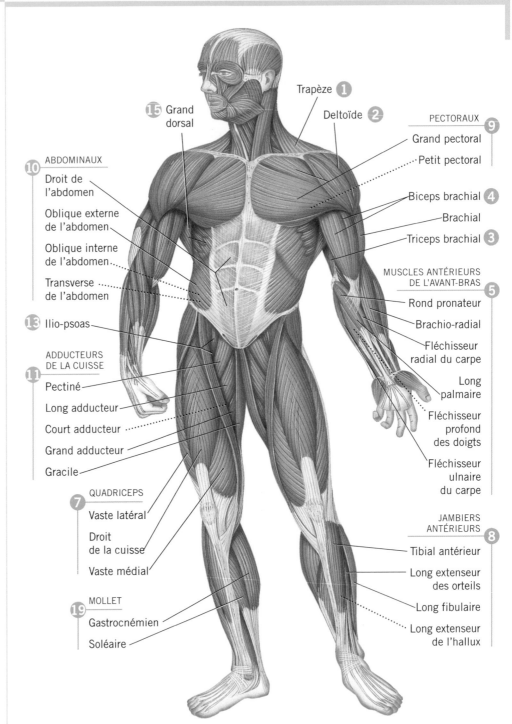

Trapèze **1**

Deltoïde **2**

15 Grand dorsal

PECTORAUX **9**

Grand pectoral

Petit pectoral

10 ABDOMINAUX

Droit de l'abdomen

Oblique externe de l'abdomen

Oblique interne de l'abdomen

Transverse de l'abdomen

Biceps brachial **4**

Brachial

Triceps brachial **3**

MUSCLES ANTÉRIEURS DE L'AVANT-BRAS **5**

Rond pronateur

Brachio-radial

Fléchisseur radial du carpe

13 Ilio-psoas

ADDUCTEURS DE LA CUISSE

11 Pectiné

Long adducteur

Court adducteur

Grand adducteur

Gracile

Long palmaire

Fléchisseur profond des doigts

Fléchisseur ulnaire du carpe

QUADRICEPS

7 Vaste latéral

Droit de la cuisse

Vaste médial

JAMBIERS ANTÉRIEURS **8**

Tibial antérieur

Long extenseur des orteils

Long fibulaire

Long extenseur de l'hallux

MOLLET

19 Gastrocnémien

Soléaire

Légende : La ligne pointillée (................) signifie que le muscle identifié n'est pas visible parce que c'est un muscle profond.

Tiré de S.R. Grabowski et G.J. Tortora, *Principes d'anatomie et de physiologie*, Montréal, ERPI, 2002, p. 329. Reproduit avec l'autorisation de John Wiley & Sons, Inc.

figure 12.4 Planche anatomique des muscles de la face postérieure

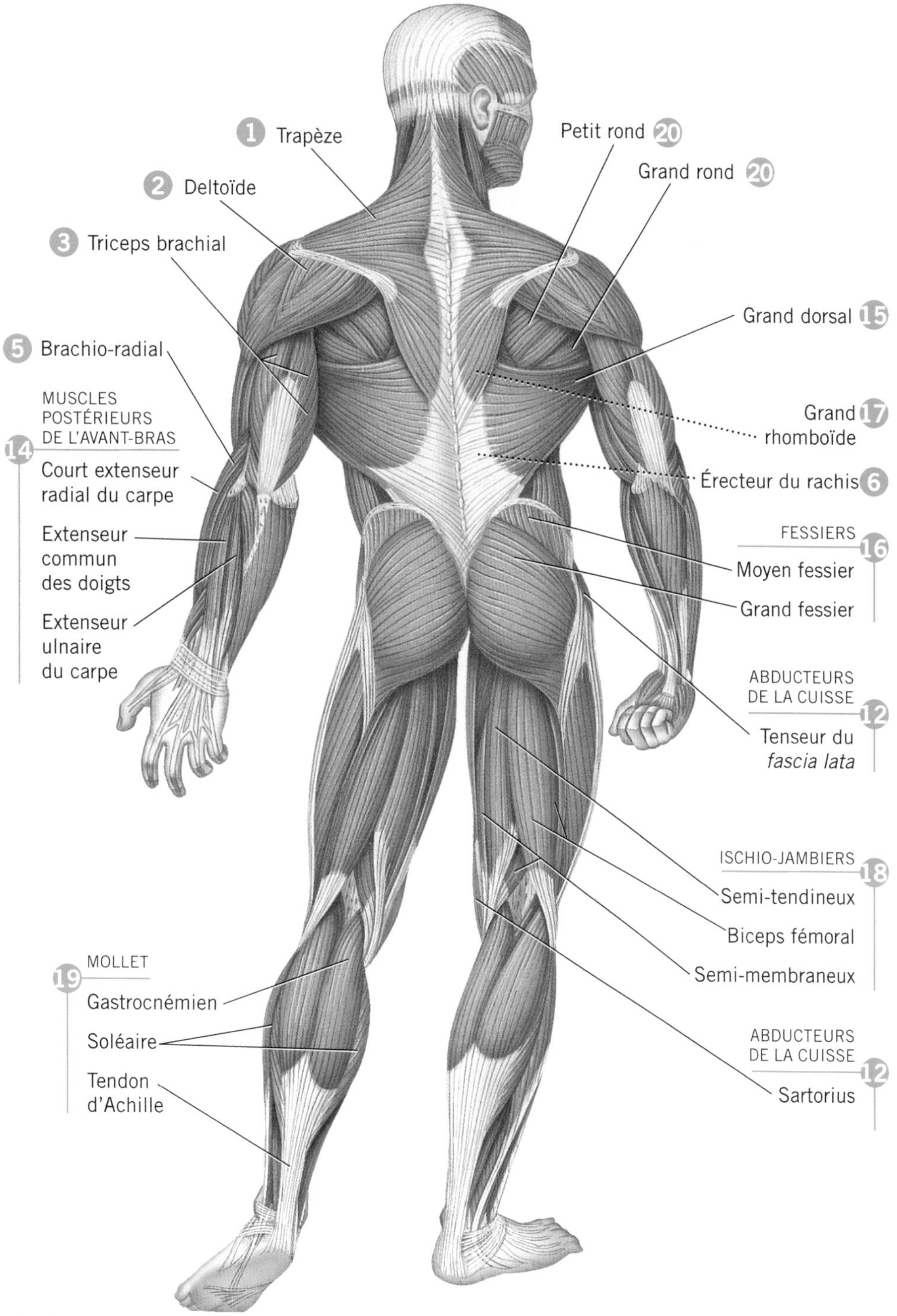

1 Trapèze
2 Deltoïde
3 Triceps brachial
5 Brachio-radial

Petit rond 20
Grand rond 20
Grand dorsal 15
Grand rhomboïde 17
Érecteur du rachis 6

MUSCLES POSTÉRIEURS DE L'AVANT-BRAS
14
Court extenseur radial du carpe
Extenseur commun des doigts
Extenseur ulnaire du carpe

FESSIERS 16
Moyen fessier
Grand fessier

ABDUCTEURS DE LA CUISSE 12
Tenseur du *fascia lata*

ISCHIO-JAMBIERS 18
Semi-tendineux
Biceps fémoral
Semi-membraneux

ABDUCTEURS DE LA CUISSE 12
Sartorius

MOLLET 19
Gastrocnémien
Soléaire
Tendon d'Achille

Légende : La ligne pointillée (..............) signifie que le muscle identifié n'est pas visible parce que c'est un muscle profond.

Tiré de S.R. Grabowski et G.J. Tortora, *Principes d'anatomie et de physiologie*, Montréal, ERPI, 2002, p. 330. Reproduit avec l'autorisation de John Wiley & Sons, Inc.

ZOOM

12.2 La manœuvre
de Valsalva

On dit que bloquer sa respiration (manœuvre de Valsalva) pendant un effort peut causer des étourdissements. C'est exact et voici pourquoi. Avant un effort, le sang retourne librement au cœur, et la pression artérielle est alors normale (a). Mais si vous bloquez votre respiration en faisant un effort, les veines (qui ramènent le sang au cœur) sont fortement comprimées à cause de la forte pression qui règne à l'intérieur des cavités abdominale et thoracique. Résultat : moins de sang retourne au cœur. D'où une augmentation momentanée de la pression artérielle, qui compense la réduction de l'apport sanguin (b). Mais comme il y a de moins en moins de sang qui remplit les cavités cardiaques, la pression artérielle finit par chuter brusquement (c). Dans ces conditions, le sujet peut voir des « points noirs », pour ne pas dire des « étoiles », voire se sentir étourdi pendant l'effort. Si la pression artérielle descend en deçà d'un certain niveau, on peut même perdre conscience. Par conséquent, quand vous faites des activités exigeant un effort, expirez pendant que vous forcez ! Vous ne vous en porterez que mieux.

Veine porte

**a)
Respiration
normale**

**b)
Respiration
bloquée**

c) Variation de la pression artérielle

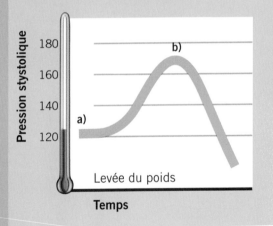

A. Exercices effectués à l'aide d'appareils ou de poids libres

Les prises

Prise en supination

Prise en pronation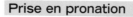

1. Flexion de l'avant-bras

Muscles principalement sollicités : **biceps** (4*).

En position assise, un haltère court tenu dans la main droite, le coude droit appuyé contre l'intérieur de la cuisse droite (a), exécutez une flexion de l'avant-bras (b). Revenez à la position de départ. Exécutez le nombre de répétitions que vous vous êtes fixé et répétez l'exercice avec l'avant-bras gauche.

a)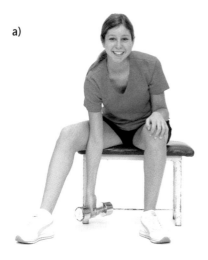

b)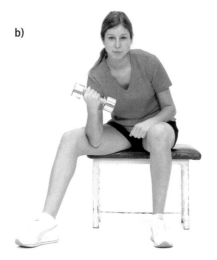

---

*   Les numéros entre parenthèses renvoient aux deux planches anatomiques (figures 12.3 et 12.4) afin de vous aider à mieux repérer les muscles.

2. Flexion des avant-bras (variante)

Muscles principalement sollicités : **biceps** (4).

En position assise sur le banc pour flexions et extensions, les avant-bras en extension et posés sur l'appui-bras, les mains tenant la barre de l'haltère long (a), exécutez une flexion des avant-bras (b). Revenez à la position de départ.

a) b)

3. Flexion des poignets

Muscles principalement sollicités : **muscles antérieurs des avant-bras** (5).

En position assise, les avant-bras reposant sur les cuisses, les poignets en extension et les mains en supination tenant la barre de l'haltère long (a), exécutez une flexion des poignets (b). Revenez à la position de départ.

a) b)

4. Extension des poignets

Muscles principalement sollicités : **muscles postérieurs des avant-bras** (14).

En position assise, les avant-bras reposant sur les cuisses, les poignets en flexion et les mains en pronation tenant la barre de l'haltère long (a), exécutez une extension des poignets (b). Revenez à la position de départ.

5. Écarté rapproché des bras en position assise

Muscles principalement sollicités : **pectoraux** (9) et **deltoïdes** (2).

En position assise, placez les avant-bras sur les coussins écartés (a) et ramenez-les vers le visage (b). Revenez à la position de départ.

a)

b)

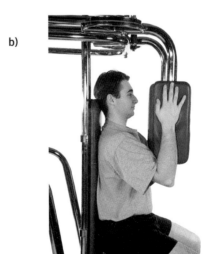

6. Écarté rapproché des bras en position couchée

Muscles principalement sollicités: **pectoraux** (9).

En position couchée sur un banc d'exercice, les pieds écartés à la largeur des épaules ou posés sur le banc (pour effacer le creux dans le bas du dos), les bras à la verticale, les coudes légèrement fléchis, un haltère court dans chaque main (a), écartez les bras sur les côtés jusqu'au niveau des épaules (b). Revenez à la position de départ.

a)
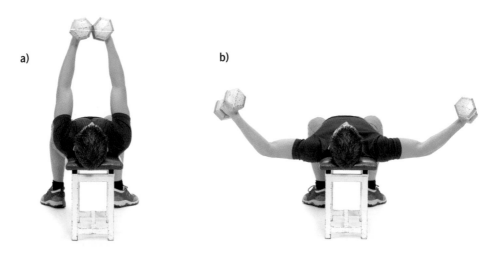
b)

7. Élévation latérale des bras

Muscles principalement sollicités: **deltoïdes** (2).

En position assise, les genoux fléchis et appuyés contre les rouleaux inférieurs, les avant-bras appuyés sous les rouleaux supérieurs (a), élevez les bras sur les côtés jusqu'à la hauteur des épaules (b). Revenez à la position de départ.

a)

b)
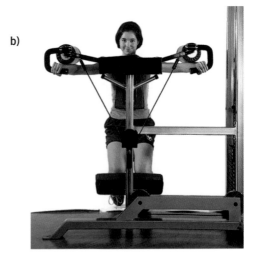

8. Élévation latérale des bras (variante)

Muscles principalement sollicités : **deltoïdes** (2).

En position debout, les pieds écartés, les bras le long du corps, le dos droit, un haltère court dans chaque main (a), élevez les bras sur les côtés jusqu'à la hauteur des épaules, les coudes légèrement fléchis (b). Revenez à la position de départ.

a)

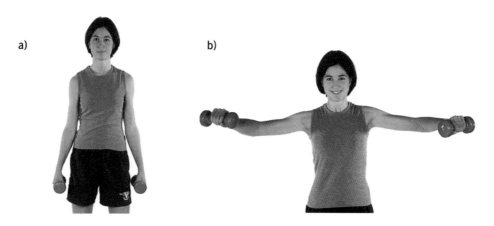

b)

9. Élévation latérale des bras avec le tronc fléchi (papillon)

Muscles principalement sollicités : **deltoïdes** (2), **rhomboïdes** (17) et **grands dorsaux** (15).

En position debout, les pieds légèrement écartés, les genoux fléchis, le tronc fléchi à l'horizontale, un haltère court dans chaque main (a), élevez les bras sur les côtés jusqu'à la hauteur des épaules, les coudes légèrement fléchis (b). Revenez à la position de départ.

a)

b)

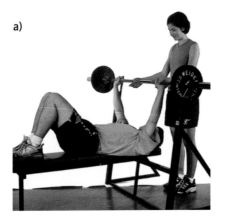

10. Développé assis

Muscles principalement sollicités : **pectoraux** (9) et **triceps** (3).

En position assise, les pieds appuyés sur les cale-pieds, les avant-bras fléchis, les mains tenant les poignées horizontales de l'appareil (a), poussez ces dernières jusqu'à ce que les avant-bras soient entièrement dépliés (b). Revenez à la position de départ.

a)
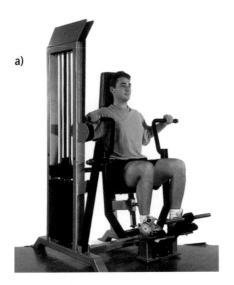

b)
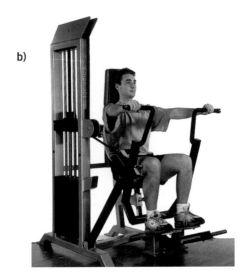

11. Développé couché sur le banc

Muscles principalement sollicités : **pectoraux** (9) et **triceps** (3).

En position couchée, les genoux fléchis, les pieds appuyés solidement sur le banc, les bras en extension, les mains tenant la barre de l'haltère long (a), amenez la barre vers la poitrine (b). Revenez à la position de départ. (Cet exercice se fait avec l'aide d'un partenaire.)

a)
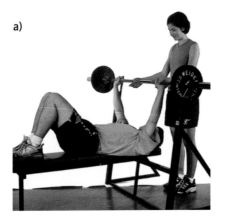

b)
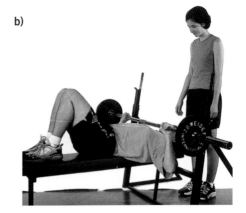

12. Extension de l'avant-bras en position assise

Muscles principalement sollicités : **triceps** (3) et **deltoïdes** (2).

En position assise sur un banc d'exercice, la tête et le dos droits, le bras gauche allongé au-dessus de la tête avec un haltère court tenu dans la main gauche (a), fléchissez l'avant-bras pour amener l'haltère derrière la nuque (b). Revenez à la position de départ. Exécutez le nombre de répétitions que vous vous êtes fixé et répétez l'exercice avec l'autre bras.

a) b)

13. Élévation des épaules

Muscles principalement sollicités : **trapèzes** (1).

En position debout, les pieds écartés à la largeur des épaules, le dos droit, les bras allongés, les mains tenant la barre d'un haltère long (a), élevez les épaules vers les oreilles (b). Revenez à la position de départ.

a) b)

14. Élévation de la barre

Muscles principalement sollicités : **trapèzes** (1) et **deltoïdes** (2).

En position debout, les pieds écartés à la largeur des épaules, le dos droit, les bras allongés, les mains tenant la barre d'un haltère long (a), élevez la barre jusqu'au niveau des épaules (b). Revenez à la position de départ.

a)   b)

15. Yo-yo

Muscles principalement sollicités : **muscles des avant-bras** (5, 14) et **deltoïdes** (2).

En position debout, les pieds écartés à la largeur des épaules, les bras allongés devant vous, les mains tenant le bâton auquel est suspendu un disque de fer (a), faites tourner le bâton pour enrouler la corde et faire monter le disque (b), puis faites tourner le bâton dans le sens inverse pour dérouler la corde et faire redescendre le disque.

a)   b)

16. Demi-redressement du tronc avec disque de métal

Muscles principalement sollicités : **abdominaux** (10).

En position couchée sur un banc incliné, les chevilles bien retenues sous les rouleaux, les mains tenant un disque de métal appuyé sur la poitrine, le menton pointant vers le sternum (a), redressez le tronc jusqu'à ce qu'il forme un angle de 90 degrés ou moins avec le bassin (b). Revenez à la position de départ.

a)   b)

17. Flexion des jambes

Muscles principalement sollicités : **ischio-jambiers** (18).

En position couchée, les pieds placés sous les rouleaux, les genoux dépassant l'extrémité du banc et les mains tenant les poignées du banc pour stabiliser le tronc (a), exécutez une flexion des jambes (b). Revenez à la position de départ.

a)

b)

18. Extension des jambes

Muscles principalement sollicités : **quadriceps** (7).

En position assise, les pieds sous les rouleaux, l'arrière des genoux en contact avec l'extrémité du banc et les mains tenant les poignées de l'appareil pour stabiliser le tronc (a), exécutez une extension des jambes jusqu'à ce qu'elles soient entièrement dépliées (b). Revenez à la position de départ.

a)

b)
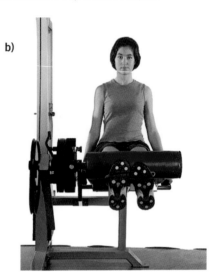

19. Balancé de la jambe

Muscles principalement sollicités : **grands fessiers et moyens fessiers** (16).

En position debout, la cuisse droite en flexion, l'arrière du genou droit appuyé contre le rouleau, les mains tenant les poignées de l'appareil pour garder l'équilibre (a), exécutez lentement une extension de la cuisse (b). Revenez à la position de départ. Répétez l'exercice avec la cuisse gauche.

a)

b)

20. Élévation sur le bout des pieds en position assise

Muscles principalement sollicités : **gastrocnémiens** (19).

En position assise, le dos droit, les talons abaissés légèrement sous le niveau des orteils, les genoux appuyés sous l'appui coussiné (a), levez les talons (b). Revenez à la position de départ.

a)   b)

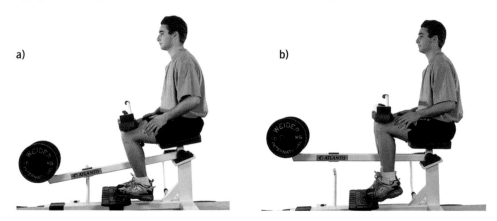

21. Élévation sur le bout des pieds en position debout

Muscles principalement sollicités : **gastrocnémiens** (19).

En position debout, tête et corps droits, l'haltère long appuyé sur les épaules, l'avant des pieds posé sur un bloc de bois (a), élevez-vous sur la pointe des pieds tout en maintenant le corps droit (b). Revenez à la position de départ.

a)   b)

22. Traction à la poitrine

Muscles principalement sollicités : **grands dorsaux** (15), **biceps** (4) et **pectoraux** (9).

En position assise, le tronc légèrement incliné vers l'arrière, les cuisses appuyées sous le rouleau, agrippez la barre (a) et amenez-la jusqu'à la hauteur des épaules (b). Revenez à la position de départ.

a)

b)

23. Traction à un bras sur le banc (*one-dumbbell rowing*)

Muscles principalement sollicités : **grands dorsaux** (15).

Le genou droit et la main droite en appui sur le banc, le pied gauche posé sur le sol, le genou gauche légèrement fléchi, un haltère court dans la main gauche (a), amenez l'haltère jusqu'à la poitrine (b). Revenez à la position de départ. Exécutez le nombre de répétitions que vous vous êtes fixé et répétez l'exercice avec l'autre bras.

a)

b)

24. Écarté rapproché des cuisses en position assise (adduction)

Muscles principalement sollicités : **adducteurs des cuisses** (11).

En position assise, la ceinture bouclée à la taille et les mains tenant les poignées de l'appareil pour stabiliser le tronc, l'intérieur des cuisses appuyé contre les appuis coussinés, les jambes écartées (a), rapprochez ces dernières en serrant les genoux (b). Revenez à la position de départ.

a)

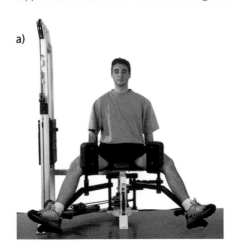

b)

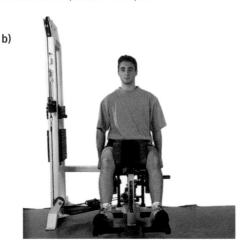

25. Écarté rapproché des cuisses en position assise (abduction)

Muscles principalement sollicités : **abducteurs des cuisses** (12).

En position assise, la ceinture bouclée à la taille et les mains tenant les poignées de l'appareil pour stabiliser le tronc, l'extérieur des cuisses appuyé contre les appuis coussinés, les genoux rapprochés (a), écartez ces derniers (b). Revenez à la position de départ.

a)

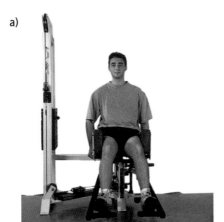

b)

B. Exercices effectués à l'aide de bandes élastiques

Pour environ 15 $, vous pouvez vous procurer une bande élastique conçue spécialement pour la musculation. Il existe même des ensembles de bandes élastiques offrant une gamme variée de degrés de résistance. On trouve ces accessoires dans les magasins d'articles de sport. Deux conseils d'utilisation importants : étirez et relâchez toujours la bande élastique en faisant un mouvement lent et continu ; pendant un exercice, conservez en tout temps une certaine tension dans la bande élastique.

26. Extension de l'avant-bras

Muscles principalement sollicités : **triceps** (3) et **deltoïdes** (2).

En position debout, une extrémité de la bande élastique dans chaque main, la main gauche placée dans le dos, à la hauteur des fesses, et la main droite au-dessus de la tête, les bras fléchis, exécutez une extension complète de l'avant-bras droit sans bouger la main gauche. Revenez à la position de départ. Exécutez le nombre de répétitions que vous vous êtes fixé. Répétez l'exercice avec l'autre bras.

27. Flexion de l'avant-bras

Muscles principalement sollicités : **biceps** (4).

En position debout, les jambes légèrement écartées, une extrémité de la bande élastique enroulée autour du pied droit, l'autre extrémité solidement empoignée dans la main gauche, le poignet aligné avec l'avant-bras, exécutez une flexion complète du bras. Revenez à la position de départ. Exécutez le nombre de répétitions que vous vous êtes fixé. Répétez l'exercice avec l'autre bras.

28. Élévation latérale du bras

Muscles principalement sollicités : **deltoïdes** (2).

En position debout, les jambes légèrement écartées, le milieu de la bande élastique passé sous le pied droit et ses extrémités solidement empoignées dans la main droite, levez le bras droit, *en gardant le coude légèrement fléchi*, jusqu'à la hauteur de l'épaule. Revenez à la position de départ. Exécutez le nombre de répétitions que vous vous êtes fixé. Répétez l'exercice avec l'autre bras.

29. Pompe

Muscles principalement sollicités : **triceps** (3), **trapèzes** (1) et **deltoïdes** (2).

En appui sur les pieds et les mains, le corps droit, la bande élastique passée dans le dos à la hauteur des omoplates et solidement tenue par les mains, exécutez des pompes à un rythme lent.

30. Extension de la jambe

Muscles principalement sollicités : **gastrocnémiens** (19).

En position assise, la jambe gauche allongée, la jambe droite pliée à un angle d'environ 90 degrés, la bande élastique passée sous la plante du pied gauche (a), exécutez une extension complète de ce dernier (b). Revenez à la position de départ. Exécutez le nombre de répétitions que vous vous êtes fixé. Répétez l'exercice avec l'autre jambe.

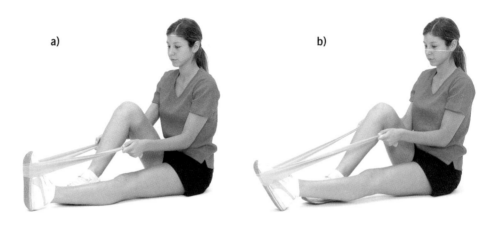

a)   b)

C. Exercices effectués à l'aide d'un gros ballon

Vous pouvez acheter un gros ballon d'exercice dans les grandes surfaces ou dans les magasins d'articles de sport. Son prix varie de 20 à 45 $ selon la grosseur et la marque choisies. En règle générale, la grosseur de ballon recommandée pour les débutants est celle qui permet d'avoir, en position assise, les cuisses parallèles au sol, c'est-à-dire les genoux pliés à un angle de 90 degrés. Toutefois, si vous avez de longues jambes ou si vous prévoyez surtout utiliser le ballon pour faire des étirements, optez pour un ballon un peu plus gros que celui recommandé dans le tableau ci-dessous. Au début, il vaut mieux ne pas trop gonfler le ballon. Un ballon mou est en effet toujours plus facile à contrôler qu'un ballon dur.

Votre taille (m)	Diamètre du ballon d'exercice (cm)
< 1,50	45
1,50–1,70	55
1,71–1,88	65
> 1,88	75

Le symbole < signifie « inférieur à », et le symbole >, « supérieur à ».

31. Flexion des jambes

Muscles principalement sollicités : **ischio-jambiers** (18).

Allongé sur le ventre, la tête appuyée contre les bras repliés, le ballon d'exercice posé sur le sol et tenu entre les pieds, amenez lentement les pieds vers les fesses jusqu'à ce que les genoux soient pliés à un angle de 90 degrés. Revenez lentement à la position de départ.

32. Écrase-ballon

Muscles principalement sollicités : **adducteurs des cuisses** (11).

En position couchée, le ballon tenu entre les genoux fléchis, pressez ce dernier comme si vous vouliez l'écraser. Gardez la contraction pendant six secondes, puis relâchez, tout en maintenant le ballon en position. Expirez pendant la contraction isométrique.

33. Extension dorsale

Muscles principalement sollicités : **érecteurs du rachis** (6), **grands dorsaux** (15) et **fessiers** (16).

Les genoux appuyés sur le sol et bien écartés, l'abdomen appuyé sur le ballon, les mains aux oreilles (a), relevez lentement le tronc jusqu'à ce que la poitrine ne touche presque plus au ballon (b). Revenez lentement à la position de départ.

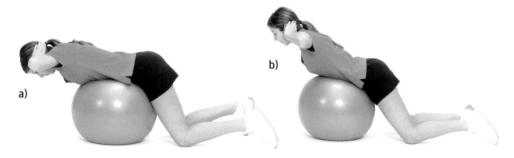

34. Écarté des bras sur gros ballon

Muscles principalement sollicités : **deltoïdes** (2), **grands dorsaux** (15), **rhomboïdes** (17) et **grands ronds** (20).

Les genoux appuyés sur le sol et bien écartés, l'abdomen appuyé sur le ballon, la tête maintenue dans l'alignement du tronc, les mains à peine au-dessus du sol de chaque côté, un haltère court dans chaque main (a), tout en gardant les coudes fléchis, écartez lentement les bras de côté jusqu'à ce que les mains soient à la hauteur des épaules (b). Revenez lentement à la position de départ.

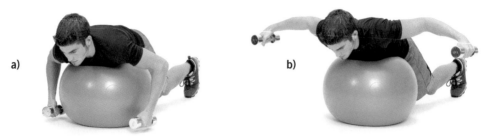

35. Élévation du bassin

Muscles principalement sollicités : **ischio-jambiers** (18), **érecteurs du rachis** (6) et **fessiers** (16).

Allongé sur le dos, les mollets rapprochés et appuyés sur le ballon, les bras allongés sur le sol de chaque côté du corps (a), décollez lentement les fesses du sol jusqu'à ce que les cuisses et le tronc forment une ligne oblique (b). Revenez lentement à la position de départ.

36. Demi-redressement du tronc

Muscles principalement sollicités : **abdominaux** (10).

Les fesses et le dos appuyés sur le ballon, les pieds écartés à la largeur des épaules sur le sol, les bras croisés sur la poitrine (les mains peuvent se trouver à la hauteur des oreilles ou plus bas) (a), relevez lentement le tronc jusqu'à ce que le bas du dos touche à peine le ballon (b). Revenez lentement à la position de départ.

D. Exercices effectués à mains libres

Les exercices qui suivent s'exécutent sans autre accessoire qu'un tapis d'exercice. On peut acheter ce genre de tapis dans les magasins d'articles de sport et même dans certaines grandes pharmacies ou grandes surfaces. Ce sont donc des exercices accessibles à tout le monde, qu'on peut faire facilement chez soi.

37. Flexion de la jambe

Muscles principalement sollicités: **partie inférieure des abdominaux** (10) et **ilio-psoas** (13).

Sur le dos, les jambes allongées, les bras de chaque côté du corps et reposant sur le sol (a), levez le genou droit à la verticale (b), puis ramenez-le au sol. Répétez l'exercice avec le genou gauche.

38. Demi-redressement du tronc à l'aide d'une chaise

Muscles principalement sollicités: **partie supérieure des abdominaux** (10).

Sur le dos, les mollets et les pieds posés sur une chaise, les bras de chaque côté du corps et reposant sur le sol (a), redressez le tronc en posant les mains sur les genoux ou jusqu'à ce que les omoplates décollent du sol (b).

39. Abdo du boxeur

Muscles principalement sollicités: **droit et transverse de l'abdomen** (10) et **obliques de l'abdomen** (10).

Allongé sur le dos, les genoux levés et fléchis à 90 degrés, les poings aux tempes, redressez le tronc en portant le coude droit au genou gauche, puis le coude gauche au genou droit, sans ramener les omoplates au sol.

40. Abdo croisé

Muscles principalement sollicités : **droit et transverse de l'abdomen** (10) et **obliques de l'abdomen** (10).

Sur le dos, les jambes allongées, les bras de chaque côté du corps et reposant sur le sol, touchez le pied droit avec la main gauche, puis le pied gauche avec la main droite, sans ramener les omoplates au sol.

41. Transverse

Muscles principalement sollicités : **partie inférieure du droit de l'abdomen** et **transverses** (10).

Allongé sur le dos, les bras de chaque côté du corps et reposant sur le sol, les genoux repliés vers la poitrine (a), décollez les fesses du sol en contractant les abdominaux (b).

a)   b)

42. Élévation latérale du bassin au sol

Muscles principalement sollicités : **obliques de l'abdomen** (10).

Allongé sur le côté droit, en appui sur l'avant-bras et la cuisse, les genoux fléchis à un angle de 90 degrés (a), soulevez le bassin en gardant la tête alignée avec la colonne vertébrale (b). Revenez à la position de départ. Répétez l'exercice, allongé sur le côté gauche.

a)   b)

43. Élévation latérale de la jambe au sol

Muscles principalement sollicités : **adducteurs des cuisses** (11).

Allongé sur le côté gauche, la tête appuyée sur le bras gauche, le pied droit posé à plat sur le sol devant la cuisse gauche, élevez la jambe gauche le plus haut possible sans bouger les hanches. Revenez à la position de départ. Exécutez le nombre de répétitions que vous vous êtes fixé. Répétez l'exercice avec l'autre jambe.

44. Élévation latérale des jambes

Muscles principalement sollicités : **obliques de l'abdomen** (10).

Allongé sur le côté droit, la tête appuyée sur le bras gauche, élevez simultanément les deux jambes le plus haut possible, en gardant les pieds ensemble et sans bouger les hanches. Revenez à la position de départ. Exécutez le nombre de répétitions que vous vous êtes fixé. Répétez l'exercice, allongé de l'autre côté.

E. Exercices isométriques

Les exercices de musculation isométriques sont vraiment « portatifs », car on peut les faire à peu près n'importe où, sans vêtements particuliers. Pour obtenir des résultats notables, la contraction isométrique doit durer au moins cinq secondes et être la plus intense possible. Il est aussi très important d'expirer lentement, les lèvres pincées, pendant toute la durée de la contraction. Il est préférable d'effectuer une contraction isométrique au moins deux fois.

45. Paume contre paume

Muscles principalement sollicités : **pectoraux** (9) et **deltoïdes** (2).

En position debout ou assise, les coudes fléchis et les avant-bras à l'horizontale, joignez les paumes des mains l'une contre l'autre et pressez le plus fort possible.

46. Extension du bras bloquée

Muscles principalement sollicités : **triceps** (3).

En position debout ou assise, le bras gauche légèrement fléchi, bloquez le mouvement d'extension complète du bras gauche avec la main droite. Exécutez le nombre de répétitions que vous vous êtes fixé. Répétez l'exercice avec l'autre bras.

47. Flexion du bras bloquée

Muscles principalement sollicités : **biceps** (4).

En position debout ou assise, le bras gauche fléchi, bloquez le mouvement de flexion du bras gauche avec la main droite. Exécutez le nombre de répétitions que vous vous êtes fixé. Répétez l'exercice avec l'autre bras.

48. Genoux bloqués de l'intérieur

Muscles principalement sollicités : **adducteurs des cuisses** (11).

En position debout ou assise, le tronc légèrement fléchi, les genoux légèrement fléchis, bloquez le rapprochement des genoux en plaçant entre ces derniers les poings fermés.

49. Genoux bloqués de l'extérieur

Muscles principalement sollicités : **abducteurs des cuisses** (12).

En position debout ou assise, les mains appuyées sur la face externe des genoux, bloquez l'écartement de ces derniers.

F. Exercices de flexibilité (étirements)

Les exercices de flexibilité qui suivent doivent être faits selon la méthode des étirements statiques (p. 294) : une fois atteint le seuil d'étirement du muscle, gardez la position pendant 15 à 30 secondes, tout en expirant lentement. Il est préférable d'effectuer un étirement au moins deux fois.

50. Étirement du devant des bras et des avant-bras

Muscles principalement étirés : **biceps (4)** et **muscles antérieurs de l'avant-bras** (5).

À quatre pattes, les mains bien à plat sur le sol et les doigts tournés vers les genoux, gardez la position pendant le temps voulu.

51. Torsion lombaire

Muscles principalement étirés : **obliques de l'abdomen** (10), **muscles du bas du dos** (6) et **abducteurs des cuisses** (12).

Allongé sur le dos, le genou gauche croisé sur la cuisse droite (a), amenez le genou gauche le plus près possible du sol du côté gauche, de façon à provoquer une torsion du tronc (b). Gardez la position pendant le temps voulu. Répétez l'exercice avec l'autre jambe. (Cet exercice est déconseillé en cas de problèmes de dos ; dans le doute, consultez votre médecin.)

a)

b)

52. Torsion lombaire (variante)

Muscles principalement étirés : **obliques de l'abdomen** (10), **muscles du bas du dos** (6) et **abducteurs des cuisses** (12).

Sur le dos, le bras gauche écarté du corps et reposant sur le sol, la jambe droite allongée, amenez le genou gauche sur le sol du côté droit. Gardez la position pendant le temps voulu. Répétez l'exercice avec l'autre jambe. (Cet exercice est déconseillé en cas de problèmes de dos ; dans le doute, consultez votre médecin.)

53. Pause du yogi

Muscles principalement étirés : **adducteurs de la cuisse** (11) et **ilio-psoas** (13).

En position assise, la tête et le corps droits, les mains agrippant les plantes des pieds qui se touchent, abaissez les genoux le plus près du sol. Gardez la position pendant le temps voulu.

54. Étirement du mollet

Muscles principalement étirés : **gastrocnémiens** (19).

En position debout, les avant-bras appuyés contre un mur à la largeur des épaules, la jambe gauche fléchie, la pointe du pied gauche contre le mur, la jambe droite en retrait, allongez cette dernière jusqu'au seuil d'étirement en gardant les deux pieds bien à plat sur le sol. Gardez la position pendant le temps voulu. Répétez l'exercice avec l'autre jambe.

55. Étirement du tendon d'Achille

Muscles principalement étirés : **partie inférieure du mollet** englobant le tendon d'Achille (19).

En position debout, les avant-bras appuyés contre un mur à la largeur des épaules, la jambe gauche fléchie, la pointe du pied gauche appuyée contre le mur, la jambe droite en retrait et fléchie elle aussi, augmentez la flexion de cette dernière jusqu'au seuil d'étirement, en gardant les deux pieds bien à plat sur le sol. Gardez la position pendant le temps voulu. Répétez l'exercice avec l'autre jambe.

56. Étirement simultané des mollets

Muscles principalement étirés : **gastrocnémiens** (19).

En position debout, les mains appuyées contre un mur à la largeur des épaules, les coudes fléchis vers l'extérieur, le bout des pieds reposant sur un bloc de bois, descendez les talons jusqu'au seuil d'étirement. Gardez la position pendant le temps voulu.

57. Étirement en position assise

Muscles principalement étirés : **gastrocnémiens** (19) et **ischio-jambiers** (18).

En position assise face à un mur, la jambe gauche allongée, le pied gauche plaqué contre le mur, le genou droit fléchi, les mains posées à plat sur le sol légèrement en retrait, inclinez-vous vers l'avant jusqu'au seuil d'étirement. Gardez la position pendant le temps voulu. Répétez l'exercice avec l'autre jambe.

58. Étirement du mollet avec flexion du pied

Muscles principalement étirés : **gastrocnémiens** (19).

En position debout, les jambes non fléchies, l'avant du pied gauche fléchi et appuyé contre un mur, avancez les hanches vers ce dernier jusqu'au seuil d'étirement. Gardez la position pendant le temps voulu. Répétez l'exercice avec l'autre jambe.

59. Étirement du devant de la jambe

Muscles principalement étirés : **jambiers anté-rieurs** (8).

En position debout face à un mur, la jambe droite fléchie et rapprochée du mur, la jambe gauche en retrait avec la pointe posée sur le sol, tendez le dessus du pied jusqu'au seuil d'étirement. Gardez la position pendant le temps voulu. Répétez l'exercice avec l'autre jambe.

60. Étirement du devant de la cuisse

Muscles principalement étirés : **quadriceps** (7) et **ilio-psoas** (13).

En position de génuflexion, le genou droit posé sur le sol, amenez le bassin vers l'avant jusqu'au seuil d'étirement. Gardez la position pendant le temps voulu. Répétez l'exercice avec l'autre jambe.

61. Étirement du bras et de l'épaule

Muscles principalement étirés : **biceps** (4), **pectoraux** (9) et **deltoïdes** (2).

En position debout, le dos tourné vers un mur, les hanches fixes, appuyez la paume de la main droite contre le mur à la hauteur de l'épaule droite. Faites pivoter vos hanches lentement jusqu'au seuil d'étirement. Gardez la position pendant le temps voulu. Répétez l'exercice avec l'autre bras.

62. Étirement général de tout le corps

Muscles principalement étirés : **pratiquement tous les muscles du devant du corps**.

En position couchée, les bras à l'horizontale au-dessus de la tête, allongez toutes les parties du corps (le cou, les bras, le torse et les jambes) jusqu'au seuil d'étirement. Gardez la position pendant le temps voulu.

G. Exercices revus et corrigés

Voici quelques exercices, revus et corrigés à la lumière des connaissances de la médecine sportive. Dans chaque cas, la première photo (a) montre ce qu'il ne faut pas faire, et la seconde (b), ce qu'il faut faire.

63. Demi-redressement du tronc

Ne joignez pas les mains derrière la nuque (a), ce qui causerait une forte traction sur les vertèbres cervicales. Placez plutôt les mains aux tempes, aux oreilles ou à la poitrine (b).

a) Mauvaise façon.

b) Bonne façon.

64. Flexion du tronc

Évitez de garder les jambes non fléchies (a). Pliez plutôt un peu les genoux avant d'étirer le bas du dos (b) : vous diminuez ainsi la pression exercée sur les disques intervertébraux de cette région.

a) Mauvaise façon.

b) Bonne façon.

65. Position du coureur de haies

Ne pliez pas le genou vers l'arrière (a) : cette position exerce une forte tension sur les ligaments du genou. Pliez plutôt le genou vers l'avant, le pied contre la cuisse (b).

a) Mauvaise façon.

b) Bonne façon.

à vos méninges

12

Remarque : Il peut y avoir plus d'une bonne réponse par question.

1. Nommez trois façons d'étirer un muscle.

- _____
- _____
- _____

2. Nommez trois méthodes d'entraînement qui développent la vigueur musculaire.

- _____
- _____
- _____

3. Quel est le principal inconvénient des étirements balistiques ?

○ **a)** Ils n'imitent pas suffisamment le geste pratiqué.
○ **b)** Ils augmentent le risque de blessure chez les personnes sédentaires.
○ **c)** Leur pratique exige beaucoup de temps.
○ **d)** Ils sont trop spécifiques au geste pratiqué.
○ **e)** Aucune des réponses précédentes.

4. Quelle est la durée idéale d'un étirement statique ?

○ **a)** Moins de 5 secondes.
○ **b)** Entre 5 et 10 secondes.
○ **c)** Entre 10 et 20 secondes.
○ **d)** Entre 20 et 25 secondes.
○ **e)** 25 à plus de 30 secondes.

5. Comment peut-on renforcer un muscle ?

○ **a)** À l'aide d'un programme d'exercices d'étirement.
○ **b)** À l'aide d'un programme d'exercices aérobiques.
○ **c)** À l'aide d'un programme d'exercices isométriques.
○ **d)** À l'aide d'un programme d'exercices avec poids libres.
○ **e)** À l'aide d'un programme d'exercices FNP.

6. Quelle(s) forme(s) de résistance peut-on opposer à un muscle pour le rendre plus vigoureux?

○ **a)** Une partie du corps.

○ **b)** Le corps lui-même.

○ **c)** L'apesanteur.

○ **d)** Une bande élastique.

○ **e)** Un poids libre.

7. Parmi les énoncés suivants, lequel est vrai?

○ **a)** L'exercice isotonique ne déplace pas la résistance.

○ **b)** L'exercice isométrique n'améliore pas la force du muscle.

○ **c)** L'exercice isotonique est exécuté à une vitesse constante.

○ **d)** L'exercice isométrique déplace la résistance.

○ **e)** L'exercice isocinétique est exécuté à une vitesse constante.

8. Quelle est la méthode de développement musculaire la plus répandue dans les cégeps?

○ **a)** La méthode à base d'exercices isométriques.

○ **b)** La méthode à base d'exercices pliométriques.

○ **c)** La méthode à base d'étirements FNP.

○ **d)** La méthode par électrostimulation du muscle.

○ **e)** La méthode à base d'exercices isotoniques ou dynamiques.

9. Qu'est-ce que le 1 RM?

○ **a)** Un poids qu'on déplace au moins une fois.

○ **b)** Un poids qu'on déplace alors que le muscle est en contraction excentrique.

○ **c)** Un poids tellement lourd qu'on ne peut pas le déplacer.

○ **d)** Le poids le plus lourd qu'on peut déplacer une fois.

○ **e)** Aucune des réponses précédentes.

10. Idéalement, combien de RM doit-on faire par série pour développer l'endurance musculaire à l'aide de poids libres?

○ **a)** De 1 à 6.

○ **b)** De 7 à 12.

○ **c)** De 13 à plus de 25.

○ **d)** De 10 à 15.

○ **e)** De 13 à 20.

11. Idéalement, combien de RM un débutant en musculation doit-il faire par série pour développer sa force musculaire ?

○ **a)** De 1 à 6.
○ **b)** De 7 à 12.
○ **c)** De 13 à 20.
○ **d)** De 21 à 29.
○ **e)** Plus de 29.

12. En musculation, comment est-il souhaitable de faire le mouvement aller-retour ?

○ **a)** Le plus rapidement possible.
○ **b)** Rapidement.
○ **c)** Lentement à l'aller, rapidement au retour.
○ **d)** Lentement.
○ **e)** La vitesse d'exécution n'a pas d'importance.

13. Par quels exercices devrait-on commencer une séance de musculation ?

○ **a)** Les exercices qui sollicitent les petits muscles.
○ **b)** Les exercices qui sollicitent les grands muscles.
○ **c)** Les exercices qui sollicitent une seule articulation.
○ **d)** Les exercices qui sollicitent plus d'une articulation.
○ **e)** Aucune des réponses précédentes.

14. Dans quelle proportion est-il possible d'augmenter sa force musculaire en quelques semaines ?

○ **a)** 10 %.
○ **b)** 40 %.
○ **c)** 70 %.
○ **d)** 90 %.
○ **e)** 120 %.

15. Nommez les trois façons de créer une résistance au mouvement.

1. _____

2. _____

3. _____

pour en savoir plus

Lectures suggérées

- American College of Sports Medicine, *Progression models in resistance training for healthy adults*, énoncé de principes, Philadelphie, Lippincott, 2002.
- Anderson, B., *Le stretching*, Montréal, Éditions Quebecor, 1989.
- Choque, J., et T. Waymel, *Étirement et rendement musculaires*, Paris, Amphora, 1998.
- Costill, D.L., et J.H. Willmore, *Physiologie du sport et de l'exercice*, Paris, De Boeck Université, 2002.
- Croisetière, R., *Musculation : répertoire d'exercices*, Laval, Éditions RC, 2001.
- Dintiman, G.B., J.S. Greenberg, B.M. Oakes et D. Morrow, *Physical fitness and wellness*, Toronto, Allyn and Bacon, 2001.
- Sprague, K., *More muscles*, Champaign, Human Kinetics, 1996.

Sites Internet à visiter

Actiforme Consultants inc.
www.actiforme.net

Association canadienne des entraîneurs
www.coach.ca/f/index.htm

École du dos (site de l'Université du Québec en Abitibi-Témiscamingue)
http://uriic.uqat.uquebec.ca/

Sportscience
www.sportsci.org

Strength online
www.deepsquatter.com/strength/archives/index.htm

Site de Charles Poliquin (expert en musculation reconnu mondialement)
http://www.charlespoliquin.net/

BILAN 12.1

Votre programme personnel de force musculaire

Remplissez d'abord le tableau ci-dessous en fonction des besoins déterminés lors de l'évaluation de votre force musculaire (p. 216). Ensuite, déterminez les exercices choisis pour atteindre votre objectif ou vos objectifs (fiche 1), puis établissez votre progression (fiche 2) et votre constance dans l'effort (fiche 4). Ces fiches se trouvent dans *L'Équipier*.

Résultats de l'évaluation de ma force musculaire :

Force de préhension : _____   Cote : _____

Force des bras : _____   Cote : _____

Force des jambes : _____   Cote : _____

Autre test de force musculaire (précisez-lequel) : _____   Cote : _____

Avez-vous besoin d'améliorer ou de maintenir votre niveau force musculaire ?

Améliorer _____   Maintenir _____

Mon objectif ou mes objectifs :   1. _____

2. _____

Conception de mon programme

J'applique les principes suivants de l'entraînement.

La spécificité :   Exercices dynamiques à l'aide de charges : _____ Exercices isométriques : _____

Exercices retenus : voir la fiche appropriée dans *L'équipier*.

La surcharge :

   a) L'intensité : RM : _____ Série(s) : _____

   b) La durée du repos entre les séries : _____ secondes ou _____ minute(s)

   c) La durée totale approximative d'une séance : _____ minutes.

   d) La fréquence : _____ fois par semaine.

La progression : voir la fiche 2 dans *L'Équipier*.

Le maintien : _____

Conditions de réalisation

Date du début : _____   Date de la fin : _____

Où : _____   Quand : _____

Avec qui : _____

BILAN 12.2

Votre programme personnel d'endurance musculaire

Remplissez le tableau ci-dessous en fonction des besoins déterminés lors de l'évaluation de votre endurance musculaire (p. 217). Ensuite, déterminez les exercices choisis pour atteindre votre objectif ou vos objectifs (fiche 1), puis établissez votre progression (fiche 3) et votre constance dans l'effort (fiche 4). Ces fiches se trouvent dans *L'Équipier*.

Résultats de l'évaluation de mon endurance musculaire :

Endurance des abdominaux : _____   Cote : _____

Endurance du haut du corps : _____   Cote : _____

Autre test d'endurance musculaire (précisez lequel) : _____   Cote : _____

Avez-vous besoin d'améliorer ou maintenir votre niveau d'endurance musculaire ?

Améliorer _____   Maintenir _____

Mon objectif ou mes objectifs :   1. _____

2. _____

Conception de mon programme

J'applique les principes suivants de l'entraînement.

La spécificité :   Exercices dynamiques à l'aide de charges : _____

Exercices dynamiques à mains libres : _____

Exercices retenus : voir la fiche appropriée dans *L'équipier*.

La surcharge :

a) *L'intensité :* RM : _____ Série(s) : _____

Ou durée choisie pour exécuter le plus grand nombre de répétitions pour chaque exercice :

exercice 1 : _____ secondes ; exercice 2 : _____ secondes ; exercice 3 : _____ secondes.

b) *La durée totale approximative d'une séance :* _____ minutes.

c) *La fréquence :* _____ fois par semaine.

La progression : voir la fiche 3 dans *L'Équipier*.

Le maintien : _____

Conditions de réalisation

Date du début : _____   Date de la fin : _____

Où : _____   Quand : _____

Avec qui : _____

BILAN 12.3

Votre programme personnel de flexibilité

Remplissez le tableau ci-dessous en fonction des besoins déterminés lors de l'évaluation de votre flexibilité (p. 217). Ensuite, déterminez les exercices choisis pour atteindre votre objectif ou vos objectifs (fiche 1), puis établissez votre progression (fiche 3) et votre constance dans l'effort (fiche 4). Ces fiches se trouvent dans *L'Équipier*.

Résultats de l'évaluation de ma flexibilité :

Flexibilité des épaules (test 1) : _____ Cote : _____

Flexibilité des épaules (test 2) : _____ Cote : _____

Flexibilité du bas du dos et des ischio-jambiers : _____ Cote : _____

Autre test de flexibilité (précisez lequel) : _____ Cote : _____

Avez-vous besoin d'améliorer ou de maintenir votre niveau de flexibilité

Améliorer _____ Maintenir _____

Mon objectif ou mes objectifs :

1. _____

2. _____

Conception de mon programme

J'applique les principes suivants de l'entraînement.

La spécificité : Exercices d'étirements statiques : _____ Autre type d'exercice : _____

Exercices retenus : voir la fiche appropriée dans *L'équipier*.

La surcharge :

a) L'intensité : Maintien du seuil d'étirement : _____ secondes

Nombre de répétitions pour chaque exercice : _____

b) La durée totale approximative d'une séance : _____ minutes.

c) La fréquence : _____ fois par semaine.

La progression : voir la fiche 3 dans *L'Équipier*.

Le maintien : _____

Conditions de réalisation

Date du début : _____ Date de la fin : _____

Où : _____ Quand : _____

Avec qui : _____

Choisir
ses activités physiques

Objectifs

○ Déterminer vos besoins, vos capacités, vos goûts et votre degré de motivation à pratiquer l'activité physique de façon régulière.

○ Reconnaître les principales caractéristiques des activités physiques les plus populaires.

○ Choisir des activités qui favorisent la pratique régulière de l'activité physique et justifier vos choix.

Vous savez où les muscles puisent leur énergie et comment ils l'utilisent. Vous avez aussi une bonne idée de vos capacités physiques et de la façon de les améliorer. Dans cet esprit, vous avez même élaboré un ou plusieurs programmes personnels de mise en forme. Maintenant, il est temps de passer à une autre étape : choisir une activité physique qui vous plaît pour vous transformer en une personne active et qui prend plaisir à l'être. Pour trouver cette perle, vous pouvez toujours procéder à tâtons, c'est-à-dire en expérimentant diverses activités un peu au hasard, mais vous risquez ainsi d'accumuler frustrations et déceptions. Par exemple, vous pourriez découvrir, après avoir dépensé argent et énergie, que vous n'êtes pas fait pour le yoga, que le jogging est trop dur pour vos genoux ou que le golf prend trop de votre temps. Votre choix doit plutôt reposer sur vos goûts, vos besoins et vos capacités physiques. Seule une activité qui réunit tous ces facteurs de motivation vous conviendra. À vous de découvrir ce bijou !

Vos goûts

Dans le domaine de l'activité physique, les études sur la persévérance sont formelles : le plaisir doit être le premier critère de sélection. Or, pour trouver plaisante une activité, il faut d'abord avoir le goût de la pratiquer. Monter et descendre la même marche pendant 20 minutes, 3 fois par semaine, améliorera, certes, votre endurance cardiovasculaire, mais cela vous amusera-t-il vraiment ? Il se pourrait que la danse aérobique, la natation ou le vélo vous donnent plus de plaisir, tout en vous permettant d'obtenir les mêmes résultats. Si vous aimez les sensations fortes, n'optez pas pour le taï chi ! Vous aurez plus de frissons en faisant du deltaplane ou du vélo-cross. Si, au contraire, vous voulez pratiquer une activité calme, à déroulement lent, le taï chi fera l'affaire. En somme, demandez-vous quel type d'activité vous préférez.

Un conseil, cependant : ne sous-estimez pas la force de votre **tempérament**, car il peut être une source de motivation comme une cause d'abandon. Par exemple, si vous êtes du genre impatient, tenez compte du fait que la maîtrise de la technique exige justement une bonne dose de patience dans des activités comme le tennis ou le golf. Si vous avez un tempérament d'artiste ou de créateur, choisissez le ballet jazz plutôt que la corde à sauter ! Et si vous ne supportez pas la compétition sportive,

Gavin

votre choix devrait s'orienter vers des activités où vous n'êtes opposé à aucun adversaire, comme la marche sportive, le cyclisme, le yoga ou, encore, le patin à roues alignées. Vous trouverez dans le **Compagnon Web** une grille originale d'un chercheur de Montréal, le Dr James Gavin. Cette grille vous aidera à choisir une activité physique en fonction de votre personnalité.

Vos besoins

Ce qui est merveilleux avec l'activité physique, c'est qu'elle permet de joindre l'utile à l'agréable, autrement dit d'améliorer sa santé tout en s'amusant. Cependant, il faut pour cela que l'activité choisie réponde à certains besoins liés à la santé. Ces besoins, *d'ordres physique, émotionnel et social*, sont variés : besoin de se détendre, d'apprendre à mieux respirer, de corriger sa posture, de rencontrer des gens partageant ses intérêts, d'améliorer sa capacité cardiovasculaire, de maigrir, de surmonter sa déprime ou son anxiété, de récupérer à la suite d'une blessure, de mieux contrôler le diabète, de relever un défi personnel, etc. Par exemple, si vous aimez faire de l'exercice en groupe et si vous avez besoin d'améliorer votre souffle, des activités telles que l'aéroboxe (un dérivé de la danse aérobique combinant différentes techniques d'entraînement du boxeur), le cyclotourisme ou le cardio-vélo (pratiqué en groupe sur des bicyclettes stationnaires sous la supervision d'un animateur, aussi connu sous le nom anglais de *spinning*) seraient sûrement de bons choix. En revanche, si vous souhaitez accroître votre force musculaire et si vous ressentez le besoin de le faire seul, pensez plutôt à la musculation.

Vos capacités

Une fois que vous avez trouvé une activité qui répond à vos goûts et à vos besoins, assurez-vous que sa pratique correspond à vos capacités physiques. L'activité qui vous intéresse pourrait être trop exigeante pour vous en raison d'une faiblesse à l'épaule ou d'une limite physique associée à un problème de santé (scoliose prononcée, hypotension, allergie au chlore, diabète, asthme mal contrôlé, etc.). Par exemple, vous pouvez avoir envie et besoin de pratiquer la danse aérobique, mais ce n'est sûrement pas un bon choix si vos chevilles sont sujettes aux entorses. Il existe aussi des contre-indications à la pratique de certains types de sport. Ainsi, la pratique des sports de contact, comme le hockey, le football ou le rugby, est tout à fait contre-indiquée si vous souffrez d'hémophilie. Consultez le **Compagnon Web** : vous y trouverez une liste détaillée des contre-indications liées à la pratique de divers sports.

contre-indications

Quoi qu'il en soit, ces limites d'ordre physique ne doivent pas freiner votre motivation ni vous servir de prétexte pour rester inactif. Hormis la phase aiguë d'une maladie ou une blessure sérieuse, les situations qui interdisent toute activité physique sont plutôt rares. À présent que vous connaissez les facteurs qui peuvent vous motiver à persévérer dans la pratique d'une activité physique, faites votre choix en consultant le tableau 13.1. Vous y trouverez un panorama des activités les plus populaires au Québec.

tableau 13.1 Les activités physiques les plus populaires au Québec

Activités	Endurance cardio-vasculaire	Endurance musculaire	Force musculaire	Flexibilité	Appren-tissage*	Dépense énergétique (Cal/h)**
Aéroboxe	1	1	3	2	Moyen	400–700
Arts martiaux vigoureux***	2	2	3	1	Long	450–600
Badminton	2	2	3	3	Moyen	375–750
Canotage (eaux calmes)	3	2	2	4	Court	375–500
Canotage (eaux vives)	2	2	1	2	Long	450–700
Danse aérobique et step	1	1	3	2	Court	375–750
Escalade	3	1	2	3	Court	300–600
Golf (sans voiturette)	3	2	4	3	Long	300–450
Hockey sur glace	2	2	1	2	Long	450–750
Jogging	1	1	4	4	Nul	450–1125
Marche sportive	2	2	4	4	Nul	300–450
Musculation	4	2	1	2	Court	450–600
Natation (longueurs)	1	1	3	2	Long	450–900
Patin à roues alignées	1	1	3	3	Long	450–1125
Patin sur glace	2	2	3	3	Long	300–600
Randonnée en raquettes	2	2	3	3	Court	375–750
Saut à la corde	1	1	4	4	Court	600–900
Ski alpin	4	2	2	3	Long	375–600
Ski de fond	1	1	3	3	Moyen	750–1200
Soccer	2	2	3	2	Moyen	450–750
Squash et racquetball	2	2	3	3	Moyen	450–900
Surf des neiges (planche à neige)	4	3	2	3	Long	375–600
Taï chi	3	1	3	1	Moyen	300–450
Techniques de relaxation	4	4	4	3	Court	150–300
Tennis	2	2	2	2	Long	375–750
Tennis de table	3	2	4	3	Moyen	300–450
Tir à l'arc	4	2	3	3	Moyen	255–300
Yoga	4	4	4	1	Moyen	150–300

Légende : 1 : effet très important. 2 : effet important. 3 : effet moyen. 4 : effet faible.

* Le temps nécessaire à l'apprentissage d'une activité varie beaucoup (long, moyen, court, nul). Il dépend du degré d'habileté de la personne et de l'intérêt à apprendre.

** La dépense énergétique varie en fonction du degré d'habileté de la personne, de son poids et de l'intensité de l'effort fourni.

*** Les arts martiaux vigoureux sont notamment l'aïkido, le karaté, la boxe chinoise, le jiu-jitsu, le judo et le kung fu.

Choisir
un centre d'activité physique

En choisissant une activité, il arrive qu'on choisisse aussi tout un environnement. C'est le cas lorsqu'on suit un cours ou qu'on pratique une activité dans un centre d'activité physique ou un centre de santé. Ces centres, de plus en plus populaires, offrent certains avantages par rapport à la pratique effectuée de façon autonome : choix entre diverses activités, choix de salles (gymnase, salle de musculation, salle de danse aérobique pourvue de miroirs, etc.), présence de spécialistes, service d'évaluation de la condition physique, atmosphère donnant le goût de bouger, possibilité de faire des rencontres intéressantes – sans compter les petits extras, comme les bains à remous, les saunas, les restaurants santé ou la massothérapie. Néanmoins, on peut perdre son argent et son temps si on choisit le « mauvais » centre ou un centre qui ne convient pas à ses besoins. Voici quatre critères à prendre en considération avant de débourser le moindre sou.

Premier critère : la distance

La distance à parcourir pour aller s'entraîner nous ramène au facteur du temps. En effet, s'il vous faut une heure pour vous rendre à votre club de santé, vous risquez de sauter des séances et, finalement, de tout laisser tomber. En choisissant un centre situé à moins d'une vingtaine de minutes de votre point de départ (domicile ou lieu de travail), vous augmentez vos chances de persévérer.

Deuxième critère : les lieux

Visitez toutes les salles du centre d'activité physique. Cette visite devrait se faire le même jour de la semaine et à la même heure que ceux où vous comptez faire votre séance d'exercice. Vous aurez ainsi une idée juste de l'atmosphère qui règne à ce moment-là. Portez une attention particulière aux trois points suivants : les spécialistes, les appareils de mise en forme et l'achalandage.

Les spécialistes. Y a-t-il des **éducateurs physiques** sur place pour donner des conseils sur l'utilisation des divers appareils de mise en forme ? Ces personnes sont-elles dynamiques ou amorphes ? Surveillent-elles les membres ou se tiennent-elles à l'écart ? Semblent-elles d'un abord facile ? Si c'est un cours de danse aérobique qui vous intéresse, observez comment une séance se déroule. Les exercices semblent-ils correspondre à vos capacités physiques actuelles ? La personne responsable du cours est-elle un véritable éducateur ou ne fait-elle qu'exhiber sa superforme ? Est-elle stimulante, saura-t-elle vous motiver ? Sachez que la qualité de l'animation est très importante dans ce genre de cours… si on veut persévérer.

Les appareils de mise en forme. Si vous souhaitez vous entraîner à l'aide d'appareils de conditionnement physique, examinez attentivement la salle où se trouvent ces appareils. Celle-ci doit être bien aérée et assez grande pour éviter aux gens de se marcher sur les pieds. Une forte odeur de transpiration indique une mauvaise ventilation. Dites-vous également que plus le choix d'appareils est vaste, plus vos chances de persévérer sont grandes. Les appareils électroniques munis d'une console (très répandus maintenant) qui proposent un vaste choix de programmes tout en calculant votre dépense énergétique et votre pouls à l'effort vous motiveront peut-être davantage. Si vous avez choisi la musculation pour remodeler votre corps, le centre devrait mettre à votre disposition une gamme complète de poids libres ou d'appareils de musculation. À proximité des appareils, on devrait trouver des directives claires sur leur mode d'utilisation. Une salle de musculation en désordre (haltères traînant par terre, collets sans vis, bancs dont le revêtement est déchiré, appareils en mauvais état, etc.) révèle un mauvais entretien.

L'achalandage. Les membres doivent-ils faire la queue pour utiliser les appareils ou les haltères ? Si oui, tenez compte de ce temps d'attente dans votre décision finale. Allez faire un tour dans les vestiaires. Les gens y sont-ils entassés comme des sardines ? Y a-t-il suffisamment de douches ? S'il y en a peu, cela signifie encore du temps d'attente. Les douches sont-elles propres ? Sinon, gare au pied d'athlète !

Troisième critère : le personnel

Votre visite s'achève, et vous avez aimé ce que vous avez vu et entendu. Il est à présent temps de finir votre « enquête » en posant quelques questions précises à un employé du centre. Demandez-lui si on peut évaluer votre condition physique et vous proposer ensuite un programme de mise en forme personnalisé. Si oui (ce qui est un atout pour le centre), ce service est-il offert gratuitement à intervalles réguliers pendant l'année ou faut-il payer un surplus pour en bénéficier ? Est-il prévu de vous faire remplir un questionnaire pour déterminer les risques que vous pourriez courir sur le plan cardiovasculaire ou articulaire en vous entraînant ? Informez-vous également sur la formation des membres du personnel. Idéalement, ceux-ci devraient être diplômés en éducation physique ou en kinanthropologie (science de l'être humain en mouvement) ou à tout le moins être étudiants dans l'une de ces disciplines.

Quatrième critère : les signes suspects

Les indices suivants peuvent vous aider à repérer les centres gérés par des gens qui pensent davantage à faire des profits qu'à offrir de bons services à leurs membres.

- On hésite à vous donner des prix au téléphone, mais on vous incite fortement à venir sur place pour en discuter.
- On ne vous permet pas d'essayer gratuitement les installations du centre, de visiter les lieux ou encore de parler avec le personnel.
- On insiste pour vous faire signer rapidement un contrat d'abonnement ou on vous propose une réduction de dernière minute, valable seulement pendant 24 heures.
- On essaie de vous vendre un abonnement à long terme en vous faisant miroiter une économie substantielle. En fait, certains centres comptent sur le fort taux d'abandon (de 30 à 40 % des gens qui s'inscrivent abandonnent après quelques semaines) pour pouvoir offrir des places à de nouveaux membres ! Consultez le **Compagnon Web** avant de signer un contrat d'abonnement.

abonnement

Faire
de l'exercice chez soi

Vous pouvez aussi choisir de faire de l'exercice à la maison. Finis les déplacements ! Vous vous entraînez quand vous voulez et vous n'avez plus à attendre pour prendre une douche ou vous sécher les cheveux. Vous ne payez pas de frais d'adhésion et vos déplacements ne vous coûtent rien. De plus, vous dépensez moins en vêtements d'exercice, ce type de dépenses étant plus important quand on va dans un centre. Ces économies amortiront en quelques mois l'achat d'un exerciseur domestique ou de plusieurs vidéocassettes d'exercice. Et vous gagnerez du temps en évitant de vous déplacer !

Le choix d'un exerciseur domestique

Si vous optez pour un exerciseur, prenez le temps de bien le choisir, afin qu'il ne se retrouve pas au placard au bout de deux semaines. Ce serait faire un mauvais achat que de vous équiper d'une bicyclette stationnaire si vous aimez plus ou moins pédaler ou d'un rameur si vous avez des problèmes de dos. Si la dépense énergétique est pour vous un facteur important, le tableau 13.2 vous aidera à faire votre choix. Prenez aussi en considération l'espace dont vous disposez. S'il vous faut toujours déplacer le canapé pour installer l'escalier d'exercice, votre motivation pourrait faiblir rapidement. Même si vous possédez un appareil pliant, sachez qu'il prend de la place... une fois déplié ! Pour éviter ce problème, prévoyez une surface minimale d'exercice de 1,5 sur 2 mètres.

Quant au prix de l'appareil qui vous aidera à rester en forme, vous pouvez l'estimer en consultant les brochures publicitaires des grandes surfaces ou des magasins d'articles de sport. Notez les caractéristiques des différents modèles annoncés et comparez les prix. Un conseil : méfiez-vous des appareils bas de gamme à prix réduit. Fabriqués à la hâte, ces appareils se brisent souvent et augmentent les risques d'accident. En outre, ils sont plus bruyants et plus difficiles à manœuvrer que les appareils de bonne qualité. La figure 13.1 présente quelques appareils de mise en forme populaires. Consultez le **Compagnon Web** avant de vous lancer dans un achat et pour des conseils d'utilisation.

appareils

Le choix d'un DVD d'exercice

Les DVD d'exercice sont populaires auprès de ceux qui souhaitent faire de l'exercice à la maison. Malheureusement, les exercices présentés ne respectent pas toujours les règles d'efficacité et de sécurité, et ils sont même parfois peu recommandables ! Ici encore, vous devrez prendre des précautions pour faire un bon choix.

Prenez d'abord connaissance des renseignements indiqués sur le boîtier de présentation du DVD. Ces renseignements devraient :

- préciser à qui s'adresse le programme (niveau débutant, intermédiaire ou avancé) ;
- contenir une mise en garde concernant l'aptitude à faire certains exercices sans risque pour sa santé ;

tableau **13.2** Nombre approximatif de calories dépensées en une heure d'exercice modéré

Masse corporelle (kg)	Tapis roulant	Escalier d'exercice	Bicyclette stationnaire
50	540	470	420
60	650	580	510
70	785	700	625
80	910	860	730
90	1 150	1 000	895

Adapté de H.J. Montoye, H.C.G. Kemper, H.M. Saris Wim et R.A. Washburn, *Measuring Physical Activity and Energy Expenditure*, Champaign, Illinois, Human Kinetics Publishers, 1996.

- préciser les objectifs visés (raffermissement musculaire, amélioration de l'endurance cardio-vasculaire ou de la flexibilité, perte de tissu adipeux, etc.);
- préciser les éléments du programme et leur durée;
- contenir une liste des accessoires indispensables (bandes élastiques, chaise, banc d'exercice, etc.).

La formation et la compétence de l'animateur devraient aussi être clairement indiquées. S'agit-il d'un spécialiste en éducation physique ou simplement d'une vedette de cinéma qui profite de sa popularité pour vendre son produit? Méfiez-vous si le boîtier de présentation est pauvre en informations pertinentes, mais en met plein la vue avec des gros plans d'une vedette.

Quant au contenu, rappelez-vous que tout bon programme d'exercice doit inclure une période d'échauffement de 8 à 10 minutes, une période d'exercices spécifiques d'au moins 15 minutes (généralement des exercices aérobiques ou des exercices de musculation) et une période de retour au calme d'au moins 5 minutes. Pour les exercices aérobiques, on doit insister sur le respect de la fréquence cardiaque cible (chapitre 11). L'animateur doit aussi inciter les participants à arrêter l'exercice si une douleur intense ou inhabituelle apparaît et à respecter leurs limites physiques. Lorsqu'il répond à ces exigences, le DVD d'exercice peut constituer un moyen efficace et économique de rester en forme chez soi.

figure 13.1 Quelques appareils de mise en forme très populaires

Bicyclette stationnaire   Machine à mouvement elliptique

Escalier d'exercice   Tapis roulant

à vos méninges

Remarque : Il peut y avoir plus d'une bonne réponse par question.

1. Parmi les critères suivants, lesquels concernent le choix d'une activité physique ?

- ○ **a)** Vos besoins.
- ○ **b)** Vos capacités.
- ○ **c)** Votre condition physique.
- ○ **d)** Votre hérédité.
- ○ **e)** Vos réserves d'ATP.

2. Parmi les raisons suivantes, lesquelles peuvent vous pousser à pratiquer une activité physique de type aérobique ?

- ○ **a)** Vous voulez améliorer votre endurance cardiovasculaire.
- ○ **b)** Vous n'avez aucune restriction médicale.
- ○ **c)** Vous cherchez des sensations fortes.
- ○ **d)** Vous voulez améliorer votre flexibilité.
- ○ **e)** Aucune des réponses précédentes.

3. Parmi les critères suivants, lesquels peuvent vous aider à choisir le bon centre de santé ?

- ○ **a)** Un personnel compétent.
- ○ **b)** La distance par rapport à votre lieu de départ.
- ○ **c)** L'année de construction du centre.
- ○ **d)** La présence de bains à remous.
- ○ **e)** Aucune des réponses précédentes.

4. Quels éléments devraient figurer sur le boîtier d'un DVD d'exercice ?

- ○ **a)** Le niveau du programme : débutant, intermédiaire ou avancé.
- ○ **b)** Une mise en garde concernant l'aptitude à faire certains exercices.
- ○ **c)** Les objectifs du programme.
- ○ **d)** Les éléments du programme et leur durée.
- ○ **e)** Tous les éléments précédents.

5. Si vous ne disposez que de 20 minutes, laquelle ou lesquelles des activités suivantes pouvez-vous pratiquer ?

- ○ **a)** Le golf.
- ○ **b)** Le saut à la corde.
- ○ **c)** Le jogging.
- ○ **d)** Le ski de fond.
- ○ **e)** Le canotage.

6. Complétez les phrases suivantes.

a) En choisissant un centre d'activité physique situé à moins de _____ minutes de votre point de départ, vous augmentez vos chances de _____.

b) Dans le choix d'un centre d'activité physique, il faut se demander s'il y a un _____ sur place pour donner des conseils sur l'utilisation des divers appareils de mise en forme.

c) Dans un centre d'activité physique, une forte odeur de _____ indique une mauvaise ventilation.

pour en savoir plus

Lectures suggérées

- Ducardonnet, A., G. Porte et P. Boulanger, *Le guide sport santé*, Paris, Édition 1, 1995.

- *Encyclopédie junior des sports*, Montréal, Québec Amérique, 2003.

- *Encyclopédie visuelle des sports*, Montréal, Québec Amérique, 2000.

- Greuil, S., *et al.*, *Le livre des sports*, Paris, Gallimard, 1996.

sites Internet à visiter

Findsport (« L'annuaire de tous les sports »)
www.findsport.com/nav.asp

France Teaser (portail des meilleurs sites Internet consacrés au sport)
www.teaser.fr/~blamonnier/sports/sports.htm

Sportail.net (portail qui présente un répertoire de sites Internet consacrés au sport)
www.sportail.net

BILAN 13.1

Votre choix d'activités physiques

Imagine-t-on qu'un individu désireux d'améliorer son alimentation se mette à manger des aliments santé dont il n'aimerait pas le goût? L'activité physique ne doit pas, elle non plus, être seulement bénéfique pour la santé : elle doit aussi être une source de motivation et de plaisir. *On doit avoir envie de pratiquer l'activité physique choisie une autre fois, puis une autre fois, et encore, jusqu'à ce qu'elle devienne une habitude de vie.*

Avant de choisir une activité qui vous convienne et vous motive, établissez à l'aide du tableau A votre degré de motivation à pratiquer l'activité physique en général. Puis, déterminez vos capacités, vos goûts, vos besoins, ainsi que le temps que vous pouvez consacrer à l'activité physique. Les tableaux B, C, D et E vous aideront à faire ce bilan. En parcourant les tableaux C et D, notez les activités associées à chacune des affirmations que vous aurez cochées. Le recoupement de vos choix devrait vous permettre de repérer une ou plusieurs activités qui vous conviennent particulièrement. Afin de parfaire vos choix, consultez à nouveau le tableau 13.1, qui résume les caractéristiques des activités les plus populaires au Québec.

A. Votre degré de motivation

Cochez la colonne appropriée. Accordez-vous deux points chaque fois que vous cochez *Vrai*, un point pour *Partiellement vrai* et aucun point pour *Faux*.

Facteurs de motivation	Vrai	Partielle-ment vrai	Faux
1. L'exercice m'aide à me sentir mieux dans ma peau.			
2. L'exercice m'aide à contrôler mon poids.			
3. Pratiquer une activité physique me procure du plaisir.			
4. L'exercice améliore ma confiance en moi.			
5. Je suis motivé à faire de l'exercice sans avoir besoin d'être encouragé ou récompensé.			
6. Je suis habile dans les sports en général et j'apprends facilement.			
7. Je me sens plein d'énergie quand je suis physiquement actif.			

Facteurs de motivation	Vrai	Partielle-ment vrai	Faux
8. J'ai accès à l'équipement nécessaire pour faire de l'exercice chez moi ou près de chez moi.			
9. Je suis capable de me fixer des objectifs de mise en forme et de suivre mes progrès.			
10. J'ai des amis qui apprécient les mêmes activités physiques que moi.			
11. Mes proches m'encouragent à faire de l'exercice.			
12. L'exercice me détend.			
13. J'ai la ferme intention de demeurer le plus longtemps possible physiquement actif.			
14. J'ai la détermination et la patience nécessaires pour maîtriser un exercice complexe.			
15. Si je passe plusieurs jours sans faire d'exercice, je ressens une envie grandissante de me dépenser physiquement.			

Faites le total des points obtenus. _____

Ce que votre résultat signifie…

Entre 25 et 30 points. Votre degré de motivation à pratiquer une activité physique est très élevé. Vous êtes, sans l'ombre d'un doute, une personne physiquement très active.

Entre 19 et 24 points. Votre degré de motivation est élevé, même si vous n'êtes pas toujours physiquement actif. À long terme, il est probable qu'on vous verra plus dans des chaussures de sport que dans des pantoufles.

Entre 14 et 18 points. Votre degré de motivation est moyen. Vous chausserez peut-être plus volontiers des pantoufles.

Entre 9 et 13 points. Votre degré de motivation est faible, et vous menez probablement une vie sédentaire. Vous manquez de conviction pour passer dans le clan des personnes physiquement actives.

Moins de 8 points. Votre degré de motivation est très faible. Lisez et relisez le chapitre 2 !

B. Vos capacités

Je suis...	Quelques suggestions
○ 1. en bonne santé, mais pas en forme.	Choisissez votre activité en fonction de vos goûts, de vos besoins, de votre budget et de votre disponibilité, mais *commencez doucement*. Attention : si l'activité choisie est d'intensité élevée, *mettez-vous d'abord en forme* avant de la pratiquer.
○ 2. en bonne santé et en forme.	Tant mieux pour vous ! Choisissez votre activité selon vos goûts, vos besoins, votre budget et votre disponibilité.
○ 3. handicapé par une blessure ou une maladie (asthme, arthrite, diabète, maladie cardiovasculaire, etc.).	Consultez votre médecin, votre physio-thérapeute, votre éducateur physique ou le **Compagnon Web** avant de vous lancer dans la pratique d'une nouvelle activité physique, surtout si elle est d'une intensité moyenne à élevée. contre-indications

C. Vos goûts

Je préfère...	Quelques suggestions
○ 4. les activités qui se pratiquent individuellement.	Marche, jogging, ski de fond, ski alpin, surf des neiges, raquette, vélo, golf, musculation, patin à roues alignées, patin sur glace, méthodes de relaxation, etc.
○ 5. les activités qui favorisent les contacts sociaux.	Sports d'équipe (volleyball, basketball, soccer, hockey, ringuette, handball, balle molle, etc.), événements grand public (marathon, triathlon, etc.) ou de groupe (randonnée cycliste, cardio-vélo, danse aérobique, aéroboxe, arts martiaux, etc.).
○ 6. les activités à forte dépense énergétique (plus de 600 Cal/h).	Squash, racquetball, badminton, tennis, vélo-cross, ski de fond en montagne, danse, jogging rapide, soccer, hockey, ringuette, etc.
○ 7. les sports de combat.	Arts martiaux, escrime, boxe, lutte gréco-romaine, etc.
○ 8. les gymnastiques douces.	Méthodes de relaxation, taï chi, yoga, méthode Alexander, méthode Feldenkrais, Pilates, gymnastique sur table, etc.
○ 9. les activités où il y a de la compétition.	Tous les sports dans lesquels on affronte un ou plusieurs adversaires, en équipe ou en solo.
○ 10. les activités où je peux exprimer ma créativité à l'aide de mon corps.	Danse classique, danse moderne, ballet jazz, danse aérobique, patinage artistique, etc.
○ 11. les activités procurant des sensations fortes.	Deltaplane, descente de rapides en canot, escalade de glace, parachutisme, ski à voile sur un lac, planche à voile en mer, etc.

Je préfère...	Quelques suggestions
12. l'activité physique non structurée.	Toute activité physique qu'on fait à la maison, au travail ou dans ses loisirs.
13. les activités qui se pratiquent dans la nature.	Escalade, randonnée pédestre, descente de rapides en canot, ski de fond, raquette, vélo de montagne, voile, planche à voile, ski nautique, plongée sous-marine, équitation, golf, etc.
14. l'entraînement à la maison.	Exerciseurs cardiovasculaires, DVD d'exercice, émissions de mise en forme à la télévision, corde à sauter, etc.

D. Vos besoins

J'ai besoin...	Quelques suggestions
15. d'améliorer mon endurance cardiovasculaire et musculaire.	Marche sportive, jogging, ski de fond, vélo, patin à roues alignées, exerciseurs cardiovasculaires, DVD d'exercice, natation, soccer, water-polo, etc.
16. d'améliorer ma force musculaire.	Musculation, escalade, canot, vélo de montagne, arts martiaux, hockey, etc.
17. d'améliorer ma souplesse	Yoga, méthode Feldenkrais, ballet jazz, danse moderne, exercices d'étirement, Pilates, gymnastique sur table, etc.
18. de diminuer mes réserves de graisse.	Marche rapide, jogging, vélo à vitesse modérée, ski de fond, natation, raquette, combinaison d'activités cardiovasculaires et musculation, etc.
19. d'améliorer ma posture	Danse classique ou moderne, ballet jazz, danse populaire, méthodes posturales (méthode Mézières, *rolfing*), etc.
20. d'améliorer ma capacité de me détendre.	Méthodes de relaxation (relaxation progressive de Jacobson, training autogène, massothérapie, etc.), activité physique en général.
21. d'avoir des contacts sociaux.	Voir le point 5 ci-dessus.
22. de me retrouver seul.	Voir le point 4 ci-dessus.
23. de me retrouver dans la nature.	Voir le point 13 ci-dessus.
24. d'éprouver des sensations fortes.	Voir le point 11 ci-dessus.
25. d'échapper à une structure trop rigide.	Voir le point 12 ci-dessus.

E. Le temps dont vous disposez

Je peux consacrer à une séance d'activité physique...	Quelques suggestions
○ 26. moins de 30 minutes.	Marche rapide, jogging, exerciseurs cardiovasculaires, corde à sauter, etc.
○ 27. entre 30 et 60 minutes.	Outre les activités mentionnées au point 26 : squash, racquetball, badminton, danse aérobique, danse de société, volleyball, patin à roues alignées, patin sur glace, tennis de table, vélo, gymnastique douce, escrime, tir à l'arc.
○ 28. de 1 heure à 2 heures.	Outre les activités mentionnées aux points 26 et 27 : tennis, hockey, arts martiaux, sports d'équipe en général.
○ 29. plus de 2 heures.	Outre les activités mentionnées aux points 26 à 28 : golf, ski de fond, ski alpin, surf des neiges, activités de plein air (planche à voile, escalade, canot, équitation, etc.).

En conclusion,

mes trois premiers choix sont...

1. _____

2. _____

3. _____

Réflexion personnelle

Justifiez à présent votre choix d'activité(s) physiques(s) en fonction de :

Vos goûts ou intérêts :

_____

_____

_____

Vos besoins :

_____

_____

_____

Vos capacités :

_____

_____

_____

Votre disponibilité :

_____

_____

_____

Votre budget :

_____

_____

_____

Se préparer
à l'action

chapitre 14

Objectifs

○ Connaître les éléments d'une bonne préparation physique et mentale à l'activité physique.

○ Connaître les règles de sécurité et de confort devant présider à la pratique de l'activité physique.

Partiriez-vous en vacances sans mettre l'essentiel dans vos bagages? Probablement pas. Pourtant, certaines personnes se lancent dans la pratique d'une activité physique avec des chaussures qui leur font mal aux pieds et des vêtements qui irritent leur peau ou les font transpirer comme si elles étaient dans un sauna. Pour couronner le tout, elles ne font aucun exercice d'échauffement avant de commencer l'activité physique et ne s'hydratent pas pendant cette dernière!

Vous l'aurez deviné: il faut une préparation minimale pour pratiquer une activité physique de manière agréable et sans danger. La complexité de cette préparation varie en fonction de l'activité pratiquée, de sa durée et du temps qu'il fait. Par exemple, pour une séance de marche ordinaire de 15 minutes par beau temps, la préparation est plutôt courte: il suffit de se lever et de marcher! En revanche, avant une sortie de plongée sous-marine, une descente de rapides ou une longue randonnée de ski de fond, la préparation demande un plus grand soin. Elle portera sur l'habillement, les chaussures, l'échauffement, le retour du corps au calme, la protection de la peau, l'hydratation et l'alimentation. Ces deux derniers sujets sont été traités dans le chapitre 3. Rappelons toutefois l'essentiel, à savoir qu'une personne physiquement très active doit boire de l'eau régulièrement et en quantité suffisante, ajuster son régime alimentaire pour manger un peu plus de glucides et éviter de prendre un gros repas juste avant une activité physique. Enfin, si on veut pratiquer une activité physique pendant plusieurs années, il faut aussi prendre les moyens pour préserver sa motivation. Examinons tous ces éléments, un à un, en commençant par l'habillement.

L'habillement:
une question de température

Au repos, la température du corps est d'environ 37 °C. La chaleur dégagée par l'organisme provient en grande partie de l'activité des organes vitaux, en particulier le cœur, le foie et le cerveau. Mais les muscles fixés au squelette fournissent tout de même de 20 à 30 % de la chaleur corporelle. Dès qu'on passe du repos à l'effort physique, la situation change radicalement. La quantité de chaleur produite par les muscles actifs peut alors devenir de 30 à 40 fois supérieure à celle que produit le reste de l'organisme. De fait, **les muscles au travail sont, de loin, les plus gros producteurs de chaleur**. Voilà pourquoi on a chaud quand on fait de l'exercice et pourquoi il faut s'habiller en conséquence.

S'habiller par temps chaud

Si l'activité physique a lieu par temps chaud ou à l'intérieur, il faut s'habiller légèrement afin de faciliter l'évacuation de la chaleur produite par les muscles. Il est donc tout à fait inadapté de porter un survêtement qui recouvre pratiquement tout le corps. Un t-shirt et un short constituent le meilleur choix. Ces vêtements devraient être amples, de façon à faciliter la circulation de l'air entre la peau et le tissu. Au soleil, portez des vêtements de couleurs pâles : en effet le blanc réfléchit la lumière, alors que le noir l'absorbe, ce qui a pour effet d'augmenter localement la température. Si le temps est très chaud et, surtout, humide, réduisez l'intensité et la durée de vos efforts pour éviter la déshydratation (p. 77). Dans ces conditions, il est parfois préférable de pratiquer une activité physique d'intensité légère et de courte durée ou même d'éviter toute activité physique. Les températures auxquelles il vaut mieux se tenir à l'ombre ou se baigner sont indiquées dans le tableau 14.1, et les dangers associés à la chaleur et à l'humidité excessives sont présentés dans le zoom 14.1.

tableau **14.1** Les températures dangereusement chaudes

Humidité relative (%)	Température ambiante (°C)										
	21	24	26	29	32	35	38	40	43	46	49
	Température équivalente (°C)										
0	18	21	23	25	28	30	33	35	37	39	42
10	18	21	24	26	29	32	35	38	40	43	47
20	19	23	25	27	30	34	37	40	43	49	54
30	20	24	26	28	32	36	40	45	50	57	64
40	20	24	26	29	34	39	43	50	58	66	
50	21	24	27	30	36	42	49	57	65		
60	21	25	28	32	38	45	55	65			
70	22	25	29	34	41	51	62				
80	22	26	30	36	45	58					
90	23	26	30	40	50						
100	23	27	33	42							

Légende

Risque de crampes de chaleur.

Risque élevé de crampes de chaleur et d'épuisement par la chaleur.

Risque élevé de coup de chaleur.

W.D. McArdle, F.I. Katch et V.L. Katch, *Essentials of Exercise Physiology*, Philadelphie, Lippincott Williams & Wilkins, 2e édition, 2000, p. 447.

Se préparer à l'action   chapitre 14

ZOOM

14.1 Les dangers
liés au temps chaud et humide

Une évacuation insuffisante de la chaleur du corps peut provoquer des crampes de chaleur, de l'épuisement par la chaleur ou un coup de chaleur.

Les crampes de chaleur

Elles apparaissent habituellement dans les muscles sollicités pendant l'exercice. Le traitement est simple : il faut s'arrêter, étirer le muscle noué par la crampe et boire de l'eau (qui peut être légèrement salée).

L'épuisement par la chaleur

Il s'agit d'un problème plus sérieux que la crampe. Les symptômes sont la fatigue extrême, l'essoufflement, les étourdissements, la nausée, une moiteur fraîche de la peau et, enfin, un pouls faible et rapide. Le traitement consiste à refroidir la personne en lui faisant boire des liquides, froids de préférence. Garder une position allongée, les pieds surélevés, aide aussi à la récupération en facilitant le retour du sang vers le cœur.

Le coup de chaleur

C'est le plus grave des incidents causés par la chaleur pendant un exercice physique. Le coup de chaleur peut même entraîner la mort ! En fait, c'est une situation d'urgence qui requiert l'intervention immédiate d'un spécialiste de la santé. Il faut donc appeler le 911. Cet état d'urgence se caractérise par une température corporelle élevée (plus de 40° C), une absence de sudation, une peau souvent sèche et chaude, une hypertension inhabituelle, un comportement bizarre, de la confusion et une perte de conscience. Le traitement immédiat vise à refroidir rapidement la personne dans un bain d'eau froide ou de glace, à l'envelopper dans un drap humide et à la ventiler.

S'habiller par temps froid

Par temps froid, les muscles produisent autant de chaleur que par temps chaud, mais celle-ci se dissipe plus facilement. Il faut donc s'habiller chaudement, sans exagération et selon le principe des pelures d'oignon : portez plusieurs vêtements assez amples et superposés en couches successives, qui enfermeront ainsi l'air et procureront une bonne isolation (figure 14.1). Au fur et à mesure que le corps s'échauffe, on peut enlever les couches extérieures. À la fin de l'activité, quand le corps se refroidit, on devrait les remettre afin d'éviter la transpiration excessive et les refroidissements brusques du corps.

La première couche de vêtements. Cette couche de vêtements doit absorber l'humidité produite par la transpiration et vous garder au sec. C'est l'équivalent du pare-vapeur dans les murs d'une maison. Les sous-vêtements longs, fabriqués à base de polyester (ou de ses dérivés, comme le polypropylène) et à séchage rapide, répondent parfaitement à cette exigence. La face ⌐ne de ces sous-vêtements absorbe l'humidité et l'achemine vers la face externe où elle est

figure 14.1   Les couches de vêtements appropriées par temps froid

| Première couche | Deuxième couche | Troisième couche |

transférée à la face interne du vêtement de la deuxième couche, et ainsi de suite jusqu'à l'air ambiant. C'est le principe des vases communicants ! Les sous-vêtements en flanelle (une laine douce qui, même mouillée, ne perd pas ses qualités isolantes) sont aussi recommandés. Toutefois, ne sortez pas vos vêtements en coton de votre commode : une fois mouillés, ils glacent la peau.

Il est important que les vêtements de la première couche collent au corps. Ainsi, la face interne du tissu, plaquée contre la peau, absorbe l'humidité du corps avant même la formation des gouttes de sueur. Au contraire, si vous flottez dans vos sous-vêtements, vous pouvez être sûrs que vous flotterez aussi… dans votre sueur ! Selon l'activité que vous pratiquez, vous choisirez des sous-vêtements plus ou moins épais. Par exemple, vous choisirez des sous-vêtements minces et légers pour pratiquer des activités aérobiques (comme le ski de fond, le jogging d'hiver ou la raquette), mais des sous-vêtements épais ou d'épaisseur moyenne pour pratiquer des activités au cours desquelles vous êtes souvent à l'arrêt (comme l'escalade de glace, le patinage, la glissade ou le ski de fond en famille).

La deuxième couche de vêtements.   Cette couche, qui comprend parfois deux ou trois épaisseurs, sert d'isolant contre le froid. C'est l'équivalent de la laine minérale dans les murs d'une maison. Le vêtement type contient un savant mélange de fibres isolantes et « respirantes » (laine polaire, polyester, mélange coton et polyester). Comme pour la première couche, choisissez l'épaisseur de cette couche isolante en fonction de la dépense énergétique entraînée par l'activité pratiquée.

La troisième couche de vêtements.

Cette couche sert à la fois de coupe-vent, d'imperméable et de déshumidificateur: l'humidité produite par la transpiration doit en effet pouvoir s'échapper à l'air libre. Elle équivaut au revêtement extérieur de la maison. Les deux-pièces (anorak et pantalon) ou les combinaisons (vêtements d'une seule pièce) contenant une fibre synthétique imperméable (Gore-Tex, Conduit, Activent, Sympatex, Thinsulate, Windstopper et autres marques déposées similaires) offrent une protection maximale contre le froid, l'eau et l'humidité. Envisagez de porter une combinaison si vous pratiquez un sport qui vous expose à la morsure du vent, comme le ski alpin ou la voile sur glace. La combinaison crée un effet de « cheminée », qui force la chaleur produite par les muscles à remonter vers le haut du corps. Selon l'activité pratiquée, la troisième couche sera plus ou moins épaisse et étanche: elle sera très légère en ski de fond, parce qu'on produit beaucoup de chaleur, mais plus chaude et étanche en ski alpin, à cause de l'effet refroidissant du vent (zoom 14.2).

Les zones sensibles.

Si le principe des pelures d'oignon convient parfaitement pour le corps en général, il est inadapté pour les extrémités du corps. On ne peut quand même pas porter trois paires de chaussettes, trois paires de gants et trois tuques! Une protection vestimentaire différente est nécessaire pour ces parties du corps.

Commençons par les **pieds**, puisqu'ils sont souvent les premières victimes du froid. Même à –20 °C, les pieds transpirent si on fait un exercice intense. Par conséquent, il faut enfiler des chaussettes qui maintiennent les pieds au sec et au chaud. La chaussette de laine, avec ou sans acrylique (l'acrylique accélère le séchage), et la chaussette composée de fibres synthétiques, comme le polypropylène et le ThermaStat, remplissent cette double fonction. Attention aux **bottes**: des bottes trop petites sont inconfortables et favorisent les engelures. Pour trouver celles qui vous conviennent, essayez-les au magasin avec les chaussettes que vous portez habituellement. Il devrait y avoir un espace de 1 ou 2 cm entre le bout de l'orteil le plus long et la pointe de la botte. Suivez la même règle lorsque vous choisissez des patins.

Pour protéger vos **mains** du froid, vous pouvez porter des gants plutôt que des mitaines, si l'activité pratiquée nécessite l'utilisation des doigts séparés. On trouve aujourd'hui sur le marché des gants imperméables très bien isolés. Pour les sports dans lesquels l'utilisation des doigts séparés n'est pas essentielle (patin, glissade, raquette, etc.), vous avez le choix entre les mitaines et les gants.

Il faut aussi protéger sa **tête**. Contrairement aux pieds et aux mains, la circulation sanguine dans la tête ne diminue jamais par temps froid. Heureusement, d'ailleurs: sinon on se gèlerait le cerveau! C'est la raison pour laquelle de 30 à 40 % de la chaleur produite par le corps peut être perdue par la tête alors que celle-ci ne représente que 8 % de la surface corporelle! Le port d'une coiffure (tuque, bandeau, etc.) est donc de rigueur. Par temps très froid, on peut protéger son visage en portant une cagoule. Pensez aussi à protéger du froid votre cou, vos aisselles, vos côtes et vos aines, car la perte de chaleur peut être importante dans ces régions. Enfin, s'il fait un froid sibérien (tableau 14.2) et que le risque d'engelures est très élevé, il pourrait être préférable d'annuler votre sortie.

ZOOM
14.2 Tel sport, tel vêtement

Le principe des pelures d'oignon s'applique à tous les sports d'hiver, mais il saute aux yeux qu'un skieur ne s'habille pas comme un fondeur ! La raison est simple : la composition de la troisième couche varie en fonction du vent et de la dépense énergétique. Plus une activité nous expose au vent (par exemple le ski alpin), plus on risque de se refroidir rapidement. C'est le fameux facteur éolien (tableau 14.2). Au contraire, plus l'activité nous fait brûler des calories, plus on a chaud. En tenant compte de ces deux facteurs, on devrait adapter la troisième couche de vêtements à chaque type d'activité.

Le ski de fond
Ce sport à haute dépense énergétique entraîne une grosse production de chaleur. La troisième couche sera donc légère afin de faciliter l'évacuation de l'humidité. Un blouson long (avec trous d'aération sous les aisselles) et un pantalon mince en nylon traité constituent un bon choix. Si vous transpirez beaucoup, vous devriez envisager le blouson à base d'Activent, car cette membrane évacue avec très bien l'humidité produite par le corps. La (coûteuse !) combinaison en lycra et en spandex intéressera surtout les fondeurs aguerris. Un détail important : si vous ouvrez une piste dans la neige profonde, portez une guêtre-manchon (enveloppe étanche recouvrant le coup de pied) pour empêcher la neige d'envahir vos chaussures.

Le patinage extérieur, la raquette et le jogging hivernal
Ces activités, qui sollicitent les grandes masses musculaires des fesses et des cuisses, s'apparentent au ski de fond sur le plan de la dépense énergétique. Par temps doux, la troisième couche ressemblera donc à celle portée par le fondeur. Par temps froid et venteux, optez pour un blouson pourvu d'une doublure chaude, de type parka. La guêtre-manchon est aussi à conseiller si vous faites de la raquette sur une épaisse couche de neige. Si vous pratiquez le jogging d'hiver, portez des chaussures équipées d'une semelle à rainures profondes : vous éviterez ainsi de déraper.

Le ski alpin
À cause de l'effet refroidissant du vent, vous devez porter des vêtements bien isolés et hermétiques. Si la troisième couche laisse passer le vent, vous risquez de grelotter après une seule descente ! Les blousons de ski en Gore-Tex ou en Defender, qui intègrent une doublure amovible en Polartec (une fibre très chaude), sont particulièrement efficaces. Un petit conseil : en arrivant à la station de ski, enlevez vos chaussettes de ville et faites sécher vos pieds à l'air ambiant pendant une ou deux minutes. Une fois que vos pieds sont secs, enfilez vos chaussettes de ski. Ce rituel, très négligé, vous évitera de mettre vos bottes alors que vos pieds sont humides, ce qui favorise leur refroidissement rapide.

La planche à neige
Vos vêtements doivent être amples et entièrement imperméables, car on tombe souvent lorsqu'on fait de la planche à neige, surtout au début ! À cause de ces nombreuses chutes justement, vous devriez porter un pantalon renforcé, aux genoux et aux fesses, d'empiècements résistants et coussinés. Il en sera de même pour le blouson long (ou l'anorak, s'il vente fort) et ses coudes.

tableau 14.2 Les températures dangereusement froides

Vitesse du vent (km/h)	Température ambiante (°C)														
	4	2	-1	-4	-7	-9	-12	-15	-18	-21	-23	-26	-29	-32	-34
	Température équivalente (°C)														
0	4	2	-1	-4	-7	-9	-12	-15	-18	-21	-23	-26	-29	-32	-34
8	3	1	-3	-6	-9	-11	-14	-17	-20	-24	-26	-29	-32	-35	-37
16	-2	-6	-9	-13	-15	-19	-23	-26	-29	-33	-36	-39	-43	-48	-50
24	-5	-9	-12	-17	-20	-24	-28	-32	-38	-40	-43	-46	-50	-54	-57
32	-8	-11	-16	-20	-23	-27	-32	-35	-39	-43	-47	-51	-55	-60	-63
40	-9	-14	-18	-22	-26	-30	-34	-38	-42	-48	-51	-55	-59	-64	-67
48	-10	-15	-19	-24	-28	-32	-36	-40	-44	-49	-53	-57	-62	-66	-70
56	-12	-16	-20	-25	-29	-33	-37	-42	-45	-51	-55	-58	-63	-68	-72
64	-13	-17	-21	-26	-30	-34	-38	-43	-47	-52	-56	-60	-65	-70	-74

Légende

Faible risque d'engelures.

Risque d'engelures.

Risque élevé d'engelures et d'hypothermie.

W.D. McArdle, F.I. Katch et V.L. Katch, *Essentials of Exercise Physiology*, Philadelphie, Lippincott Williams & Wilkins, 2e édition, 2000, p. 449.

Trouver chaussure
à son pied

On a tendance à l'oublier, mais les pieds encaissent leur lot de coups quand on pratique une activité physique. Par exemple, après 30 minutes de jogging ou de danse aérobique, vos pieds auront frappé le sol plusieurs centaines de fois ! Si vous portez des chaussures de piètre qualité, trop petites ou trop grandes, vous pouvez vous retrouver avec des ampoules, des ongles noirs et des cors. Une bonne chaussure de sport doit être confortable, durable et bien aérée. Autrement dit, elle doit offrir suffisamment d'espace pour les orteils, comprendre une languette, un col et une semelle intérieure dotés de généreux coussinets, être faite de matériaux de qualité, comporter une semelle extérieure adhérente et résistante à l'abrasion, et être pourvue d'une empeigne qui laisse échapper la chaleur (figure 14.2).

Cependant, une bonne chaussure n'est pas nécessairement appropriée à toutes les situations. **Vous devez choisir vos chaussures en fonction de l'activité pratiquée.** Si vous jouez au squash avec une chaussure de jogging (même d'excellente qualité), vous risquez l'entorse de la cheville, car ce type de chaussure n'est pas conçu pour les déplacements latéraux et vifs, propres au squash. Si vous pratiquez plusieurs activités physiques, vous pourriez acheter une **chaussure multisport**. Il s'agit d'un modèle passe-partout, conçu pour répondre aux exigences de plusieurs sports. Pourvue de coussinets et d'un

figure **14.2** L'anatomie d'une chaussure de sport

Les semelles

Une chaussure comporte trois semelles. La *semelle intérieure* est garante du confort et doit contrer la transpiration. La *semelle intermédiaire* amortit les chocs. Il existe plusieurs systèmes antichocs (coussin d'air ou de silicone, tamis rebondissant, galette de caoutchouc, etc.). La *semelle extérieure* assure l'adhérence au sol. Elle doit être adaptée à l'exercice physique pratiqué : semelle plate pour le tennis, fortement rainurée pour le jogging, à semelle antidérapante pour les sports pratiqués sur les planchers de bois, etc.

La tige

La tige protège la cheville et maintient le talon.

La languette

La languette doit être abondamment coussinée, sinon elle risque d'irriter le dessus du pied.

L'empeigne

L'empeigne est la partie supérieure de la chaussure de sport, elle-même fixée à la semelle intermédiaire. L'empeigne peut être pourvue de renforts latéraux pour un meilleur maintien du pied.

support latéral plus que convenable, la chaussure multisport encaisse tant les sauts que les déplacements latéraux et constitue donc un bon achat pour les sportifs indécis ou pour ceux qui aiment pratiquer des activités diverses. Les caractéristiques des principaux types de chaussures de sport offertes sur le marché sont présentées dans le tableau 14.3.

Le magasinage

Voici quelques conseils pour vous aider à trouver la bonne chaussure, c'est-à-dire celle qui conviendra à votre pied comme à votre budget.

- Magasinez toujours en fin d'après-midi, quand vos pieds sont légèrement enflés. Sinon, vous risquez d'acheter une chaussure qui se révélera trop serrée.

- N'hésitez pas à vous rendre dans deux ou trois magasins pour comparer les prix et les commentaires des vendeurs.

- Déterminez la pointure en fonction de votre pied le plus large. Sachez que plusieurs fabricants offrent des modèles en différentes largeurs.

tableau 14.3 Les caractéristiques de quelques chaussures de sport

Activité pratiquée	Principales caractéristiques de la chaussure portée
Danse aérobique et step	Ultralégère, bonne stabilité latérale, semelle dotée de bons coussinets au talon et sous la plante du pied, très flexible au niveau des orteils.
Golf	Stable, imperméable, semelle munie de crampons fixes ou amovibles.
Jogging	Très légère, talon surélevé et doté de bons coussinets, semelle antidérapante à rainures profondes et coupe biseautée au niveau du talon.
Marche sportive	Talon un peu plus bas que la chaussure de jogging, semelle très flexible au niveau des orteils.
Randonnée pédestre	Chaussure de type bottine, hydrofuge, semelle antidérapante à rainures profondes, intérieur très confortable.
Sports sur plancher de bois verni (badminton, squash, racquetball, volleyball, etc.)	Semelle antidérapante, très adhérente sur le bois verni.
Tennis	Grande stabilité latérale, variété de semelles conçues pour différents types de court (terre battue, asphalte, béton, matière synthétique, etc.).
Tous les sports	Chaussure de type multisport, stable, semelle antidérapante et bons coussinets au talon.

- Au moment de l'essayage, portez vos chaussettes d'exercice habituelles.

- Tenez compte des caractéristiques du tableau 14.3 quand vous achetez des chaussures de sport !

- Une fois chaussé, faites quelques pas dans le magasin, sur une surface dure (sans tapis), pour bien apprécier l'épaisseur des coussinets. Imitez les déplacements que vous faites quand vous pratiquez l'activité pour laquelle vous voulez acheter les chaussures. Celles-ci doivent être confortables : des chaussures neuves qui font mal n'augurent rien de bon !

- Si vous portez habituellement des orthèses dans vos chaussures, apportez-les au magasin. Choisissez des chaussures dont les semelles intérieures sont amovibles (ce qui est très courant). Remplacez-les par vos orthèses et marchez : vous devez vous sentir à l'aise. On trouve aussi, sur le marché, des modèles de type bottine (aussi appelés « trois-quarts »), qui couvrent tout le tendon d'Achille. On peut y ajouter une orthèse de bonne épaisseur, sans risquer que le talon ne sorte de la chaussure lors d'un déplacement brusque.

- Fixez-vous un prix limite… pour ne pas sortir du magasin avec des chaussures haut de gamme alors qu'un modèle économique aurait très bien fait l'affaire.

Huit bonnes raisons
de bien s'échauffer

Bien habillé et bien chaussé, vous êtes prêt à passer à l'action, mais ne le faites pas sans vous être échauffé au préalable! Voici pourquoi.

1. L'échauffement élève la température du corps, ce qui accroît l'efficacité des réactions chimiques dans les cellules musculaires. En quelque sorte, c'est un «préchauffage» de l'activité métabolique. La hausse de température provoque aussi une dilatation des vaisseaux sanguins, ce qui amène plus de sang, et donc plus d'oxygène, dans les muscles. Résultat: la cellule musculaire fabrique de l'ATP sans production d'acide lactique.

2. Les influx nerveux se propagent plus rapidement lorsque la température du tissu musculaire s'élève, ce qui accroît la coordination et la vitesse des mouvements. Il a été prouvé qu'un bon échauffement peut faire gagner 3 secondes à un coureur de 400 mètres et jusqu'à 6 secondes à un coureur de 800 mètres. Pour le commun des mortels, ces quelques secondes n'ont pas beaucoup d'importance, mais elles montrent qu'un muscle «réchauffé» est plus rapide et mieux synchronisé qu'un muscle qui ne l'est pas.

3. La chaleur musculaire éclaircit le lubrifiant naturel (la **synovie**) qui circule dans les articulations.

4. La chaleur diminue aussi la résistance du tissu conjonctif et musculaire, ce qui favorise l'amplitude articulaire et l'élongation du muscle, deux facteurs qui contribuent à réduire le risque de blessure lors d'un mouvement brusque. En fait, la flexibilité peut augmenter jusqu'à 20 % lorsque le muscle est échauffé.

5. L'augmentation graduelle du rythme cardiaque au cours de l'échauffement prépare le cœur à faire face à des efforts plus soutenus. Au cours d'une étude menée auprès de 44 sujets âgés de 21 à 52 ans, on a noté des anomalies du rythme cardiaque sur l'électrocardiogramme de 70 % des sujets qui venaient de faire un exercice intense sans échauffement préalable. À l'inverse, le fait de s'échauffer un peu réduisait ou supprimait ces anomalies.

6. L'échauffement permet aux vaisseaux sanguins du cœur d'avoir une bonne réserve d'oxygène avant un effort plus intense. On peut donc dire que l'échauffement a un effet protecteur chez les personnes souffrant de problèmes cardiaques.

7. L'échauffement aide à prévenir les crises d'asthme (zoom 14.3).

8. Enfin, l'échauffement améliore l'attitude mentale, puisqu'on se sent mieux dans un corps chaud que dans un corps froid.

En somme, l'échauffement ménage le cœur et les muscles, améliore la performance et réduit les courbatures et la raideur musculaire du lendemain. Il serait fou de se passer de tant d'avantages!

L'échauffement type

Aucun effort intense n'a sa place dans un échauffement, ni les pompes, ni les redressements du tronc, ni les sprints. Ces exercices ne nous échauffent pas, ils nous brûlent! La meilleure formule pour vous échauffer consiste à commencer par des exercices aérobiques légers (marche rapide, jogging léger, sautillements sur place, vélo à faible vitesse, etc.). Ces exercices élèvent légèrement le pouls, tout en provoquant une légère sensation de chaleur: ils dilatent les vaisseaux sanguins dans les muscles. À ces exercices, vous pouvez ajouter quelques exercices d'étirement de type balistique qui imitent les gestes que vous effectuez dans votre entraînement ou votre pratique sportive. Par exemple, lorsque vous vous échauffez avant un match de badminton ou de tennis, vous pouvez exécuter quelques coups à vide (dégagés, smashes, coups droits ou revers). Avant un match de soccer, vous pouvez exécuter des exercices légers de contrôle du ballon avec les pieds, ainsi que quelques coups de pied de faible intensité. Ces étirements dynamiques préparent les articulations et les tendons à des mouvements beaucoup plus amples que ceux qu'on fait dans la vie de tous les jours.

De façon générale, la *durée de l'échauffement* dépend de la durée et de l'intensité de l'activité physique qui suit. Ainsi, pour faire 20 minutes de jogging, il n'est pas nécessaire de vous échauffer pendant 15 minutes: ce serait faire du zèle. En revanche, avant de courir un marathon, vous auriez parfaitement raison d'allonger votre séance d'échauffement au-delà de 15 minutes. Précisons enfin qu'une activité intense et vigoureuse, même de courte durée (par exemple courir le 100 m), nécessite un échauffement qui peut dépasser 15 minutes. La durée de l'échauffement dépend également de la température ambiante: s'il fait très chaud et humide, l'échauffement sera plus court que d'habitude; si le temps est frais, il sera plus long, et on portera un survêtement pour conserver sa chaleur.

ZOOM

14.3 Un bon échauffement
peut prévenir une crise d'asthme!

L'exercice physique, particulièrement par temps froid, peut déclencher une crise d'asthme (rétrécissement des bronches) chez certaines personnes, y compris chez les athlètes de haut niveau. Or, une période d'échauffement d'environ 15 minutes peut réduire et même prévenir une crise d'asthme provoquée par l'effort physique. C'est ce que révèle une étude conduite par des chercheurs de l'Université de la Colombie-Britannique. Pour expliquer ces résultats, les auteurs de l'étude émettent l'hypothèse suivante: pendant un échauffement modéré et suffisamment long (15 minutes et plus), le corps épuiserait les déclencheurs habituels de la crise d'asthme. Ces auteurs croient aussi que certains athlètes pourraient remplacer la prise de médicaments par une période de 15 minutes d'échauffement modéré.

Bien se refroidir

Une fois l'activité terminée, prenez quatre ou cinq minutes pour ralentir votre activité métabolique (figure 14.3). Pour ce faire, il suffit de marcher. En effet, la marche accélère l'évacuation de l'acide lactique accumulé dans les muscles. Puis, à l'aide d'étirements statiques, étirez vos muscles (figure 14.4). Vous pouvez aussi terminer la période de refroidissement en restant allongé sur le sol, muscles détendus, pendant quatre ou cinq minutes. Se ménager cette courte détente après une activité physique se traduit généralement par un corps plus frais, un système cardiovasculaire apaisé et des muscles détendus.

Protéger sa peau
des rayons du soleil

Que ce soit en été ou en hiver, il est impossible de pratiquer des activités de plein air sans exposer une partie de son épiderme aux rayons ultraviolets. Par exemple, un parcours de 18 trous au golf ou bien une sortie de ski alpin, de surf des neiges ou de planche à voile peuvent facilement durer une demi-journée, durant laquelle une partie de votre corps est exposée au soleil. Or, le soleil accélère le vieillissement de l'épiderme et augmente le risque de cancer de la peau. Vous devez prendre quelques précautions pour diminuer votre exposition aux rayons ultraviolets.

De 20 à 30 minutes avant l'activité physique, appliquez sur les parties exposées de votre corps une crème solaire dont le FPS (facteur de protection solaire) est de 15 ou plus et qui protège contre les ultraviolets de type A et de type B (ces indications doivent figurer sur le contenant). Si votre peau est très sensible, choisissez une crème solaire hypoallergique. Attention! L'application d'une crème solaire n'est pas une invitation à rester encore plus longtemps au soleil.

figure 14.3 Les courbes de la température corporelle et du rythme cardiaque au cours d'une séance d'exercice

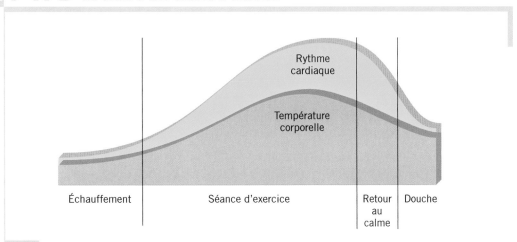

figure 14.4 Exemples d'étirements statiques à effectuer pendant la période de retour au calme

Garder chaque position d'étirement pendant 20 à 40 secondes.

Pour protéger votre visage et vos oreilles, portez un chapeau à large bord. Appliquez un écran solaire sur les parties du corps dont la peau est sensible aux ultraviolets, comme le nez, les paupières, les lèvres, les épaules et la partie supérieure de la poitrine. L'écran solaire réfléchit les ultraviolets à 100 %. Les écrans les plus efficaces sont la pâte d'oxyde de zinc, le dioxyde de titane et la gelée de pétrole rouge. Il ne faut surtout pas oublier les yeux, que les radiations solaires peuvent endommager de façon permanente. Assurez-vous que vos lunettes de soleil portent la mention « UV-400 », « 100 % UV » ou « 400 nm » (nanomètres). Un dernier conseil : évitez, dans la mesure du possible, de pratiquer une activité physique à l'extérieur entre 11 h et 14 h, car c'est le moment de la journée où les rayons ultraviolets sont les plus forts. Vous pouvez en revanche profiter du soleil pendant le reste de la journée, car il nous apporte, en plus de la chaleur, de la vitamine D.

Prévenir les blessures
et les soigner

Si l'activité physique est bénéfique pour notre santé, elle entraîne cependant un risque accru de blessures. Heureusement, la plupart du temps, il s'agit de blessures sans gravité, qu'on peut même bien souvent prévenir ou soigner efficacement soi-même (tableau 14.4). Cependant, si jamais vous devez subir une opération à la suite d'une blessure, assurez-vous que cette option constitue vraiment votre dernier recours. La plupart des blessures associées à la pratique d'une activité physique appartiennent à deux grandes catégories : les blessures aiguës et les blessures chroniques.

interventions chirurgicales

Les blessures aiguës

La blessure aiguë survient brusquement à la suite d'une chute, d'une collision ou d'un faux mouvement. Elle peut prendre la forme d'une entorse (ligament endommagé), d'un claquage musculaire (déchirure d'un muscle), d'une rupture de tendon, d'une luxation articulaire (déplacement d'un os hors de son articulation) ou encore d'une fracture (bris d'un os).

tableau 14.4 Un mini-guide de dépannage en cas de blessures et de douleurs

Blessures	Apparence et symptômes	Premiers soins
Courbatures	Douleur et raideur musculaires apparaissant entre 12 et 36 heures après l'exercice.	Étirement léger, exercice de faible intensité et bain chaud.
Crampes musculaires	Douleur, spasme, durcissement du muscle.	Étirement et massage doux de la zone douloureuse pour dénouer le muscle.
Entorses et claquages	Douleur, sensibilité au toucher, inflammation, perte d'usage.	Méthode CERF (p. 378), consultation d'un médecin ou d'un physiothérapeute.
Fractures et luxations	Douleur, inflammation, perte d'usage, déformation.	Attelle, application de froid, consultation d'un médecin.
Point de côté	Douleur aiguë sur le côté du thorax.	Diminution de l'intensité ou arrêt complet de l'exercice, respiration abdominale (chapitre 4) et massage léger de la zone sensible.

Adapté de 1) S.A. Hoeger et W.K. Hoeger, *Principles and Labs for Fitness*, Chicago, Morton Publishing Co., 1994, et de 2) documents divers de la Corporation professionnelle des physiothérapeutes du Québec.

Par conséquent, en cas de blessure aiguë, cessez *immédiatement* toute activité physique et, si vous les connaissez, appliquez les mesures de premiers soins afin de réduire au minimum les dommages musculosquelettiques et de réduire la douleur. Si vos connaissances en premiers soins sont limitées ou ne sont pas à jour, demandez l'aide d'un secouriste ou appelez le 911. Si la blessure est sans gravité mais douloureuse (par exemple une entorse), il faut appliquer sans tarder la méthode **CERF** (Compression, Élévation, Repos et Froid). Commencez par le **repos** en cessant immédiatement toute activité physique et en évitant de bouger le membre blessé. Puis, **élevez** doucement le membre blessé au-dessus du niveau du cœur. Si c'est la jambe qui est atteinte, étendez-vous sur le sol et surélevez-la à l'aide de vêtements enroulés ou de serviettes. Si c'est le bras, appuyez-le sur une table. Cette manœuvre ralentira l'hémorragie interne. Appliquez ensuite sur la blessure de la **glace** enveloppée dans une serviette (évitez le contact direct de la glace avec la peau). Ne laissez pas la glace plus de 20 minutes d'affilée sur la blessure, et appliquez-la toutes les 2 heures, mais pas plus souvent. Le froid réduira l'inflammation. Enveloppez ensuite le membre blessé en exerçant une certaine **pression** sur la blessure, mais sans empêcher le sang de circuler. Après ces mesures d'urgence, rendez-vous à une clinique médicale ou à un hôpital, à moins qu'une personne compétente en la matière (professeur d'éducation physique, infirmier, secouriste, médecin) estime que la blessure n'est pas grave. Une fois l'inflammation contrôlée, on appliquera de la chaleur afin de favoriser l'irrigation sanguine et la guérison. **En cas de fracture**, immobilisez le membre blessé à l'aide d'une attelle si les circonstances le permettent.

Les blessures chroniques

La blessure chronique ou blessure d'usure est une blessure qui se développe petit à petit. Elle est causée par une accumulation de microtraumatismes. Le principal symptôme est une douleur persistante, qui apparaît habituellement pendant ou après l'effort. Si vous croyez souffrir d'une blessure chronique, vous devez cesser de pratiquer l'activité qui cause la douleur aussi longtemps que celle-ci n'aura pas totalement disparu. Pour ce qui est du traitement, tout dépend de la nature de la blessure. Consultez le **Compagnon Web** pour connaître la nature et le traitement des trois blessures chroniques les plus fréquentes : la **tendinite**, la **bursite** et la **fasciite plantaire**.

blessures

Se motiver
à passer à l'action

Les éléments de la préparation physique que nous venons de voir sont essentiels à une pratique sans danger et agréable de l'activité physique. Mais si la motivation n'y est pas dès le départ (bilan 13.1A, p. 356), toute cette préparation ne sera guère utile, puisque vous ne passerez pas à l'action, ou du moins pas suffisamment longtemps pour que l'activité physique devienne une habitude dans votre vie. Si vous n'êtes pas encore certain de votre motivation à pratiquer l'activité physique, faites l'exercice qui suit.

Exercice

Prenez une feuille de papier et divisez-la en deux colonnes : dans la première, dressez la liste des bons côtés (avantages et aspects favorables) qu'il y a à être physiquement actif ; dans la seconde, énumérez les mauvais côtés (inconvénients, réticences et aspects défavorables). Vos expériences passées, votre motivation actuelle et vos occupations présentes peuvent vous aider à établir ce relevé. À titre d'exemple, voici quelques énoncés qu'on pourrait y trouver.

Les bons côtés	Les mauvais côtés
Je mettrai en pratique mes convictions.	Cela prendra trop de mon temps.
J'aurai du plaisir à pratiquer une activité que j'aime.	Ma condition physique est trop mauvaise.
Je me sentirai mieux dans ma peau.	Je n'ai pas d'endroit où pratiquer une activité physique.
Je perdrai mon excédent de gras.	Je ne suis pas habile dans les sports.
J'aurai plus d'énergie.	Je n'ai pas assez de volonté.
Je dormirai mieux.	J'ai peur de me blesser.
Je réduirai mes risques de maladies cardio-vasculaires, de diabète et de cancer.	Je n'ai pas beaucoup d'argent pour pratiquer un sport.
Je renforcerai mes os.	
J'aurai une meilleure confiance en moi, une meilleure estime de moi.	
Je me ferai de nouveaux amis.	

Prenez le temps ensuite d'évaluer le bien-fondé des arguments figurant dans vos deux listes et tirez les conclusions qui s'imposent. Pour vous aider dans cette évaluation, vous trouverez sur le **Compagnon Web** d'autres informations sur la motivation à faire de l'exercice. motivation

Si cet exercice ne vous convainc pas des avantages que procure une vie active, demandez à des amis, à des proches ou à des collègues de travail qui sont devenus physiquement actifs ce que ce changement leur a apporté. Visitez aussi des centres d'activité physique pour voir des gens en pleine action et vous imprégner de l'atmosphère qui y règne : cela pourrait vous donner le goût d'en faire autant. Finalement, demandez-vous pourquoi vous passez ainsi à côté d'un des moyens les plus accessibles et les plus efficaces pour jouir d'une bonne santé et, donc, d'une bonne qualité de vie. Finalement, dites-vous bien que personne ne peut agir à votre place !

à vos méninges

Remarque : Il peut y avoir plus d'une bonne réponse par question.

1. Il est recommandé d'appliquer le « principe des pelures d'oignon » quand on pratique une activité physique par temps froid. Qu'est-ce que cela signifie ?

○ **a)** Porter des vêtements qui protègent bien du vent.

○ **b)** Porter un parka bien matelassé.

○ **c)** Porter plusieurs couches de vêtements minces qui enferment l'air et procurent une bonne isolation.

○ **d)** Porter plusieurs couches de vêtements épais et chauds qui procurent une bonne isolation.

○ **e)** Aucune des réponses précédentes.

2. Parmi les raisons suivantes, laquelle ou lesquelles justifient l'échauffement qui précède la pratique d'une activité physique ?

○ **a)** L'augmentation graduelle du rythme cardiaque au cours de l'échauffement prépare le cœur à faire face à des efforts plus soutenus.

○ **b)** L'échauffement stimule le système parasympathique, ce qui favorise une meilleure performance.

○ **c)** L'échauffement élève la température du corps, ce qui accroît l'efficacité des réactions chimiques dans les cellules musculaires.

○ **d)** Les influx nerveux se propagent plus rapidement lorsque la température du tissu musculaire s'élève quelque peu.

○ **e)** La chaleur engendrée par l'échauffement diminue la résistance du tissu conjonctif et musculaire, ce qui favorise l'amplitude articulaire et l'élongation du muscle.

3. Qu'est-ce qu'un coup de chaleur ?

○ **a)** Une fatigue musculaire généralisée.

○ **b)** Une transpiration excessive.

○ **c)** Le résultat d'un coup de soleil grave.

○ **d)** Le dérèglement complet du système qui contrôle la température du corps.

○ **e)** Aucune des réponses précédentes.

4. À quel moment de la journée les rayons ultraviolets sont-ils les plus forts ?

○ **a)** Entre 9 h et 11 h.

○ **b)** Entre 15 h et 16 h.

○ **c)** Entre 12 h et 13 h.

○ **d)** Entre 11 h et 14 h.

○ **e)** Entre 11 h et 12 h.

5. Que fait-on pour appliquer
la méthode CERF ?

○ **a)** On demande à la victime de s'allonger et de se reposer, puis on applique de la glace et
une compresse sur la blessure.

○ **b)** On applique de la chaleur et on élève le membre blessé au-dessus du niveau du cœur.

○ **c)** On enveloppe d'abord le membre blessé pour exercer une légère compression, puis on
élève le membre blessé et on demande à la victime de se reposer.

○ **d)** On demande à la victime de s'allonger et de se reposer, on élève le membre blessé, on
applique de la glace pendant quelques minutes, puis on enveloppe le membre blessé
en exerçant une certaine pression.

○ **e)** Aucune des réponses précédentes.

6. Quels phénomènes permettent au corps d'évacuer la chaleur produite
par les muscles ?

○ **a)** L'élévation de la température du corps.

○ **b)** L'évaporation de la sueur.

○ **c)** La vasoconstriction des vaisseaux sanguins.

○ **d)** La convection de l'air ambiant.

○ **e)** L'élévation du pouls et de la pression artérielle.

7. À quoi sert la première couche de vêtements quand on applique
le principe des pelures d'oignon ?

○ **a)** Garder le corps au sec en absorbant l'humidité produite par la transpiration.

○ **b)** Couper le vent.

○ **c)** Protéger du froid.

○ **d)** Empêcher la transpiration.

○ **e)** Aucune des réponses précédentes.

8. Selon le principe des pelures d'oignon, quel est le meilleur choix de fibres
pour les vêtements de la troisième couche ?

○ **a)** La laine polaire.

○ **b)** Le polyester.

○ **c)** Un mélange de coton et de polypropylène.

○ **d)** Des fibres synthétiques entièrement imperméables.

○ **e)** L'acrylique.

9. Quelles sont les zones du corps les plus sensibles aux basses températures
quand on pratique une activité physique ?

○ **a)** Le tronc, les mains et les pieds.

○ **b)** La tête, les épaules et le tronc.

○ **c)** Les pieds, les jambes et les cuisses.

○ **d)** La tête, les mains et les pieds.

○ **e)** La tête et le tronc.

10. Si vous pratiquez plusieurs sports d'intérieur, quel est le meilleur choix de chaussures ?

- ○ **a)** Des chaussures de jogging.
- ○ **b)** Des chaussures multisport.
- ○ **c)** Des chaussures à semelle antidérapante.
- ○ **d)** Des chaussures à talon surélevé.
- ○ **e)** Des chaussures à talon plat.

11. Parmi les blessures suivantes, lesquelles sont les plus fréquentes chez les personnes physiquement actives ?

- ○ **a)** Les ampoules, les fractures et les claquages musculaires.
- ○ **b)** Les tendinites, les bursites et les fractures des côtes.
- ○ **c)** Les bursites, les périostites et les ongles noirs.
- ○ **d)** Les tendinites, les fasciites plantaires et les bursites.
- ○ **e)** Aucune des réponses précédentes.

12. Complétez les phrases suivantes.

a) Une bonne chaussure de sport doit être _____ , durable et bien

_____ .

b) Magasinez toujours l'achat de chaussures en fin _____ , quand vos pieds

sont légèrement _____ .

c) À l'achat de chaussures, faites mesurer vos deux _____ , puisqu'ils ne

sont pas nécessairement de la même largeur.

pour en **savoir plus**

Lectures suggérées

- Anctil, P., P. Bergeron, P. Harvey et G. Thibault, *Guide de mise en forme*, Montréal, Éditions de l'Homme, 1998.
- Ästrand, P.O., et K. Rodahl, *Précis de physiologie de l'exercice musculaire*, Paris, Éditions Masson, 1994.
- Costill, D.L., et J.H. Wilmore, *Physiologie de l'exercice*, 2e éd., Bruxelles, De Boeck Université, 2002.
- Dishman, R.K., *Advance in exercise adherence*, Champaign, Human Kinetics Books, 1994.
- Shimmer, P., et B.A. Stamford, *Fitness without exercise*, New York, Warner Books, 1990.

sites Internet à visiter

Espaces (plein air, voyages et découvertes)
www.espaces.qc.ca

Kino-Québec
www.kino-quebec.qc.ca

Santé Canada (activité physique)
http://www.hc-sc.gc.ca/francais/vie_saine/physique.html

BILAN 14.1

Votre préparation physique et mentale

Ce chapitre porte sur les règles à suivre pour pratiquer une activité physique sans danger et de manière agréable. Appliquez-vous ces règles ? Le bilan qui suit vous aidera à répondre à cette question en détail. Pour évaluer votre niveau de préparation physique et mentale, lisez d'abord chaque situation et cochez pour chaque règle la situation qui vous correspond le mieux. Accordez-vous des points comme suit : **deux points** chaque fois que vous cochez la colonne *Toujours* ; **un point**, la colonne *Parfois* ; **aucun point**, la colonne *Jamais*. Ensuite, comptez vos points et interprétez vos résultats.

J'observe la règle suivante :	Toujours	Parfois	Jamais
1. Pour vérifier si je suis apte à pratiquer l'activité physique, je réponds aux questions du Q-AAP (p. 183) et je consulte un médecin si j'ai des doutes sur mon état de santé.			
2. Avant de me lancer dans un programme d'activité physique, je fais le point sur ma condition physique.			
3. Par temps chaud, je m'habille légèrement.			
4. Par temps froid, j'applique le principe des pelures d'oignon.			
5. S'il fait très chaud ou très froid, je prends les précautions qui s'imposent pour me protéger contre la déshydratation ou les engelures.			
6. Je prends le temps de bien choisir mes chaussures de sport.			
7. Si je m'entraîne 30 minutes ou plus, je bois de l'eau régulièrement et en quantité suffisante.			
8. Quand je pratique une activité physique au soleil, je protège ma peau.			
9. En cas de blessure ou de douleur, je prends les mesures qui s'imposent.			
10. Je m'échauffe avant de pratiquer une activité physique.			
11. Après une activité physique, je me préoccupe du retour au calme.			
12. Si je suis physiquement très actif, j'ajuste mon régime alimentaire pour manger un peu plus de glucides.			
13. J'évite de prendre un gros repas juste avant une activité physique.			

Pour les règles 14 et 15, accordez-vous **deux points** si vous cochez la colonne *Oui*, et **aucun point** si vous cochez la colonne *Non*.

J'ai observé la règle suivante :	Oui	Non
14. J'ai rempli la partie A du bilan 13.1 afin de connaître mon degré de motivation pour l'exercice.		
15. J'ai fait l'exercice suggéré page 379 afin de bien savoir comment je perçois la pratique régulière de l'activité physique.		

Faites le total des points obtenus. _____

Ce que votre résultat signifie...

25 points et plus. Votre niveau de préparation physique et mentale est plus que suffisant.

De 19 à 24 points. Vous démontrez un certain degré de préparation physique et mentale, mais celle-ci est insuffisante. Un peu de discipline pourrait toutefois renverser la vapeur. Il n'en tient qu'à vous !

De 13 à 18 points. Votre préparation physique et mentale est très incomplète, ce qui pourrait nuire à votre bien-être et augmenter votre risque de blessures quand vous pratiquez une activité physique. Vous n'êtes pourtant pas loin de la catégorie précédente. Allez, faites un petit effort pour améliorer votre préparation !

12 points et moins. Votre préparation physique et mentale est déficiente, pour ne pas dire inexistante. Si vous êtes physiquement actif et si, en plus, vous pratiquez des activités vigoureuses, le risque de nuire à votre bien-être et de vous blesser est très élevé. Mais ne désespérez pas. Demandez-vous plutôt ce que vous pouvez faire pour améliorer votre niveau de préparation. Cet exercice de réflexion en vaut la peine, si vous aimez l'activité physique vigoureuse. Après tout, un bon niveau de préparation physique et mentale n'est pas difficile à atteindre.

Si le bilan de votre préparation physique et mentale révèle une préparation incomplète ou nettement insuffisante, comptez-vous faire quelque chose pour améliorer la situation ?

○ Oui   ○ Non

Si oui, quelles règles comptez-vous observer pour améliorer votre niveau de préparation ?

_____

_____

_____

Si non, expliquez pourquoi ?

_____

_____

_____

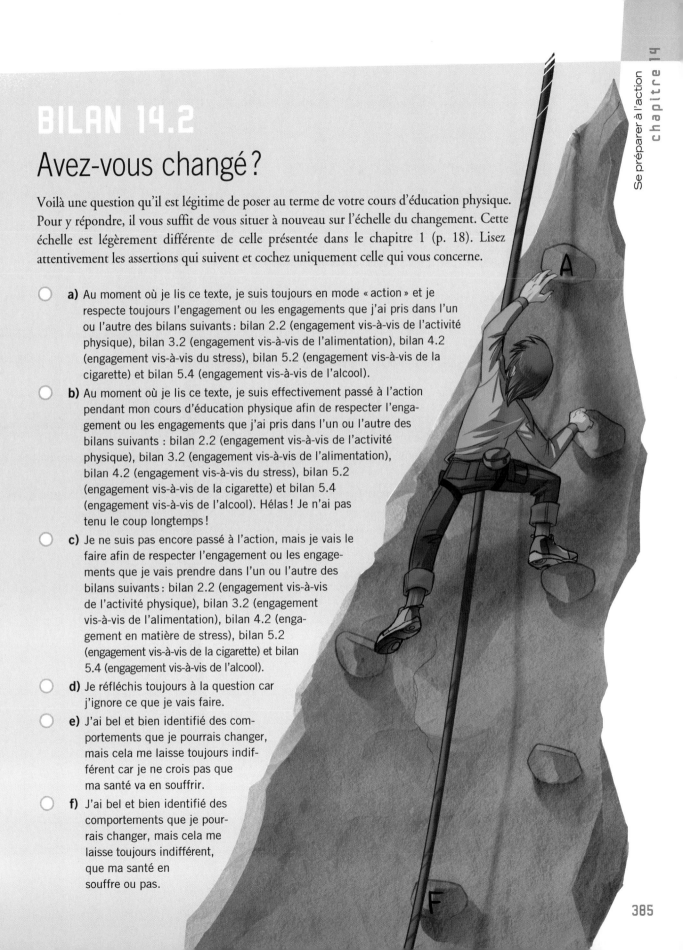

BILAN 14.2

Avez-vous changé?

Voilà une question qu'il est légitime de poser au terme de votre cours d'éducation physique. Pour y répondre, il vous suffit de vous situer à nouveau sur l'échelle du changement. Cette échelle est légèrement différente de celle présentée dans le chapitre 1 (p. 18). Lisez attentivement les assertions qui suivent et cochez uniquement celle qui vous concerne.

○ **a)** Au moment où je lis ce texte, je suis toujours en mode « action » et je respecte toujours l'engagement ou les engagements que j'ai pris dans l'un ou l'autre des bilans suivants : bilan 2.2 (engagement vis-à-vis de l'activité physique), bilan 3.2 (engagement vis-à-vis de l'alimentation), bilan 4.2 (engagement vis-à-vis du stress), bilan 5.2 (engagement vis-à-vis de la cigarette) et bilan 5.4 (engagement vis-à-vis de l'alcool).

○ **b)** Au moment où je lis ce texte, je suis effectivement passé à l'action pendant mon cours d'éducation physique afin de respecter l'engagement ou les engagements que j'ai pris dans l'un ou l'autre des bilans suivants : bilan 2.2 (engagement vis-à-vis de l'activité physique), bilan 3.2 (engagement vis-à-vis de l'alimentation), bilan 4.2 (engagement vis-à-vis du stress), bilan 5.2 (engagement vis-à-vis de la cigarette) et bilan 5.4 (engagement vis-à-vis de l'alcool). Hélas! Je n'ai pas tenu le coup longtemps!

○ **c)** Je ne suis pas encore passé à l'action, mais je vais le faire afin de respecter l'engagement ou les engagements que je vais prendre dans l'un ou l'autre des bilans suivants : bilan 2.2 (engagement vis-à-vis de l'activité physique), bilan 3.2 (engagement vis-à-vis de l'alimentation), bilan 4.2 (engagement en matière de stress), bilan 5.2 (engagement vis-à-vis de la cigarette) et bilan 5.4 (engagement vis-à-vis de l'alcool).

○ **d)** Je réfléchis toujours à la question car j'ignore ce que je vais faire.

○ **e)** J'ai bel et bien identifié des comportements que je pourrais changer, mais cela me laisse toujours indifférent car je ne crois pas que ma santé va en souffrir.

○ **f)** J'ai bel et bien identifié des comportements que je pourrais changer, mais cela me laisse toujours indifférent, que ma santé en souffre ou pas.

Comparez maintenant votre position sur l'échelle du changement à celle que vous occupiez au début du cours.

Position au début du cours (indiquez la lettre) : _____

Position à la fin du cours (indiquez la lettre) : _____

Que concluez-vous ?

_____

_____

_____

BILAN 14.3
La question-synthèse

Au terme de ce cours, êtes-vous capable de situer votre pratique de l'activité physique parmi les habitudes de vie qui favorisent votre santé? Pour répondre correctement à cette question, vous devez, dans un premier temps, faire une analyse critique de votre mode de vie et de son incidence sur votre santé actuelle et future. Vous devez aussi parler du rapport entre une bonne santé et la pratique d'activités physiques associées à vos besoins, à vos capacités et aux facteurs qui vous motivent. Dans un deuxième temps, et compte tenu de l'autoanalyse que vous venez de faire, vous devez faire ressortir les comportements les plus à risques pour la santé dans les habitudes de vie de notre population et établir un scénario réaliste des répercussions monétaires et sociales propres à de tels comportements sur l'avenir de notre système universel et gratuit de soins de santé.

_____

_____

_____

_____

_____

_____

_____

_____

_____

_____

_____

_____

_____

_____

_____

Annexes

Annexe 1

LA DÉPENSE ÉNERGÉTIQUE DES ACTIVITÉS PHYSIQUES

La dépense énergétique est exprimée en équivalents métaboliques (METS). Un MET équivaut à une dépense énergétique au repos de 1 Cal.kg.heure. Par exemple, si vous pesez 70 kg, que vous jouez au badminton et que vous êtes un joueur de niveau intermédiaire, votre dépense énergétique est de 7 METS (ligne 4 dans le tableau 1). Dans ce cas, pour connaître votre dépense énergétique à la minute, il suffit de faire le calcul suivant : [votre poids (70 kg)] × [valeur en METS du badminton (7 METS)] = 490. Divisez ensuite ce résultat par 60 minutes pour ramener le tout en calories dépensées par minute (Cal/min). Ce qui donne : 490/60 = 8,2 Cal/min. Si vous avez joué pendant 30 minutes, vous avez donc dépensé 246 calories (30 × 8,2 Cal/min). Pour effectuer vos calculs, vous pouvez utiliser le calculateur sur le Compagnon Web.

tableau 1 Dépense énergétique engendrée par l'activité physique

	Activités physiques	Dépense en METS/min	Dépense en Cal/kg/min
1	Aviron, effort modéré	7,0	0,117
2	Aviron, effort intense	11,0	0,184
3	Badminton, niveau débutant	4,5	0,075
4	Badminton, niveau intermédiaire	7,0	0,117
5	Badminton, niveau avancé	10,0	0,167
6	Ballet, classique ou moderne	6,0	0,100
7	Basketball, niveau récréatif	6,0	0,100
8	Basketball, partie officielle	8,0	0,133
9	Basketball en chaise roulante	6,5	0,108
10	Bicyclette, promenade ou déplacement, effort léger (6 km/h)	4,0	0,067
11	Bicyclette, promenade ou déplacement, effort modéré (19 à 22 km/h)	7,0	0,117
12	Bicyclette, effort intense (de 22 km/h à 26 km/h)	10,0	0,183
13	Bicyclette, effort très intense (plus de 30 km/h)	14,0	0,233
14	Bicyclette stationnaire, effort très léger (50 watts)	3,0	0,050
15	Bicyclette stationnaire, effort léger à modéré (100 watts)	5,5	0,092
16	Bicyclette stationnaire, effort modéré à intense (150 watts)	7,0	0,117

	Activités physiques	Dépense en METS/min	Dépense en Cal/kg/min
17	Bicyclette stationnaire, effort intense à très intense (plus de 200 watts)	11,0	0,183
18	Canotage, niveau récréatif	4,0	0,067
19	Corde à sauter, rythme modéré	8,5	0,142
20	Corde à sauter, rythme rapide à très rapide	11,5	0,192
21	Crosse	8,0	0,133
22	Danse aérobique en général	5,5	0,092
23	Danse aérobique avec impact	7,5	0,125
24	Danse folklorique	5,5	0,092
25	Escalade, pendant la montée	11,0	0,184
26	Équitation en général	4,0	0,067
27	Équitation en général, trot et galop	6,0	0,100
28	Escrime, niveau récréatif	6,0	0,100
29	Escrime, niveau avancé	8,0	0,133
30	Football, partie officielle	9,0	0,150
31	Football (football-toucher)	8,0	0,133
32	Golf en transportant ses bâtons	5,5	0,092
33	Golf en voiturette électrique	3,5	0,058
34	Handball européen en général	8,0	0,133
35	Hockey sur glace en général	9,0	0,150
36	Jogging léger combiné avec marche	6,0	0,100
37	Jogging léger	7,0	0,117
38	Jogging à 8 km/h (7 min/km)	8,0	0,133
39	Jogging à 9,5 km/h (6 min/km)	10,0	0,167
40	Jogging à 13 km/h (4,5 min/km)	13,5	0,225
41	Jogging, genre cross-country	9,0	0,150
42	Jogging sur place	8,0	0,133
43	Judo, jiu-jitsu, karaté, aéroboxe, tae kwan do	10,0	0,167
44	Kayak en eaux calmes, niveau récréatif	5,0	0,083
45	Kayak en eaux vives, niveau avancé	8,5	0,142
46	Marche ordinaire (5,0 km/h)	3,0	0,050
47	Marche rapide (5,5 km/h)	4,0	0,067
48	Marche très rapide (7 km/h et plus)	6,5	0,108
49	Musculation	3,0	0,050
50	Nage synchronisée	8,0	0,133

	Activités physiques	Dépense en METS/min	Dépense en Cal/kg/min
51	Natation, niveau récréatif	6,0	0,100
52	Natation, longueurs en style libre, intensité modérée	7,0	0,117
53	Natation, longueurs en style libre, intensité élevée	11,0	0,183
54	Patinage, niveau récréatif	5,5	0,092
55	Patinage, vitesse élevée	9,0	0,150
56	Patinage de vitesse, niveau compétitif	15,0	0,250
57	Patinage à roues alignées, niveau récréatif	7,0	0,117
58	Planche à roulettes	5,0	0,083
59	Racquetball, niveau récréatif	7,0	0,117
60	Racquetball, niveau compétitif	10,0	0,183
61	Raquette à neige	8,0	0,133
62	Simulateur d'escalier	6,0	0,100
63	Ski alpin, effort léger	5,0	0,083
64	Ski alpin, effort modéré	6,0	0,100
65	Ski alpin, niveau compétitif, effort intense	8,0	0,133
66	Ski de randonnée sur le plat, effort léger (4,0 km/h)	7,0	0,117
67	Ski de randonnée, effort modéré (7,0 km/h)	8,0	0,133
68	Ski de randonnée, effort intense (10,5 km/h)	9,0	0,150
69	Soccer en général	7,0	0,117
70	Soccer, partie officielle	10,0	0,183
71	Squash, niveau récréatif	7,0	0,117
72	Squash, niveau avancé	11,0	0,184
73	Taï chi	4,0	0,067
74	Tennis de table, niveau avancé	7,0	0,117
75	Tennis en simple, en général, sauf niveau débutant	7,5	0,125
76	Tennis en double en général, sauf niveau débutant	6,0	0,100
77	Volleyball, niveau récréatif	3,0	0,050
78	Volleyball, niveau compétitif	4,5	0,075
79	Water-polo	10,0	0,183
80	Yoga	3,0	0,050

Annexe 2

LA MÉTHODE DE KARVONEN POUR DÉTERMINER SA FCC

Si vous souhaitez déterminer votre fréquence cardiaque cible (FCC) à l'effort à l'aide de la méthode de Karvonen (p. 269), procédez comme suit. Rappelons que la FCC est constituée d'une fourchette de deux valeurs : la première est minimale et la deuxième est maximale.

1. Estimez votre fréquence cardiaque maximale (FCM) selon la formule suivante.

   $$220 - \text{âge} = \text{FCM}$$

   Exemple : la FCM de A, qui est âgé de 20 ans, est de 200, selon la formule (220 − 20).

2. Calculez votre fréquence cardiaque au repos (FCR) en prenant votre pouls debout, le matin, une ou deux minutes après le lever.

   Exemple : la FCR de A est de 75 battements par minute.

3. Déterminez votre réserve cardiaque (RC), c'est-à-dire la différence entre votre fréquence cardiaque maximale (FCM) et votre fréquence cardiaque au repos (FCR).

   $$\text{FCM} - \text{FCR} = \text{RC}$$

   Exemple : la RC de A est de 125, selon la formule (200 − 75).

4. Déterminez votre fréquence cardiaque cible (FCC) en multipliant d'abord votre réserve cardiaque (RC) par les pourcentages de la paire qui correspond à votre endurance cardiovasculaire (chapitre 8) : faible (55 % et 65 %) ; moyenne (65 % et 75 %) ; élevée (75 % et 85 %). Toutefois, si vous êtes âgé de 25 ans ou moins et, par ailleurs, en bonne santé, utilisez la paire de pourcentages la plus élevée. Ces paires de pourcentages diffèrent un peu de celles de la méthode présentée au chapitre 11, parce que cette dernière, moins précise, sous-évalue la FCC. Ajoutez ensuite à ces résultats votre fréquence cardiaque au repos (FCR).

   $$\left[\text{RC} \times \begin{array}{l} \text{pourcentage minimal de} \\ \text{l'endurance cardiovasculaire} \end{array} \right] + \text{FCR} = \begin{array}{l} \text{valeur minimale} \\ \text{de la FCC} \end{array}$$

   $$\left[\text{RC} \times \begin{array}{l} \text{pourcentage maximal de} \\ \text{l'endurance cardiovasculaire} \end{array} \right] + \text{FCR} = \begin{array}{l} \text{valeur maximale} \\ \text{de la FCC} \end{array}$$

   Exemple : l'endurance cardiovasculaire de A est faible (résultat du test de course et marche de 12 minutes) ; selon la formule, sa FCC se situe donc entre 144 battements par minute (125 × 55 % = 68,75, soit 69 ; 69 +75 = 144) et 156 battements par minute (125 × 65 % = 81,25, soit 81 ; 81 + 75 = 156).

Marche à suivre abrégée

1. FCM = 220 – [mon âge]
   = 220 – _____
   = _____

2. FCR = [mon pouls au repos]
   = _____

3. RC = FCM – FCR
   = _____ – _____
   = _____

4. FCC minimale = [RC × endurance cardiovasculaire minimale] + FCR
   = [_____ × _____] + _____
   = _____

   FCC maximale = [RC × endurance cardiovasculaire maximale] + FCR
   = [_____ × _____] + _____
   = _____

Ma FCC se situe entre _____ battements par minute et _____ battements par minute.

Annexe 3

DES INFORMATIONS NUTRITIONNELLES SUR QUELQUES REPAS-MINUTE (*FAST FOOD*)

RESTAURANT BURGER KING				
Aliments	**Portion (g)**	**Calories**	**Lipides (g)**	**Sodium (mg)**
Whopper tout garni	270	640	39	870
Whopper avec fromage	286	730	46	1 300
Hamburger	Non disponible	330	15	570
Cheeseburger	Non disponible	380	19	780
Cheeseburger double avec bacon	Non disponible	640	39	1 220

RESTAURANT HARVEY'S				
Aliments	**Portion (g)**	**Calories**	**Lipides (g)**	**Sodium (mg)**
Ultra hamburger	152	409	19	746
Ultra hamburger avec fromage	166	464	22	1 210
Végé-Burger	125	315	8,8	695
Hamburger Original	129	357	17	1 000
Hamburger Original double	214	609	39	1 540
Hamburger Original avec fromage	148	418	22	1 087
Hot dog	112	313	12	220
Frites (portion ordinaire)	116	308	13	200
Rondelles d'oignon	81	286	20	580
Poutine	280	738	43	275

RESTAURANT MCDONALD'S				
Aliments	**Portion (g)**	**Calories**	**Lipides (g)**	**Sodium (mg)**
Hamburger	102	260	10	500
Cheeseburger	116	310	14	750
Quart de livre	166	410	21	660
Quart de livre avec fromage	194	520	29	1 150
Big Mac	215	560	32	950
McD.L.T.	243	580	37	990
MacPoulet	190	490	27	780
Frites (portion moyenne)	97	320	17	150
Frites (grosse portion)	122	400	22	200

Sources

PHOTOGRAPHIES

Pages 98, 103 (bas), 206, 209, 225 (centre et bas), 226, 227, 249, 308, 309, 310 (bas), 311 (haut), 312, 313 (bas), 314 (bas), 315, 316, 317 (haut), 318 (haut), 319, 325 (haut et centre), 326 (haut et centre), 334 (bas), 353 : Rolland Renaud.

Pages 103 (haut), 196, 203, 330 (haut), 331 (haut et centre), 376 : Denis Gendron.

Pages 104 (haut), 190, 210, 225 (haut), 307, 310 (haut), 311 (bas), 313 (haut), 314 (haut), 317 (bas), 318 (bas), 320, 321, 322, 323, 324, 325 (bas), 327, 328, 329, 330 (bas), 331 (bas), 332, 333, 334 (haut), 335, 336 : Jac Mat.

Pages 189 (gauche et droite), 198, 200, 211, 227, 326 (bas) : Normand Faucher.

Page 180 : Arthur Long.

Pages 106, 168, 211, 303 : JUPITERIMAGES.

Page 104 (bas) : Vladimir Ivanov / iStockphoto.

Page 107 : Leah-Anne Thompson / iStockphoto.

Page 255 : Michael Price / iStockphoto.

Ouverture du chapitre 4 : Dorling Kindersley.

Ouverture du chapitre 6 : Paul La Rue.

Ouverture du chapitre 7 : Rémi Ouellet.

ILLUSTRATIONS

Pages 7, 9, 23, 32, 54, 56, 57, 58, 61, 78, 97, 123, 155, 163, 166, 195, 222, 223, 228, 229, 230, 231, 232, 234, 235, 236, 241, 242, 252, 255, 276, 277, 278, 293, 306, 367, 371 : Stéphane Bourrelle.

Pages 18, 385 : Claude Bordeleau.

Index